CZECH S

A BASIC COURSE
OF THE CZECH LANGUAGE
FOR ENGLISH SPEAKING
FOREIGNERS

FRAGMENT

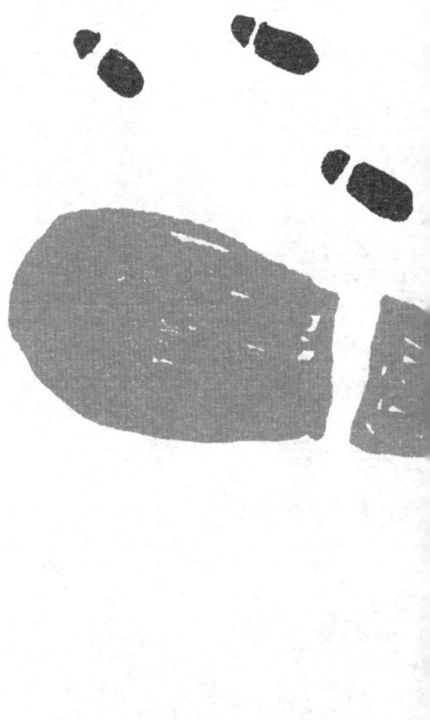

A BASIC COURSE IN THE CZECH LANGUAGE FOR ENGLISH SPEAKING FOREIGNERS

CZECH Step by Step

LÍDA HOLÁ

FRAGMENT
PRAHA 2000

Lída Holá

CZECH STEP BY STEP

A BASIC COURSE
IN THE CZECH LANGUAGE
FOR ENGLISH SPEAKING FOREIGNERS

Odborní lektoři: PhDr. Jiří Kostečka, PhDr. Jiří Pěšička, PhDr. Jitka Ryndová
Jazykoví korektoři: James Branam, Carrie Priest, Joseph Sampley
Vydalo nakladatelství Fragment, Humpolecká 1503, Havlíčkův Brod,
jako svou 462. publikaci.
2. dotisk 1. vydání, 2004
Vytiskly Tiskárny Havlíčkův Brod, a. s.

Kontaktní adresa: Radiová 1, 102 27 Praha 10 – Hostivař
e-mail: fragment@fragment.cz
http://www.fragment.cz

ISBN 80-7200-402-6 (1. vydání, 2000)

Introduction

Czech Step by Step is a practical and communicative textbook of the present Czech language based on English. Twenty-seven chapters present the basic grammatical principles of the Czech language, common conversational phrases and a vocabulary of about 1,000 words. The book is meant for both individual and group teaching.

Czech Step by Step was created as a textbook for such students whose goal is not theoretical language research work but ability to understand and speak Czech. The textbook tries to be easy to understand, clearly organized and practical in everyday speech. Also, the methods selected correspond to this. The most important ones can be found in the following text.

The textbook is based on the grammatical-communicative method (except for units 1, 2 and 4 which use elements of the direct method, allowing the pupil to speak the language as early as possible). The material is arranged in integral panels, which are formed both by lessons and by individual pages (the author insists on keeping to the principle: 1 page=1 grammar point, set of exercises, etc.). These panels are variable and comparable during lessons. This is especially useful while practicing and revising more difficult points, such as, for example, the correlation of the accusative and instrumental cases, accusative and locative etc. Many of the panels can be used during teaching according to the needs of the students or according to the teacher's decision. In this way, you can go over a survey of conjugation, plural forms, the locative case, vocative case and past tense, so the arrangement of the material is variable to a large extent.

As for the grammar explanations, the textbook makes an effort to show the complexity of the language.. Each point is introduced briefly, simply, but also as an integral whole. The student acquires the material gradually, step by step. However, to understand the logic of the language, it is important for the student to perceive the material as a whole, too. To understand the connections, the book uses a system of references which draw attention to connecting lines both inside and outside the grammatical points and helps to lead the student without a teacher. The teaching method is not only linear, it also gains "spatial" dimension. The uses of the references is facultative, of course.

The author also tries to devote attention to verbs. The function of the verb is sometimes underestimated and fogged up by the teaching of case suffixes. However, the Czech language belongs to a group of languages which are distinctively verbative and especially the verb creates the backbone of the Czech sentence.

Some of the grammatical problems are explained simply because the English and Czech languages differ so much from one another.

The textbook doesn't provide so much material for practicing cases in the plural because it is possible to use exercises practicing the singular.

While practicing grammar, everyone will notice the use of colours – the most distinctive feature of the text. The author uses them to indicate the various genders, which is important material. The colours should help the students and should make it easier to remember the material. The colours are used as follows: light blue for masculine animate objects; dark blue for masculine inanimate; pink for feminine; and green for neuter. The use of colours for identifying gender is completely new in the teaching of Czech, and according to experience, is considered a very favourable aspect of the book by students.

The use of colours also eliminates the need for Latin abbreviations indicating gender.

The overwhelming majority of endings of nouns in the nominative singular (consonant for masculine nouns, -a for feminine, and –o for neuter) are typical, and, except for the first three lessons, they are not specifically indicated. The student uses these nouns in a similar way as a native Czech would – he/she knows the gender without studying it. Only the nouns with endings other than typical need to be indicated by colours and remembered. Animate masculine nouns are also indicated by colours owing to methodological reasons.

The exception to this is a short dictionary at the end of the textbook, where nouns of all genders are colour-coded.

Another completely new feature of the textbook is the thematic arrangement of vocabulary which is put into separate panels, which are in fact individual pages placed at the end of each lesson. This should help the student to use new words correctly because beginning students are often not able to use new words correctly without knowledge of declension. The references tell the students which words he/she should substitute into a familiar syntactic construction.

Thematic panels of vocabulary can also be used in several ways:

a) As a basis for discussion on the given topic:
Speaking practice counts on the fact that people like to speak about themselves, about their family, experience and experiences, so the oral activities are focused on this fact. After the explanations of certain grammar problems and after the practice, the student should use the knowledge within the bounds of the conversation topic. On this occasion, the thematic panels of vocabulary and the next to last page of each lesson play a huge role.

b) For individual preparation of supplementary methodical materials.
The topically defined vocabulary makes the individual preparation of materials easier, especially those that couldn't become a part of the text because of their expensive nature (photographs, pictures, etc.)

c) As drill exercises.
The textbook contains a range of drill exercises in the part called "You can practise (the grammar) using the vocabulary from lessons". The idea of this section is to choose a suitable drill exercise according to the student's needs and abilities. Such a procedure develops initiative and creativity for both the teacher and student in this not so popular field of language studies.

d) For everyday memorisation of vocabulary.
The author assumes that the student "visits" a certain vocabulary several times in various situations according to individual textbook lessons, so 36 words for one topic is considered to be adequate. Moreover, the student can extend the selection of the words if he/she is interested in doing so.

The textbook also reflects literary Czech in its spoken form, especially in dialogues. It shows in morphology (potřebuju, potřebujou, taky, Angličani), in a lexical field (holka, hrnek, nafoukaný, dneska, večírek, but also mejdan) and in sytax (the frequency of use of conjunctions: tak, když, že, jak …, additional sentence expressions such as: co, že, viď/viďte, fakt, opravdu…, relevant word order in sentences which refelects the speaker's attitude). In all, the book keeps to the literary standard and so-called Common Czech appears only alternatively.

To make the learning easier at the beginning of studies, the textbook often uses so-called international expressions (džus, atraktivní, exportovat, komunikovat, etc.). It is up to the Czech teacher to teach or not to teach their equivalents, their origin (most of them come from Latin and Greek, not from English as students often mistakenly think).

Every language study of good quality requires that a student learn how to use a good bilingual dictionary (at least of medium size). It is also the reason why the author has chosen a larger number of texts requiring the use of a dictionary. The short dictionary at the back of the textbook contains the vocabulary of each lesson and most frequently used adjectives and serves as a basic tool for orientation.

As mentioned above, some of the procedures used in the teaching of Czech and Slavonic languages appear for the first time, so the author would appreciate any remarks on the text from its users: both students and teachers: ideas, stimuli and questions can be sent via e-mail to holmail@quick.cz or to the publisher of this book: Fragment.

In conclusion, the author would like to express her thanks to professional and language reviewers who assisted her tremendously in word and deed, and to her family, friends and students for their support and patience. To users, the author wishes much enjoyment in working with this book and great success in his/her studies.

Lída Holá

úvod

Czech Step by Step je praktická a komunikativní učebnice současné češtiny na bázi angličtiny. V 27 kapitolách představuje základní gramatické principy českého jazyka, běžné konverzační fráze a slovní zásobu přibližně 1 000 slov. Je určena pro individuální i kolektivní výuku.

Czech Step by Step vznikla jako učebnice pro studenty, jejichž cílem není teoretické bádání o jazyce, ale schopnost co nejdříve mluvit a rozumět česky. Snaží se o maximální o přístupnost, přehlednost a praktickou využitelnost textu; tomu odpovídají i zvolené postupy. V následujících řádcích upozorním na nejdůležitější z nich.

Učebnice je založena na gramaticko-komunikativní metodě (s výjimkou lekcí 1, 2 a 4, které využívají prvky přímé metody umožňující rychlý vstup do jazyka). Učivo je uspořádáno v ucelených panelech tvořených jak jednotlivými lekcemi, tak jednotlivými stránkami (snažím se zachovávat pravidlo 1 stránka = 1 gramatický jev, soubor cvičení apod.). Tyto panely lze ve výuce vzájemně kombinovat a porovnávat. To je výhodné zejména při procvičování a opakování složitějších jevů, například předložkové korelace akuzativu a instrumentálu, akuzativu a lokálu a podobně. Mnohé z těchto panelů však můžeme také „přesunovat", tedy zařazovat do výuky podle potřeb studentů či rozhodnutí učitele. Takto je možné kdykoliv probrat přehled konjugace, tvary plurálu, lokál, vokativ, minulý čas a podobně. Řazení gramatických jevů je tedy do značné míry variabilní.

V gramatickém výkladu usiluje učebnice o maximální komplexnost. Každý probíraný jev je představen stručně a jednoduše, ale zároveň i jako celek. Samozřejmě, že student si jej osvojuje postupně a po částech, avšak pro pochopení vnitřní logiky jazyka je nesmírně důležité, aby jej jako celek vnímal. K porozumění souvislostem slouží systém odkazů, který upozorňuje na spojnice v rámci jednotlivých gramatických jevů i mimo ně a orientuje studenta i bez pomoci učitele. Výklad tak není pouze lineární, ale získává i „prostorovou" dimenzi. Užití těchto odkazů je ovšem fakultativní.

Pozornost se snažím věnovat také slovesům. Funkce slovesa bývá ve výuce podceněna a zastíněna usilovným učením pádových koncovek. Čeština však patří k jazykům výrazně verbálním a právě sloveso tvoří páteř české věty. Proto seznámení se slovesy přikládám nemenší důležitost než procvičování pádových koncovek.

U některých gramatických jevů se záměrně uchyluji k určitému zjednodušení či opomenutí výjimek. To je dáno zaměřením učebnice a hlavně faktem, že se zde jedná o první seznámení se systémem jazyka, který je typologicky značně odlišný od angličtiny.

Procvičování plurálu jednotlivých pádů nevěnuji mnoho místa, protože k tomuto účelu lze velmi dobře využít cvičení a drilů uváděných pro singulár.

V souvislosti s gramatickým výkladem se zmíním o patrně nejnápadnějším rysu textu, totiž o využití barev. V gramatice slovanských jazyků, a tedy i češtiny, hraje velmi důležitou roli kategorie gramatického rodu. K zapamatování rodu substantiv a ozřejmění jeho funkce ve větě používám barvy: světlemodrou pro maskulina životná, tmavomodrou pro maskulina neživotná, růžovou pro feminina a zelenou pro neutra. Nejde o žádné hraní – barevné značení je funkční pomůckou, která slouží maximální didaktické názornosti a počítá i s podvědomým vnímáním. Použití barev pro značení rodu a s ním spojených jevů je ve výuce češtiny novinkou, ovšem podle dosavadních zkušeností je studenty přijímáno velmi příznivě.

Využití barev dovoluje eliminovat obvyklé latinské zkratky označující rod substantiva. Většinové zakončení substantiv v nominativu singuláru (*konsonant* pro maskulina, *-a* pro feminina a *-o* pro neutra) pokládám za zakončení typické a kromě prvních tří lekcí je nijak neznačím. Student s těmito substantivy zachází podobně jako rodilý Čech – prostě ví, jaký mají rod, aniž by se jej musel učit. Barevné značení a samozřejmě i zapamatování vyžadují pouze substantiva s jiným než většinovým zakončením. Z didaktických důvodů značím barevně i životná maskulina.

Výjimku tvoří pouze stručný slovníček na konci učebnice, kde jsou barevně označeny rody všech substantiv.

Dalším koncepčně novým prvkem textu je tematické řazení slovní zásoby do samostatných panelů, představovaných jednotlivými stránkami na konci lekcí. Jedním ze značných omezení studia češtiny a slovanských jazyků vůbec je totiž fakt, že student – začátečník není schopen správně používat nová slova bez znalosti jejich deklinace (konjugace většinou nebývá velkou překážkou). Proto řadím slovní zásobu do tematických panelů a pomocí odkazů doporučuji studentovi, jaké okruhy slov může v dané lekci dosadit do syntaktické konstrukce, kterou ovládá, a bezpečně je tak použít. Tato „průchodnost" učebnice je podle dosavadních zkušeností velmi užitečná, záleží však na studentovi, jak jí využije. Autorská doporučení jsou i v tomto ohledu fakultativní.

Tematické panely slovní zásoby lze dále využívat několika způsoby:

a) Jako podklad k debatě na dané téma.

Naše praxe počítá s přirozenou vlastností lidské povahy, totiž s tím, že většina lidí mluví nejraději o sobě, o své rodině, o svých názorech, zkušenostech a zážitcích. Mluvní aktivity jsou proto orientovány právě tímto směrem. Po výkladu určitého gramatického jevu a jeho procvičení má student využít nabyté znalosti v rámci konverzačního tématu. Zde hrají významnou roli tematické panely slovní zásoby a jim předcházející konverzačně zaměřené předposlední stránky lekcí.

b) K samostatné přípravě doplňujících metodických materiálů.

Tematické vymezení slovní zásoby významně usnadňuje samostatnou přípravu materiálů, které se pro svůj rozsah a finanční nákladnost nemohly stát součástí textu (fotografie, obrázky apod.).

c) Jako drily.

Učebnice obsahuje nabídku drilových cvičení pod zadáním *You can practice (the grammar) using the vocabulary from lessons...* Cílem je umožnit individuální volbu drilu podle studentových aktuálních potřeb a jeho dotvoření podle studentovy konkrétní situace. Podobný přístup totiž podporuje iniciativu a kreativitu studenta i učitele i v této málo oblíbené, ovšem nezbytné oblasti výuky jazyka.

d) K běžnému memorování slovíček.

Předpokládám, že student „navštíví" příslušný okruh slovní zásoby vícekrát v různých souvislostech, tak jak mu je nabízejí jednotlivé lekce. Proto považuji výběr 36 slov na jedno téma za přiměřený. Student navíc může tento výběr rozšiřovat podle zájmu či nezájmu o dané téma.

S komunikativním zaměřením učebnice souvisí i příklon k mluvené podobě spisovné češtiny, který je patrný zvláště v rozhovorech. Projevuje se v morfologii (*potřebuju, potřebujou, taky, Angličani),* v lexiku (*holka, hrnek, nafoukaný, dneska, večírek* i *mejdan)* a v syntaxi (častá frekvence spojek *tak, když, že, jak...*, přídatné větné prvky jako *co, že, viď/viďte, fakt, opravdu...*, aktuální členění větné odrážející postoj mluvčího). Celkově však učebnice dodržuje spisovný standard a obecná čeština se objevuje pouze alternativně.

Pro usnadnění vstupu do jazyka používám poměrně často tzv. internacionalismy (*džus, atraktivní, exportovat, komunikovat* apod.). Ponechávám na učiteli, aby případně zdůraznil jejich české ekvivalenty či upřesnil pozici a původ těchto slov v jazyce (většina z nich pochází z latiny a řečtiny, ne z angličtiny, jak se studenti často mylně domnívají).

Každé kvalitní studium jazyka vyžaduje, aby se student naučil používat dobrý dvojjazyčný slovník (alespoň středního rozsahu). Z tohoto důvodu jsem zařadila větší množství textů vyžadujících použití slovníku. Stručný slovníček v závěru učebnice obsahuje slovní zásobu lekcí a nejfrekventovanějších adjektiv a slouží pouze k základní orientaci.

Jak už bylo řečeno, některé z použitých postupů se ve výuce češtiny a slovanských jazyků vůbec objevují poprvé. Proto bych ocenila připomínky, které budou mít k textu jeho uživatelé, a to jak studenti, tak učitelé. Názory, podněty i otázky mohou být zasílány na e-mailovou adresu (holmail@quick.cz) nebo na adresu nakladatele.

Na závěr bych chtěla poděkovat odborným a jazykovým recenzentům, kteří mi přispěli mnoha cennými radami a podněty, a své rodině, přátelům a studentům za trpělivost a podporu. Přeji všem uživatelům učebnice hodně úspěchů ve studiu a radosti z práce.

Lída Holá

contents - obsah

LESSON 1

- The most common questions students ask about Czech. Quiz.
- The basic grammatical terms you will need.
- The alphabet. Pronunciation notes.
- Pronunciation practice.
- Greetings and basic social phrases.
- Basic phrases and conversation.
- Personal pronouns. To be – být. Negation. Question.
- Reactions (To je...). The question tag.
- Vocabulary: Food and drinks.

the most common questions students ask about Czech

Is Czech related to English in some way?
Yes, it is. Both of them are members of the Indo-European family of languages (compare: mother – matka, brother – bratr, three – tři*). However, they belong to different types of languages: English is an analytical language and Czech is a synthetic language (compare:* I do not know *(4 units)* - nevím *(1 unit);* by the pen *(3 units)* - perem *(1 unit).*

Why does Czech have cases?
As a synthetic language, with a flexible word order, Czech needs cases with their various endings (inflected word forms), i. e. "signals" expressing relations among words.

Why doesn't Czech have articles?
The reason is its flexible word order. Information that was already mentioned or otherwise known is usually located at the front of a sentence (English uses the definite article here). New information is usually located at the end (and it is expressed by the indefinite article in English).

Do Czech words consist of horrifying clusters of consonants?
Well, some of them do. Fortunately, they aren't the vitally important ones. Actually, how often do you ask people strč prst skrz krk (put your finger through your throat) *or* vzcvrnkls (did you flick up)?

Why are the Czech words usually longer than the English ones?
Because it uses prefixes, suffixes and even some infixes.Compare: odpoposedávat si – to sit a little bit aside several times.

Is Czech really as difficult as I've heard?
Yes and no. Yes, mainly because of the variety of its endings. No, because it has a logical grammatical system similar to Latin, no more than three verbal tenses and just a handful of irregular verbs.

quiz

1. ***Czech is spoken approximately by:***
   a) twelve million people b) ten million people c) nine million people

2. ***The official name of the state is the Czech Republic, but sometimes you can hear or read the new name made up after the secession of Slovakia. The new name is*:**
   a) Česko b) Čechia c) Českomoravsko

3. ***What animal does the Czech Republic have as its state symbol?***
   a) a lion with two tails b) a black female eagle c) a red and white checkered female eagle

4. ***Do you know "the most successful" Czech word that is used in many world languages?***
   a) pivo b) panelák c) robot

5. ***Who started to use the diacritical symbols (lengthmarks, hooks) in Czech writing?***
   a) J. Hus in the 15th century b) Charles IV. in the 14th century c) President Masaryk in the 20th century

6. ***Read the text of the Czech national anthem below. When was it written? During...***
   a) the Hussite revolution in the 15th century b) the National Revival Movement in the19th century

Where is my home, where is my home?
Water murmurs among the meadows,
Pine woods sigh among the cliffs,
Orchards are radiant with spring blossom,
An earthly paradise to the gaze.
And this is the beautiful land,
Land of Bohemia, my home,
Land of Bohemia, my home.

Translation: © David Short, 1996.

the basic grammatical terms you will need

You know many of the following terms. However, some of them are less common or absent in English grammar. Review and learn:

adjectives: good, bad, strong, white…

adverbs: nicely, really, simply, flat, there...

aspect: *The verbal category that is absent in English. There are two aspects in Czech:*
1. imperfective
The imperfective aspect is unmarked. It expresses the activity per se (by itself) and views the activity as repeated or unlimited.
2. perfective
It views the activity as completed, as a single act. It often reflects its end or beginning.
Almost all the Czech verbs exist in both aspectual forms. In this textbook they are always written in this order: 1.imperfective form/2. perfective form.

conjugation, to conjugate: *Verbs are conjugated in Czech. It means that the endings are used to create persons. Observe:* I do – děl**ám**, you do – děl**áš**, he/she/it does – děl**á...**

conjunctions: and, or, but...

declension, to decline: *Nouns, adjectives, pronouns and numerals are declined in Czech. It means that endings are used to create cases.*
Observe: to David – David**ovi;** from America – z Ameri**ky**

gender: *Nouns, adjectives, the majority of pronouns and some numerals have genders. Genders are also reflected by certain forms of verbs (the past tense, the conditional). There are three grammatical genders in Czech: masculine (animate and inanimate), feminine and neuter. To tell them apart we will use four colours:*
Ma - masculine animate
Mi - masculine inanimate
F - feminine
N - neuter

the infinitive: *"to-form" of verbs in English and " -t form" in Czech.*
Observe: to do – děla**t**

interjections: ah, bang, splash...

nouns: man, woman, dog, house...

numerals: one, two, three...; first, second...

object:
1. direct object: Mother is sending a **letter.**
2. indirect object: Mother is sending a letter to **Jane.**

prepositions: in, on, at, from...

pronouns: I, you, he, she, it...; that, this; my, your...; me, him, her...

verbs: to be, to have...

subject: Mother is sending a letter.

REMEMBER: Nouns, adjectives and verbs have different forms in Czech!

	noun	*verb*	*adjective*	*adverb*
English	work	work	work	
Czech	práce	pracovat	pracovní	pracovně

The alphabet. Pronunciation notes.

Diacritic symbols used in Czech: ˇ **háček** – hook ´ **čárka** – length mark ° **kroužek** – circle

The letters you know:	a b c d e f g h i j k l m n o p q r s t u v w x y z

The Czech letters: consonants	č ď ch ň ř š ť ž
vowels:	á é ě í ó ú ů ý

1. *Note the consonants that are absent from the English alphabet:* **č**, **ch**, **ř**, **š**, **ž**, **ď**, **ť**, **ň** *(in particular* **ch** *which counts as a single letter!)*

2. *The short vowels are matched by a set of long vowels, which are marked by the "length marks" and are about 1. 75 times as long as the short vowels.*

3. **p**, **t**, **k** *are unaspirated sounds.*

4. **i** *and* **y** *(or* **í** *and* **ý**) *are pronounced the same.*

5. **ú** *and* **ů** *are pronounced the same. Their spelling still reflects the differences in sound that existed in past.* *See A Trip back through History, p. 265, point 3.*

6. *How to pronounce* [**ď**, **ť**, **ň**]*?*
   Imitate the sounds that your teacher produces putting the tip of your tongue against the back of the upper gum and above the front teeth. You will pronounce the sounds similar to **d**, **t**, **n** *but softer than them.*
   Where to pronounce [**ď**, **ť**, **ň**]*?*
   1. If there is **ď**, **ť**, **ň** *in the text as in* **ď**ábel (devil), **ť**ukat (to knock), Plze**ň**.
   2. If there is **d**, **t**, **n** + **ě** *as in* **dě**kuju (thank you), **tě**žký (difficult), **ně**kdo (somebody).
   3. If there is **d**, **t**, **n** + **i** *as in* **di**vadlo (theatre), **ti**skárna (printer), **ni**kdo (nobody).

7. *How to pronounce syllables* **bě**, **pě**, **vě**, **fě**, **mě**?
   Bě, **pě**, **vě**, **fě**, **mě** *read* [**bye**, **pye**, **vye**, **fye**, **mnie**.]
   as in: **bě**žet (to run), **pě**t (five), **vě**k (age), **mě**sto (city, town)

8. *The assimilation rules:*

OBSERVE:	
Voiced consonants:	**b, v, d, ď, z, ž, g, h**
Voiceless consonants:	**p, f, t, ť, s, š, k, ch**

a) *At the end of the words the voiced consonants are pronounced as the voiceless.*
   Observe: Václa**v** [Václa**f**]
   Che**b** [Che**p**]

b) *If there are two or more consonants in one group, all of them assimilate to the last one.*
   dí**vk**a [dí**fk**a]
   v kanceláři [**fk**anceláři]
   kdo [**gd**o]

9. *Except for several stressless ones, words are stressed on the first syllable*:
   náměstí, **si**tuace, **a**nalýza

The alphabet and the spelling can be seen on page 264 in the Grammatical Tables.

pronunciation practice

Czech has adopted quite a lot of words from Latin and Greek. Some loanwords, have been borrowed from English (terms concernig computers, science etc.). You will recognize and understand these international words easily! However, you should always check their meanings in a good dictionary. *For the reason see lesson 27, p. 262.*

1. Guess the meanings of the following loanwords. Practise the Czech pronunciation. Do you remember what the colours mean? For the review see page 13.

prezident	kečup	studentka	auto
turista	míting	gorila	rádio
student	trénink	banka	kakao
vegetarián	svetr	tramvaj	dynamo
džentlmen	gól	politika	stereo
gangster	šok	ekonomika	rodeo
amatér	konflikt	konference	video
profesionál	striptýz	demokracie	pončo

2. Use a map of your city/town. Practise the pronunciation of place names and of words you can see in the street. Do you know some more?

hotel *město* ulice nádraží *náměstí*

tramvaj metro autobus vlak TAXI

supermarket potraviny *ovoce - zelenina*

maso-uzeniny *pečivo* lékárna vinárna

restaurace pokladna pošta banka letiště

kavárna *cukrárna* drogerie trafika

HOSPODA pumpa DIVADLO *květiny* knihovna

policie ambasáda opera knihkupectví *balet*

WC – MUŽI/PÁNI

WC – ŽENY/DÁMY

3. Practise the pronunciation of your Czech address:

Kde bydlíte? Where do you live? ....

greetings and basic social phrases

no	well, oh
ano *(coll.* **jo***)*	yes
ne	no
bohužel	unfortunately
naštěstí	fortunately
Děkuju. *(coll.* **Díky. Dík.***)*	Thank you. Thanks.
Prosím.	Please. You are welcome.
Není zač.	You´re welcome. Not at all.
Ahoj! Čau!	Hello! Hi! Bye!
Dobré ráno!	Good morning!
Dobrý den!	Hello!
Dobrý večer!	Good evening!
Na shledanou! *(coll.* **Naschle!***)*	Good bye!
Dobrou noc!	Good night!
Dobrou chuť!	Bon appetit!
Na zdraví!	To your health!
Pardon. Promiňte.	Pardon. Excuse me. I am sorry.
Pardon/ Promiňte/Prosím vás...	Excuse me... *(if you address s. o.)*
To nic.	Nothing happened.
To je mi líto.	I am so sorry for you *(sympathy)*.
Moment, prosím.	Wait a minute, please.
S dovolením.	Allow me, please.
Hezký den/týden/víkend!	Have a nice day/week/weekend!
Šťastnou cestu!	Have a good journey!
Taky. Nápodobně.	You too!
a, ale, taky, nebo, tak	and, but, also, or, so

What are the people in the pictures saying?

basic phrases and conversation

Jak se řekne česky ... ?	How do you say ... in Czech?
Jak se to píše?	How do you write it?
Opakujte to, prosím.	Repeat it, please.
Máte otázku?	Do you have a question?
Mám otázku.	I have a question.
Mluvte pomalu, prosím.	Speak slowly, please.
Studuju češtinu.	I study Czech.
Učím angličtinu.	I teach English.
Pozor!	Attention!
Dobře. Výborně.	Good. Very good.
Fakt? Opravdu?	Really? Do you mean it?
Nevím.	I don't know.
Nerozumím.	I don't understand.
Myslím, že...	I think that...
Jistě. Určitě.	Certainly. Sure.
Pomoc!	Help!

REMEMBER the universal Czech word: **prosím**

1. You can order food and drinks in a restaurant by saying: **Prosím,** pivo a knedlíky!
2. Your telephone rings. You pick up the receiver and say: **Prosím**?
3. In a shop, you are addressed by a shop assistant: **Prosím**?
4. You misunderstood your partner. You ask him or her: **Prosím**?
5. You meet someone in the door and want to let him or her pass first: **Prosím**!
6. You want to address someone in the street for some reason: **Prosím vás...**
7. Someone asks you for permission to do something and you agree: **Prosím!**
8. And the most common situation: **Děkuju! – Prosím**!

1. **Jak se jmenujete?** **Jmenuju se ...**	1. What´s your name? My name is ...
2. **Odkud jste?** **Z Ameriky. Z Austrálie. Z Británie. Z Kanady.**	2. Where are you from? From...
3. **Vy jste Američan / Angličan / Australan / Kanaďan?** **Ano, jsem Američan / Angličan / Australan / Kanaďan.**	3. Are you American...? Yes, I am...
4. **Vy jste Američanka / Angličanka / Australanka / Kanaďanka?** **Ano, jsem Američanka / Angličanka / Australanka / Kanaďanka?**	
5. **Prosím vás, ...?** *(a question in Czech follows)* **Nerozumím česky. Studuju češtinu.**	5. Excuse me, ...? I don´t understand. I study Czech.
6. **Jak se máš? Jak se máte?** *(Answering this question you use the adverbs).* **Dobře. Výborně. Fantasticky.** **Ujde to. Jde to.** **Nic moc.** **Špatně. Bohužel, špatně.**	6. How are you? Good. Very good. Fantastic. Not bad. So so. "Nothing too much." Bad. Unfortunately, bad.
7. **Kdo je to? To je ...** **Co je to? To je…**	7. Who is it? It's ... What is it? It's…

personal pronouns

já – I	**my** – we
ty – you	**vy** – you
on = **on** – he	**oni (ony, ony, ona)** – they
ona – she	
to (**ono**) – it, that	

- *The forms in brackets (ono, **ony**, **ony**, **ona**) are only used in formal and written Czech.*
- *For the general sense of "it, that" use **"to"**. E.g.: **Co je to? To je rum.** What's it/that? It's rum.*
- *The 2nd person singular form **ty** is the informal address (it is used for friends, relatives, children).*
- *The 2nd person plural **vy** is used in two ways:*
  a) as the plural (this is the same in English)
  b) as the formal address in the singular (the formal address).

> ***REMEMBER:***
> *Don't forget that using the* ty*-form with an adult stranger can be impolite! Usually an older person or a woman suggests:* **Můžeme si tykat.** We can use the informal address.
>
> **tykat si** – to use informal address **vykat si** – to use formal address

to be - být

I am	=	**jsem**	we are	=	**jsme**
you are	=	**jsi** *(coll.* **seš***)*	you are	=	**jste**
he, she is	=	**je**	they are	=	**jsou**
BUT: it is	=	**to je**			

- *You pronounce:* [sem, si, je, sme, ste, sou.]
- *Except for* **to**, *the personal pronouns do not need to be used when they are subjects of verbs, as the verb ending itself incorporates the person of the subject. The personal pronouns are usually used only if you want to stress it or to be clear* (*I* am here, not *you*).

question - otázka

- *To create a question in Czech, you don' t need any auxiliary verbs.*
  1. *To create a question that can be answered* yes/no *just change the intonation of the sentence.*

Practise: To je Petr?/Je to Petr? To jsi ty?/Jsi to ty?

2. *Other questions don't change their intonation considerably.*

negation - negace

- *Negation is easy in Czech. You simply insert the prefix* **ne-** *in front of the verb. There is only one special form:* **IT ISN'T – NENÍ!**

nejsem	**nejsme**
nejsi	**nejste**
NENÍ	**nejsou**

Practise: Já nejsem Petr, já jsem Jakub. To není Irena, to je Alice. Ty nejsi Adam, ty jsi Alex.

- *For the future tense of the verb "být" see lesson 8, p. 96. The past tense see on p. 92.*

reactions (to je...)

1. The following expressions are useful reactions (you will guess some of them!)

To je bezva, fajn!	That´s great! *(coll.)*	**To je nuda.**	That´s boring.
To je pravda.	That´s true.	**To je chaos.**	That´s chaos.
To je legrace.	That´s fun.	**To je zmatek.**	That´s a mess.
To je překvapení!	That´s a surprise!	**To je nesmysl.**	That´s nonsense.
To je škoda.	That´s a pity/shame.	**To je omyl.**	That´s an error.
To je vtip.	That´s a joke.	**To je moje věc.**	That´s my business.
To je chyba.	That´s a mistake.	**To je šok!**	....
To je ono!	That´s it!	**To je skandál.**	....
To je náhoda.	That´s a coincidence.	**To je katastrofa.**	....
To je v pořádku.	That´s O. K.	**To je komedie.**	....
To je jedno.	It´s all the same.	**To je tragédie.**	....

2. Practise.
Example: To je katastrofa. – Ne, to není katastrofa.

3. What will you say if...
...you really like something.
...you hear something very stupid.
...you don´t mind anything.
...you are really surprised.
...you are bored to death.
...you are really angry.
...something seems funny to you.
...you meet someone who you haven´t seen for ages.

BÝT NEBO NEBÝT - TO JE OTÁZKA!

4. Ask and answer on the given model.
Example: káva – čaj: To je káva? – Ne, to není káva, to je čaj.

1. jogurt – majonéza
2. jogurt – puding
3. kakao – koktejl
4. koláč – pizza
5. guláš – bujón
6. aspirin – vitamín
7. rohlík – bageta
8. džus – šampaňské
9. koňak – rum
10. biftek – šunka

5. Practise with the pictures. ***Example***: To není citron, to je pomeranč.

the question tag

The question tag in English:
It´s a surprise, **isn´t it?**
It´s great, **isn´t it?**

The question tag in Czech:
To je překvapení, **že?**
To je prima, **že?**

❑ *Instead of* **"že"**, *you can sometimes hear the following expressions in the same function:*

že ano, že jo, že ne, viď, viďte

❑ *Note:* **"Že"** *is also a conjunction meaning "that" (as in "*I think that...*".) This conjunction can never be omitted in Czech!*

1. **ananas**	pineapple
2. **aspirin**	aspirin
3. **banán**	banana
4. **cukr**	sugar
5. **cigareta**	cigarette
6. **citrón**	lemon
7. **čaj**	tea
8. **čočka**	lentils
9. **dort**	cake
10. **guláš**	goulash
11. **houska**	bread roll, bun
12. **chléb**, **chleba**	bread
13. **jogurt**	yogurt
14. **kakao**	cocoa
15. **káva** *coll.* **kafe**	coffee
16. **kola**	cola
17. **koláč**	tart, pie
18. **majonéza**	mayonnaise
19. **máslo**	butter
20. **maso**	meat
21. **minerálka**	mineral water
22. **mléko**	milk
23. **okurka**	cucumber
24. **paprika**	red pepper
25. **paštika**	paté
26. **pivo**	beer
27. **pomeranč**	orange
28. **rohlík**	long roll
29. **salám**	salami
30. **slanina**	bacon
31. **smetana**; **šlehačka**	cream; whipped cream
32. **sýr** (+**myš**)	cheese (+ mouse)
33. **šunka**	ham
34. **víno**	wine
35. **zmrzlina**	ice cream
36. **zeleninový salát**	salad

❑ *What are the most common endings of masculines, feminines and neuters? See lesson 3, p. 37.*

1
2
3
4
5
6
7
8
9
10
11
12
13
14
15
16
17
18
GURT
cacao
Tchibo
Coca
HELL MAN
MAJONE

19
20
21
MAT
22
23
24
25
TIKA
26
27
28
29
30
31
32
33
34
35
36

LESSON 2

- Names. Introductions. The polite address.
- Speaking about people. Basic information.
- Where? Basic information I.
- V/na + the locative sg. Simplified rules (for places).
- Where? Basic informantion II.
- To be glad that...
- Vocabulary: The things around you.

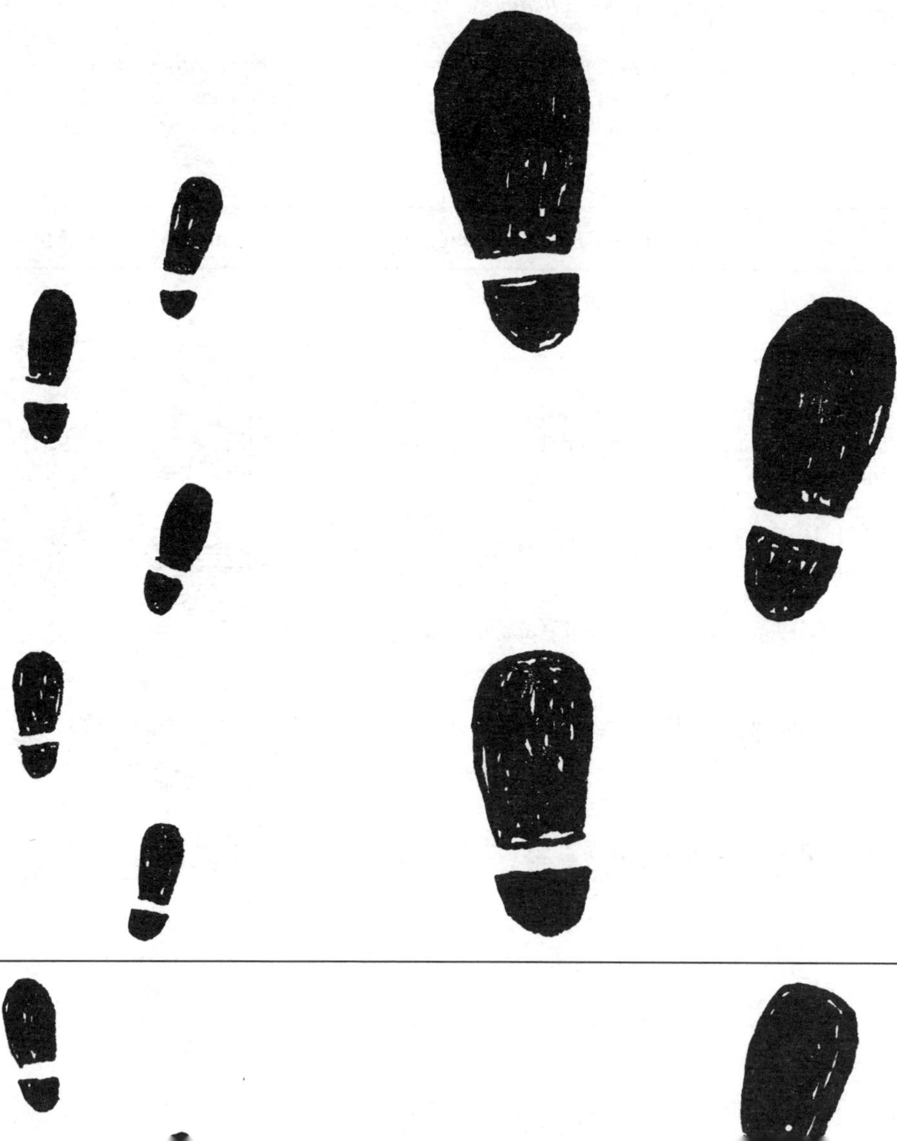

Names. Introductions. The polite address.

REMEMBER: **(křestní) jméno** (Christian/first name) + **příjmení** (surname/last name) = **jméno** (name)

❑ *What Czech names do you know? Make sure that you pronounce them correctly. Then practise the pronunciation.*

Male names: Aleš, Adam, David, Daniel, František, Josef, Gustav, Jiří, Ivan, Kamil, Karel, Zdeněk

Female names: Anna, Alice, Barbora, Dagmar, Daniela, Eva, Hana, Helena, Kateřina, Monika, Lenka

❑ ***Family/pet names:*** *Like all Slavic languages, Czech has a rich system of family and pet names.*
Marie: Mařenka, Maruška, Majka, Mařka, Máňa, Majda, Marina, Márinka, Maryčka...
Josef: Jožka, Joska, Jožínek, Pepa, Pepík, Pepek, Pepča... *(from Italian Giuseppe, Pepe)*
Jan: Jenda, Jeník, Jeníček, Honza, Honzík, Honzíček... *(from German Hans)*

Last names:

1. *Noun + adjective*	2. *Adjective + adjective*	3. *"No-change-names"*
Hladík – Hladíková	Malý – Malá	Jirků
Novák – Nováková	Smutný – Smutná	Janů
Havel – Havlová	Bílý – Bílá	Osolsobě

Family names:

1. Hladíkovi	2. Malých	3. Janů
Novákovi	Smutných	Jirků

❑ *To address each other Czechs use the addressing form called the vocative case. Ask your teacher how to address him/her, your Czech friends and colleagues. For an outline of the vocative see* *l. 26, p. 250.*

pan (sir,Mr.)	*the vocative:* **pane!**
paní (madam, Mrs.)	*the vocative:* **paní!**
slečna (Miss)	*the vocative:* **slečno!**

REMEMBER: **Těší mě.** Pleased (to meet you) – **Mě taky.** Me too.

1. Read the dialogues:

1. Dobrý den. Já jsem Martin Brown.
   Dobrý den, pane Brown. Já jsem Eva Malá. Těší mě.
   Mě taky.

2. Ahoj! Já jsem Robert.
   Ahoj. David.

3. To je pan Jan Adam a to je paní Ivana Janská.
   Těší mě. – Mě taky.

4. To jsou pan a paní Hladíkovi a to je slečna Bílá.
   Dobrý den. – Dobrý den!

2. Set up similar short dialogues.

Speaking about people. Basic information.

❑ *The following expressions reflect the natural gender (compare English husband - wife, Englishman - Englishwoman, king - queen, prince - princess...).*

1. Guess the meanings of these words or look them up in a dictionary.

Angličan	**Angličanka**	....
Američan	**Američanka**	....
Australan	**Australanka**	....
Čech	**Češka**	....
Kanaďan	**Kanaďanka**	....
asistent	**asistentka**	....
cizinec	**cizinka**	....
doktor	**doktorka**	....
inženýr	**inženýrka**	....
kamarád	**kamarádka**	....
manažer	**manažerka**	....
manžel	**manželka**	....
milionář	**milionářka**	....
optimista	**optimistka**	....
partner	**partnerka**	....
pesimista	**pesimistka**	....
profesor	**profesorka**	....
premiér	**premiérka**	....
prezident	**prezidentka**	....
ředitel	**ředitelka**	....
soused	**sousedka**	....
student	**studentka**	....
šéf	**šéfka**	....
sekretář	**sekretářka**	....
učitel	**učitelka**	....

POZOR:

člověk		**man, person**
domácí	**domácí**	**landlord, landlady**
kolega	**kolegyně**	**colleague**
král	**královna**	**king, queen**
muž	**žena**	**man, woman**
princ	**princezna**	**prince, princess**
přítel	**přítelkyně**	**friend**
spolubydlící	**spolubydlící**	**roommate**
spolužák	**spolužačka**	**classmate**
známý	**známá**	**acquaintance**

1. **Make short sentences about yourself and the people you know. Practise the verb "být"!**
   Example:
   Kdo jste? – Jsem Angličanka, manažerka a taky studentka. Nejsem bohužel milionářka, ale jsem optimistka.
   Kdo je David Bárta? – David Bárta je kolega a kamarád. Není Angličan, je Čech.
   Kdo je Cindy Evansová? – Cindy Evansová je spolužačka. Je Američanka a je sekretářka.

2. **You can also use the vocabulary from lesson 3, p. 44 (family), lesson 8, p. 98 (nationalities) and lesson 24, p. 238 (professions).**

Where? Basic information I.

❑ *With the following expressions you will be able to say* ***very simply*** *where you are/aren't or will/won't be. (Note that colloquial Czech can use present tense here).*

❑ *The expressions* v centr**u**, v kancelář**i**, v hospod**ě**... *are the nouns "equipped" with the prepositions and endings expressing location. In other words, they are nouns in the locative case (for an outline of cases see lesson 3, p. 36). Memorise these locatives and use them.*

1. Learn the following expressions.

kdy	when
dnes, dneska	today
zítra	tomorrow
pozítří	the day after tomorrow
o víkendu	on the weekend
ráno	in the morning
dopoledne	morning/a. m.
odpoledne	afternoon/p. m.
v poledne	at noon
večer	in the evening
příští	next
týden, měsíc, rok	week, month, year
teď	now
kde	where
doma	at home
pryč	away
v centru	downtown
v hotelu	at a hotel
v práci	at work
v restauraci	in a restaurant
v kanceláři	in the office
v hospodě	in a pub
ve škole	at school
v divadle	in the theatre
v Anglii, v Americe, v Praze	
v České republice	

2. Read and answer.
1. Jste dneska v práci?
2. Jste zítra doma?
3. Jste pozítří dopoledne ve škole?
4. Jste příští rok v České republice?

3. Fill in the correct forms of the verb "to be".
1. Dneska .... tady v kanceláři. (já)
2. Alice .... zítra odpoledne ve škole.
3. Daniel .... pozítří v práci?
4. David .... tady taky.
5. Večer .... v restauraci. (my)
6. Mark .... dopoledne v práci.

4. Make simple sentences about yourself and the people you know. Practise the verb "být".

❑ *The main aim of this page is to practise the verb* "být". *However, if you want to use more locatives, see the simplified rules here and the pictures on the following two pages. For more about the locative and the prepositions* v/na, *see lessons 17, p. 174 and 175 and 18, p. 185.*

V/na + the locative sg. Simplified rules (for places).

main rules:		*other rules:*
1. If the word is **Mi** *or* **N** *and the last consonant is* **h, ch, k, r, g**	**-u**	**Mi** *and* **N** *loanwords*
2. If the last consonant is **ž, š, č, ř, ď, ť, ň, c, j**	**-i**	**F** *and* **N** *ending in* **–e** *or* **a consonant**
3. After all other consonants	**-e/-ě**	**F** : **-ha, -ga** ➪ **-ze** **-cha** ➪ **-še** **-ka** ➪ **-ce** **-ra** ➪ **-ře**

❑ *With* Mi *and* N *nouns you can hear and use both* -u *and* -e/-ě endings.

Observe the following locatives and their endings.

-u

 HOTEL – V HOTELU	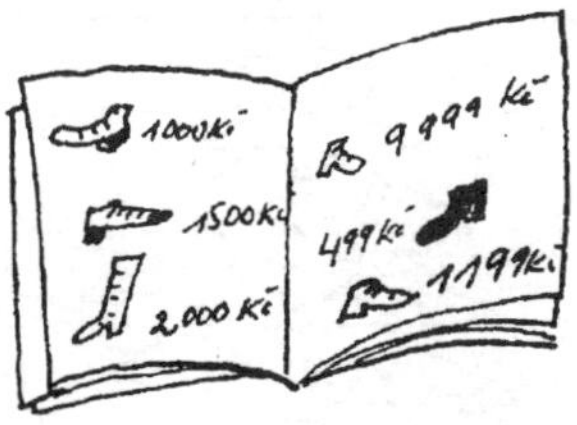 KATALOG – V KATALOGU	 OCEÁN – V OCEÁNU
 HRNEK – V HRNKU	 SPORÁK – NA SPORÁKU	 PANELÁK – V PANELÁKU
 ZÁMEK – V ZÁMKU	 PARK – V PARKU	 VESMÍR – VE VESMÍRU

-i

 STANICE – NA STANICI	 VESNICE – VE VESNICI	 KUCHYŇ – V KUCHYNI
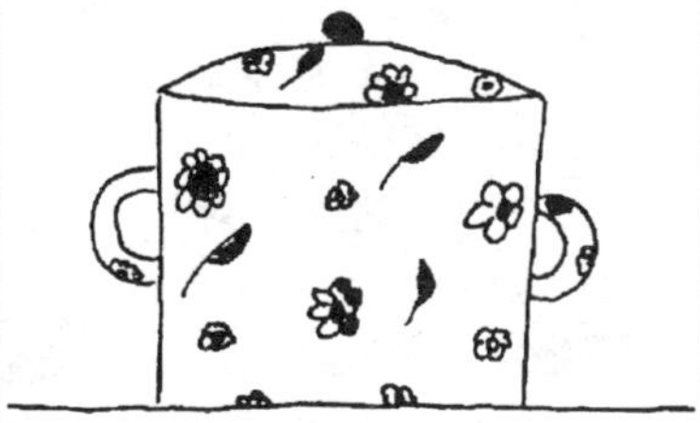 HRNEC – V HRNCI	 NEMOCNICE – V NEMOCNICI	 LOŽNICE – V LOŽNICI
 PALÁC – V PALÁCI	 KOPEC – NA KOPCI	 LETIŠTĚ – NA LETIŠTI

-e/-ě

ZAHRADA – NA ZAHRADĚ

STROM – NA STROMĚ

MĚSTO – VE MĚSTĚ

KNIHOVNA – V KNIHOVNĚ

KOUPELNA – V KOUPELNĚ

HŘBITOV – NA HŘBITOVĚ

KOSTEL – V KOSTELE

KINO – V KINĚ

DIVADLO – V DIVADLE

LES – V LESE

ZASTÁVKA – NA ZASTÁVCE

BANKA – V BANCE

KŘIŽOVATKA – NA KŘIŽOVATCE

ŘEKA – V ŘECE

SOPKA – V SOPCE

LEDNIČKA – V LEDNIČCE

KNIHA – V KNIZE

SOCHA – NA SOŠE

1. Check/tick the correct questions and answers in the quiz.

a) Kdo jste?
b) Kde je konference? **Zítra.**
c) Kdy je konference?

Jak se máte?
a) Ujde to.
b) Bohužel.
c) Nemám.

a) Kdo je Jane?
b) Kde je Jane? **Angličanka.**
c) Kdy je Jane doma?

Máte otázku?
a) Ne, nejsem.
b) Děkuju.
c) Ano, mám otázku.

a) Kde je John?
b) Kdo je John? **Doma.**
c) Kdy je John tady?

Kfgdgkrhdrghk?
a) To je fajn!
b) To je nesmysl!
c) To je ono!

REMEMBER:

co – what
kdo – who
kde – where
kdy – when *(the upper part of the* **Y** *reminds one of "the hands of a clock")*

2. Read the following dialogue.

Odpoledne v kanceláři.

NEW WORDS:

A co... ? – And what about...?
ani/ani – neither/nor
asi – probably, about, maybe
moc, hodně, velmi – very, much
ten = ten, ta, to – that (the)
trochu – a little, a little bit

Alice: Heleno! Moniko! Kdo je ten pan Hasek? Je Čech?
Monika: Hmmm, fakt nevím...
Helena: Ne, není Čech. Je Američan a manažer. Myslím, že je milionář!
Alice: Opravdu je milionář? To je překvapení... To je senzace!
Lucie: Ale ne! To je nesmysl. Není ředitel ani manažer. A taky není Američan. Je Angličan. Je doktor a expert. Není alkoholik, vagabund ani chuligán! Je vegetarián a turista. Dneska je tady v práci, ale zítra je víkend a já a on...
Helena: Pozor! Je tady šéf, pan Smutný!!! Nejsme doma, jsme v práci!

3. Say whether these statements are correct or not.
Example: To je pravda./ To není pravda.

1. Alice je Angličanka.
2. Monika je milionářka.
3. Alice, Helena a Lucie jsou doma.
4. Alice, Helena a Lucie nejsou ve škole.
5. Robert Hasek je Američan.
6. Robert je chuligán.
7. Pan Smutný je šéf.

Where? Basic information II.

1. Learn the vocabulary from this lesson, p. 32.

2. Learn the following words.
These words are adverbs expressing location. Adverbs are neither declined nor conjugated.

kde – where
doma – at home
tady – here
tam – there
blízko – near, nearby
daleko – far
nahoře – up
dole – down
vpředu – in the front
vzadu – in the back
nalevo, vlevo – on the left
napravo, vpravo – on the right
uvnitř – inside
venku – outside
uprostřed, vprostředku – in the middle
všude – everywhere
pryč – away

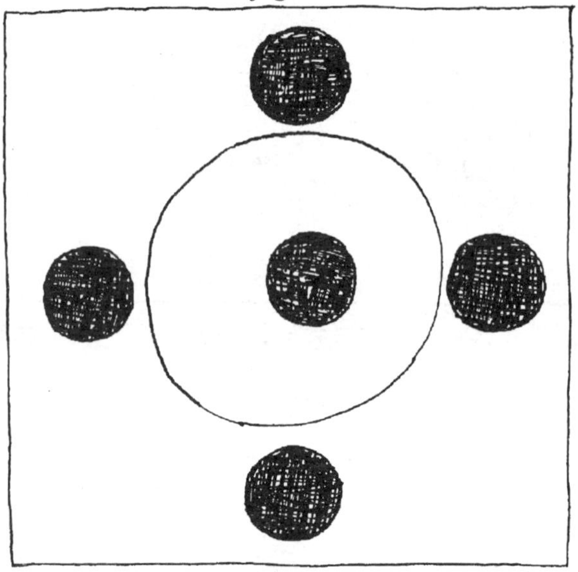

REMEMBER the following useful expressions:
u nás – at my (our) place
in my country
u vás – at your place
in your country

3. Read and answer:

1. Je lampa nahoře?
2. Je stůl vlevo?
3. Je mapa vpravo?
4. Je kniha vpravo?
5. Je kniha dole?
6. Je obraz nahoře?
7. Je diář uvnitř?
8. Je mapa vlevo?
9. Je voda uvnitř?
10. Je slovník tady?
11. Je sešit uvnitř?
12. Je učitel venku?

4. Look at the pictures. Say where things are in the left picture and in the right one.
Example: Tady je obraz nahoře, ale tady je dole.

to be glad that... - být rád, že...

❑ *The short adjectives* rád/ráda/rádo/rádi *are very important in Czech. They are used in the following constructions:*

1. **Být rád, že** – to be glad that, to be happy that. ***See here.***
2. **Mít rád** – to like. *See lesson 5, p. 63.*
3. **Rád dělat** – to like doing/to do. *See lesson 7, p. 85.*

rád = rád	ráda	rádo	rádi/y/y/a
singular			plural

jsem rád/ráda
jsi rád/ráda
je rád/ráda

jsme rádi
jste rád/ráda//rádi/y/y/a
jsou rádi/y/y/a

❑ *The polite address is logical:* Paní, **jste ráda,** že je hezký den? Pane, **jste rád,** že je zítra víkend?

1. Jste rád/ráda, že....?
...že je hezký den?
...že jste tady v Praze?
...že jste v práci?
...že jste v kanceláři?
...že je zítra víkend?

2. Fill in „rád, ráda, rádi“
1. Eva: Jsem ...., že je hezký den!
2. Petr: Jsem ...., že jsem tady!
3. Iva a Jan: Jsme ...., že je pozítří víkend!
4. Pane, jste ...., že je Václav Havel prezident?
5. A co vy, paní? Jste ...., že je hezký týden?

3. Imagine that you have just recieved this news. How would you react? Are you glad or not?

Zítra je party.

VE ŠkoLe jE boMbA!

MICHAEL JACKSON JE V PRAZE!

Kamarád Bill je milionář.

Příští týden není škola!

Nový šéf .... jste vy!

4. Read. Ask each other questions about the text.

V kanceláři

NEW WORDS:
Dále./Pojďte dál. – Come in.

Pan Nowak: Dobrý den. Promiňte, prosím, ale je tady dneska pan ředitel?
Sekretářka: Moment... Pardon, kdo jste, prosím?
Pan Nowak: Já jsem Nowak. Manažer Martin Nowak z Ameriky.
Sekretářka: Á, vy jste ten pan Nowak z Ameriky! Ale pan ředitel tady bohužel dneska není. Je tady zítra.

Pan Nowak: Dobrý den. Já jsem Nowak. Je tady dneska pan ředitel?
Ředitel: Ano, ano, tady jsem! Dobrý den! Jsem rád, že jste tady! Pojďte dál, prosím. Já jsem Novák, ředitel Petr Novák. Vy jste Nowak a já jsem taky Novák. To je náhoda, že!
Pan Nowak: Ano, to je překvapení! Já jsem Čechoameričan. Jsem manažer. Tady je manželka. Je Američanka, ale studuje češtinu.
Ředitel: Těší mě, paní... Nowak? Nebo Nowaková?? Promiňte, prosím, ale nevím, jak se jmenujete.
Paní Nowak: Ale to je jedno! Těší mě. A jsem ráda, že jsem v Praze!

1. **batoh**	backpack, rucksack
2. **časopis**	magazine, journal
3. **deštník**	umbrella
4. **diář**	diary
5. **disketa**	diskette
6. **fax**	fax
7. **hrnek**	mug; cup
8. **kabelka**	handbag/purse
9. **kalendář**	calendar
10. **kalkulačka**	calculator
11. **klíč**	key
12. **kniha, knížka**	book
13. **koberec**	carpet
14. **kufr**	suitcase
15. **květina**, *coll.* **kytka**	flower
16. **mapa**	map
17. **monitor**	monitor
18. **obálka; dopis**	envelope; letter
19. **obraz**	picture
20. **papír**	paper
21. **peněženka**	wallet/purse
22. **pero**	fountain pen
23. **propiska**	ball-point pen
24. **počítač**	computer
25. **sešit**	exerscise book/note book
26. **sklenice**	glass
27. **slovník**	dictionary
28. **stůl; psací stůl**	table; desk
29. **telefon ; mobil**	telephone; mobile telephone
30. **telefonní seznam**	telephone directory/book
31. **taška**	bag
32. **tiskárna**	printer
33. **tužka**	pencil
34. **učebnice**	textbook
35. **známka**	stamp
36. **židle**	chair

What are the most common endings of masculines, feminines and neuters? See lesson 3, p. 37.

1
2
ELLE
3
4
2000
5
6
7
8
9
ČERVENEC
10
MC MR M- M+
+/- 7 8 9 -
% 4 5 6 +
CE 1 2 3
0 . = +
11
12
PICASSO
13
14
15
16
17
18

19
20
21
22
23
24
25
IV.B
26
27
28
29
30
2000 - 2001
31
32
33
34
Czech
Step by Step
35
4Kč
36

LESSON 3

- Declension. Czech cases.
- The nominative singular. Nouns.
- The nominative singular. Adjectives.
  A. *–ý* adjectives
  B. *–í* adjectives
  C. Possessive adjectives.
- The nominative singular. Pronouns.
  A. Demonstrative pronouns
  B. Possessive pronouns.
  C. One, alone, all
- What's your name?
- The vocabulary: Family.

Declension. Czech cases.

❑ *Nouns, adjectives, the majority of pronouns and some numerals are declined. Czech has seven cases (inflected word forms).*

1. The nominative case ("the naming case")

*(from Latin **nomen** – name)*
The nominative form of the word is the form used in dictionaries.
The subject (i. e. the person or thing performing the action of the verb) of a sentence is in the nominative case.
Observe: **Petr** miluje Annu. **Peter** loves Ann.
Anna miluje Petra. **Ann** loves Peter.

2. The genitive case ("the possessive case")

*(from Latin **genus** – genus, kind, origin)*
*The main function of the genitive case is to express possession or belonging (remember the biological genes that "belong to" the entire genus, species, tribe). Where you have **of** or **'s** in English (as in colour **of** my hair, John's dog) you can use the genitive case in Czech.*
Observe: Anna je holka **Petra**. Ann is Peter'**s** girl

3. The dative case ("the giving case")

*(from Latin **do**, **dare**, **dedi**, **datum** – to give)*
If you want to give a rose or a tie to your partner, you will use the dative case in Czech. It is used for indirect objects.
Observe: Anna dává **Petrovi** kravatu. Ann gives **Peter** a tie.
Petr dává **Anně** růži. Peter gives **Ann** a rose.

4. The accusative case ("the pointing case")

*(from Latin **accuso**, **accusare**, **accusavi**, **accusatum** – to accuse)*
If you want to accuse someone of something you must point your finger at him or her. Similarly, we can say that what can be "pointed at" in the sentence, in other words the object of a verb's activity, is in the accusative. It is used for direct object.
Observe: Petr miluje **Annu.** Peter loves **Ann.**
Anna miluje **Petra**. Ann loves **Peter.**

5. The vocative case ("the calling case")

*(from Latin **voco**, **vocare**, **vocavi**, **vocatum** – to call)*
If you want to address someone in Czech, you will use the vocative case.
Observe: **Petře**! **Anno**!

6. The locative case ("the place case")

*(from Latin **loco** – place)*
*If you are speaking about someone or something that **is (lives**, **stays**, **works**, **studies**, **stands**, **sits**..) somewhere, you will use the locative case in Czech. This case never occurs without a preposition.*
Observe: Petr a Anna jsou **v restauraci.** Peter and Ann are **in the restaurant**

7. The instrumental case ("the instrumental case")

*(from Latin **instrumentum** – instrument)*
As its name implies, the instrumental case expresses the means by or through which an action is carried out.
Observe: Petr a Anna jedou **autem.** Peter and Ann go **by car**.

❑ *In addition to this, there is something else that determines which case you use: **verbs and prepositions** "turn" the following declinable items of speech into a certain case. This part of the language must be memorised through language drills, exercises and other language activities.*

The nominative singular. Nouns.

❑ *A very important grammatical category influencing the declension of nouns, adjectives, pronouns and numerals is the gender. The natural gender is quite logical. It refers to live beings:*

masculine	*feminine*
muž	**žena**
Čech	**Češka**
kocour (male-cat)	**kočka** (female-cat)

If referring to animals or objects, the gender has no logical explanation (e. g. banán *is masculine,* káva *is feminine and* pivo *is neutral). Then we speak about the grammatical gender. However, there is a clue that can help you in setting the grammatical gender of nouns:* ***the ending of the noun in its dictionary form*** *(i. e. the nominative singular). Here are the nouns that you already know, divided into four columns according to their genders.*

masculine animate	*masculine inanimate*	*feminine*	*neuter*
prezident	**banán**	**káva**	**pivo**
student	**sýr**	**paštika**	**maso**
tygr	**čaj**	**kalkulačka**	**rádio**
kapr	**jogurt**	**židle**	**nádraží**

The most typical endings are:

Ma	**Mi**	**F**	**N**
consonant	**consonant**	**-a**	**-o**

Except for Ma nouns, nouns with the typical endings <u>will not</u> be printed in colours from lesson 4. You will recognise their genders easily.

The endings mentioned above are important! *They are typical not only for the majority of Czech nouns but also for other forms of words (e. g. the verbs in the past tense and conditional, the possessive adjectives, some pronouns and for descriptive passive forms). Observe:*

Byl jednou jeden král a ten se jmenoval David. (Once upon a time there was a king and his name was David.)
Byl jednou jeden hrad a ten se jmenoval Karlštejn. ((Once upon a time there was a castle and its name was …)
Byla jednou jedna královna a ta se jmenovala Anna. (Once upon a time there was a queen and her name was…)
Bylo jednou jedno město a to se jmenovalo Brno. (Once upon a time there was a town and its name was…)

❑ *However, Czech also has nouns with less common endings (see A Trip back through History in Grammatical Tables, p. 265, point 1).*

The less common endings are:

Ma	Mi	F	N
rarely **-a, -e**	*exception:* **-a** *(*chleba*)*	**-e** *(often* **-ie, -ice***)* **consonant** *(often* **- ost***)* *exception:* **-í** *(*paní*)*	**-í** **-e/ě** **-um, -a, -é** *(loanwords)*

Nouns with these endings <u>will</u> be printed in colours in this textbook. See also Grammatical Tables, p. 272.

> ***REMEMBER: The gender of nouns is very important in Czech! Even if determining it according to the endings you should always verify it in a good dictionary or ask your teacher about it.***

The nominative singular. Adjectives.

❑ *You should remember that Czech adjectives don't have the same form as nouns.* ***The adjectives can be divided into two groups according to their endings:***

A. *–ý adjectives (hard adjectives)*

The forms of the –ý adjectives depend on the gender of the following nouns. Observe:

dobrý muž/dobrý banán	**dobrá káva**	**dobré pivo**

❑ *The masculine form ending in –ý is the dictionary, basic form of the -ý adjectives.*
❑ *In spoken colloquial Czech you will often hear slightly different endings:*

dobrej muž/dobrej banán	**dobrá káva**	**dobrý pivo**

B. *–í adjectives (soft adjectives)*

The forms of the –í adjectives do not change. Observe:

kvalitní muž/kvalitní banán	**kvalitní káva**	**kvalitní pivo**

1. **Guess the meanings of these adjectives (the "international words" from Latin or Greek).**
   elegantní, agresivní, populární, komplikovaný, senzační, aktivní, atraktivní, arogantní, optimistický, pesimistický, ideální, extravagantní, energický, dynamický, asertivní, komický, kontroverzní, tragický, sympatický *(POZOR:* sympatický *doesn't mean* sympathetic*! See lesson 27, p. 262)*

2. **Say the meanings of the following adjectives.**
   banánový, pomerančový, ananasový, citrónový, čokoládový, jogurtový, kakaový, smetanový

3. **Learn the adjectives on the following page. Match the opposites.**

chudý veselý starý malý krásný silný čistý drahý hubený	slabý smutný škaredý levný nový bohatý velký mladý špinavý tlustý

4. **Work with a dictionary. Look up the meanings of these adjectives. Learn them and use them.**
   divný, dobrý (lepší, nejlepší), hloupý, chytrý, legrační, možný, nějaký, nudný, oblíbený, ospalý, příjemný, slavný, strašný, špatný (horší, nejhorší), šikovný, trapný, unavený, zajímavý, zbytečný

5. **Practise the adjectives with the pictures from the first two lessons.**
   Example: Pomeranč je zdravý. Silná káva je nezdravá. Dort je dobrý, ale je drahý.

6. **You can also speak about the people you know.**
   Example: Irena je sympatická, ale David je arogantní.

Compare the pictures. Say their meanings.

malý		velký, vysoký	
chudý		bohatý	
hubený, štíhlý		tlustý	
zdravý	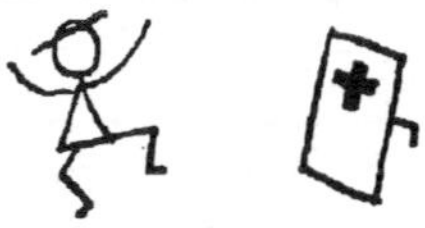	nemocný	
slabý		silný	
lehký		těžký	
studený		teplý, horký	
mladý		starý	
nový		starý	
čistý		špinavý	
levný		drahý	
krásný		ošklivý, škaredý	
veselý		smutný	

What colour is it? - Jaká je to barva?

NEW WORDS:

jaký – what (what kind, sort of, what...like)
barva, **barevný** – colour, coloured
kombinace – combination
světlý, světle- (světlemodrá) – bright, light
tmavý, tmavo- (tmavomodrá) – dark
Jaká je to barva? – What colour is it?

1. Use crayons to colour the words.

bílá **černá** **oranžová** **hnědá** **fialová** **zlatá** **stříbrná** **červená** **zelená** **žlutá** **modrá** **růžová** **šedá**

2. **Decide:** Jaká barva je optimistická (pesimistická, agresivní, romantická, extravagantní, elegantní)? Jaká kombinace je hezká nebo ošklivá?

3. **Ask each other questions using the vocabulary from lessons 1 and 2.**
Example: Jaký je ten stůl? – Ten stůl je hnědý.

4. **Guess the meanings of the following sayings with your teacher's help.**
Situace není **růžová**.
Mám **černý** den. (mám – I have)
Vidím to **černě**. (vidím – I see)
Má **zlaté** ruce. (má – he/she has, ruce – hands)
Je **zelený** závistí. (závistí – with envy)
Zelená, modrá pro blázna dobrá. (pro blázna – for a fool)

5. **Choose the right forms of the adjectives and fill them in.**
...................pivo, ...čočka, ...Američan, ...šéf, ...problém, ...kolega, ... kolegyně, ...šunka, ...kola, ...jogurt, ...cizinec, ...svetr, ...ředitelka

6. **Ask questions about the underlined words.**
Example: To je <u>silná</u> káva. – Jaká?

1. To je <u>zelený</u> čaj.
2. Pan Novák je <u>dobrý</u> kamarád.
3. Alena je <u>sympatická</u> holka.
4. To je <u>červené</u> víno.
5. Cigareta je <u>nezdravá</u>.
6. Tenhle banán je <u>nějaký hnědý</u>.
7. Prosím <u>černé</u> pivo.
8. To je <u>špinavý</u> svetr!
9. To je <u>divná</u> barva!
10. To víno je moc <u>drahé</u>.

7. **Match A nad B.**

A	B
A: Dobrý den!	B: To je nová studentka.
A: Jak se máte?	B: To je taky nový student.
A: Ujde to, díky. Kdo je ta sympatická slečna?	B: Ano, je Američanka.
A: Je Američanka?	B: Děkuju, dobře. A vy?
A: A kdo je ten mladý muž?	B: Ne, je Kanaďan.
A: Je taky Američan?	B: Dobrý den.

8. **Read. Explain why the ending "-é" is used. Can you use any other ending in coll. Czech?**

To je dobré.	To je zajímavé.	To je strašné.	To je legrační.
To je možné.	To je hezké.	To je divné.	To je trapné.

C. *Possessive adjectives*

❑ *The possessive meaning can be expressed by*
1. *the genitive:* To je slovník Johna. It is the dictionary of John. *See lesson 13, p. 139.*
2. *possessive adjectives:* To je **Johnův** slovník. It´s John´s dictionary. ***See here.***

❑ ***These adjectives can only be formed by Ma and F nouns in the singular.***

❑ *To create them drop the last vowel and add one of the following endings.*

Ma nouns: Jeff, Mark, Mike, Joe, Petr, Jirka, Honza, kamarád, učitel, manažer, ředitel…

-ův/-ův	-ova	-ovo

POZOR:
Mobile -e-: Pavel – Pavlův
Stem changes: Pavl**ů**v – Pavl**o**va
For the explanation, see A Trip back through History in Grammatical Tables, p. 265, point 2 and 3a.

F nouns: Kim, Andrea, Sonya, Alena, Helena, Monika, maminka, sestra, teta, tchyně…

-in/-in	-ina	-ino

POZOR:
The softening:
h, **g** – **z**, **ž** (Olga – Olžin)
k – **č** (Monika – Moničin)
ch – **š** (snacha – snašin)
r – **ř** (Bára – Bářin)
d – **[ď]** (Ida – Idin)
t – **[ť]** (Renata – Renatin)
n – **[ň]** (Helena – Helenin)
For the explanation see A Trip back through History in Grammatical Tables, p. 265, point 4.

1. **Read these place names. Do you know some more?**
   Karlův most, Karlova univerzita, Karlovo náměstí, Vodičkova ulice, Masarykovo nádraží...

2. **Make sentences joining A and B.**
   A: Eva, Milan, Agáta, Lucie, Jana, žena, sestra, babička, Radka, Honza, Karel, David, otec, bratr, syn
   B: židle, stůl, váza, koberec, rádio, taška, kniha, jogurt, diář, slovník, džus, bageta, kalendář

3. **Guess the meanings of the following expressions.**

Pandořina skříňka	Aladinova lampa	***Achillova pata***
Jobova zpráva	***KUPIDŮV/AMORŮV ŠÍP***	archa Noemova
Archimédův zákon	**Pythagorova věta**	Ludolfovo číslo

The nominative singular. Pronouns.

A. *demonstrative pronouns*

that, the:	**ten = ten**	**ta**	**to**
this:	**tenhle = tenhle**	**tahle**	**tohle**

B. *possessive pronouns*

my	**můj = můj** **moje, má** **moje, mé**	To je můj manžel. To je můj kufr. To je moje káva. To je moje taška. To je moje pivo. To je moje pero.
your *(sg.)*	**tvůj = tvůj** **tvoje, tvá** **tvoje, tvé**	To je tvůj manžel. To je tvůj kufr. To je tvoje káva. To je tvoje taška. To je tvoje pivo. To je tvoje pero.
his	**jeho**	To je Jan a jeho kufr, káva a pivo.
her	**její**	To je Eva a její kufr, káva a pivo.
its	**jeho**	To je dítě a jeho kufr, káva a pivo.
our	**náš = náš** **naše** **naše**	To je náš kufr. To je naše káva. To je naše taška. To je naše pivo. To je naše pero.
your *(pl. and polite address)*	**váš = váš** **vaše** **vaše**	To je váš manžel.To je váš kufr. To je vaše káva. To je vaše taška. To je vaše pivo. To je vaše pero.
their	**jejich**	To jsou Jan a Eva a jejich káva a pivo.

REMEMBER: **To je moje věc.** – It´s my business.

❑ *If something is possessed by the subject, Czech often uses the reflexive possessive pronoun* **svůj** *(*svůj = svůj, svoje, svoje*). It can help to avoid misunderstandings. Observe: The sentence* David gave John his book *can mean:* 1. David gave John John´s (**jeho**) book. *OR* 2. David gave John David´s (**svoji**) book.

2. Point at the things around you using the possessive pronouns.

C. *one, alone, all*

one, a/an	**jeden = jeden**	**jedna**	**jedno**
alone	**sám = sám**	**sama**	**samo**
all	**všechen = všechen**	**všechna**	**všechno**

What´ s your name? - Jak se jmenuješ/jmenujete?

jmenovat se

jmenuju se	**jmenujeme se**
jmenuješ se	**jmenujete se**
jmenuje se	**jmenujou se**

❑ *For the overview of the Czech conjugation see lesson 7, p. 80.*

❑ *If a verb is accompanied by* **se** *or* **si**, *it is said to be reflexive.* **Se/si** *are the reflexive pronouns. The reflexivity in Czech is explained in lesson 12, p. 126.*

❑ *Remember: the reflexive pronouns* **se/si** *cannot stand at the beginning of the sentence. They are usually located in the second grammatical position in the sentence (not necessarily a second word!). For more about this grammatical phenomenon see lesson 8, p. 93.*
Observe: Jmenuju **se** Martin. Můj kamarád **se** jmenuje Petr. Můj dobrý český kamarád **se** jmenuje Petr.

1. Work with a dictionary. Look up the following expressions.
starý (starší, nejstarší), mladý (mladší, nejmladší), prostřední, zamilovaný, svobodný, vdaná, ženatý, být v důchodu, než, jako

REMEMBER:

proč	**protože**	**proto**
why	because	this is why, therefore

2. Read and retell in Czech.
Lenka Kohoutová je moje kamarádka. Je Češka a je učitelka. Je tady v Praze. Je veselá a optimistická, není agresivní ani arogantní. Není stará ani mladá. Je elegantní a štíhlá. Její manžel se jmenuje Petr. Petr je taky můj kamarád. Jejich dcera se jmenuje Klára. Je studentka.

Pan Jaroslav Novák je Čech. Je můj domácí. Jeho manželka se jmenuje Františka Nováková. Novákovi jsou v důchodu. Pan Novák je starý pán, ale je velmi energický. Je chytrý a inteligentní. Paní Nováková je taky stará paní. Je moc sympatická, ale bohužel je asi nemocná. To je mi líto.

Judy Robertsová je fotografka. Je Angličanka, ale teď je tady v Praze. Její manžel se jmenuje David a je Američan. Je taky fotograf. Teď není bohužel tady v Praze, je v Americe. Judy je moc sympatická a veselá. Je velká optimistka a dobrá kamarádka. Jsem rád, že je tady.

Pan Jan Dressler je ředitel. Je moc bohatý. Myslím, že je milionář. Jeho manželka je velmi krásná a elegantní. Pan Dressler je velmi chytrý, velmi konzervativní a velmi formální. Jsem rád, že není můj kolega ani kamarád. Je jenom známý.

3. Use the photos of your family, friends and famous people you know. Speak about them in Czech. You can also use the vocabulary from lessons 8, p. 98 (nationalities), 20, p. 204 (adjectives) and 24, p. 238 (professions).

Notes to the following page:
❑ *The underlined -e- denotes the mobile (fleeting, movable) -e- that you will learn later (for the information see Grammatical Tables, p. 265, point 3.).*

❑ *If you need the plural forms, see lesson 9, p. 100.*

1. **babička**	grandmother (**prababička** – great grandmother*)*
2. **bratr**, *coll.* **brácha**	brother
3. **bratranec**	cousin *(male)*
4. **člověk**, **lidé**, *coll.* **lidi**	person, people
5. **dcera**	daughter
6. **dědeček**	grandfather *(***pradědeček** – great grandfather*)*
7. **dítě**, **děti**	child, children
8. **dívka**, *coll.* **holka**	girl
9. **dvojče**, **dvojčata**	twin, twins
10. **dospívající** *(adj.)*	teenager *(coll. pejorative:* **puberťák**, **puberťačka***)*
10. **chlapec**, *coll.* **kluk**	boy
11. **matka**, **maminka**	mother, Mum
13. **nevěsta**	bride
14. **neteř**	niece
15. **otec**, **tatínek**	father, Dad
16. **pán**	sir, Mr.
17. **paní**	madam, Mrs., lady
18. **příbuzný** *(adj.)*	relative
19. **rodiče**	parents
20. **rodina**	family
21. **sestra**, *coll.* **ségra**	sister
22. **sestřenice**	cousin *(female)*
23. **slečna**	Miss
24. **snacha**	daughter-in-law
25. **syn**	son
26. **synovec**	nephew
27. **strýček**, *coll.* **strejda**	uncle
28. **švagr**	brother-in-law
29. **švagrová** *(adj.)*	sister-in-law
30. **teta**	aunt
31. **tchán**	father-in-law
32. **tchýně**	mother-in-law
33. **vnučka**	granddaughter
34. **vnuk**	grandson
35. **zeť**	son-in-law
36. **ženich**	bridegroom

LESSON 4

- (The survival lesson)
- Cardinal numerals. Telephone number.
- How much is it? Telling the price.
- When is it? First aid in telling time.
- Some useful verbs.
- Czech history in short.
- Weather. First aid in talking about the weather.
- There is/are. Where is it? First aid in orientation.
- Vocabulary: City, country.

cardinal numerals – číslovky základní

0	1	2	3	4	5	6	7	8	9	10
nula	jeden / jeden jedna jedno	dva / dva dvě dvě	tři	čtyři	pět	šest	sedm	osm	devět	deset

11	12	13	14	15	16	17	18	19
jede<u>náct</u>	dva<u>náct</u>	tři<u>náct</u>	čtr<u>náct</u>	pat<u>náct</u>	šest<u>náct</u>	sedm<u>náct</u>	osm<u>náct</u>	devate<u>náct</u>

20	30	40
dva<u>cet</u>	tři<u>cet</u>	čtyři<u>cet</u>

50	60	70	80	90
pa<u>desát</u>	še<u>desát</u>	sedm<u>desát</u>	osm<u>desát</u>	deva<u>desát</u>

100	200	300	400	500	600	700	800	900
sto	dvě stě	tři sta	čtyři sta	pět <u>set</u>	šest <u>set</u>	sedm <u>set</u>	osm <u>set</u>	devět <u>set</u>

1 000	2 /3/ 4 000	5 000
tisíc	dva/tři/ čtyři tisíce	pět tisíc...
1 000 000	**2/3/4 000 000**	**5 000 000**
jeden milion	dva/tři/čtyři miliony	pět milionů...
1 000 000 000	**2/3/4 000 000 000**	**5 000 000 000**
jedna miliarda	dvě/ tři/čtyři miliardy	pět miliard...

1. Make simple mathematical examples and count using the following symbols.

+ plus	– mínus	= je, rovná se - is, equals
x krát - times, by	: děleno - divided by	Kolik je ...? - How much is...

telephone number – telefonní číslo

Observe: 24 58 20 76
1. dva čtyři pět osm dva nula sedm šest
2. dvacet čtyři, padesát osm, dvacet, sedmdesát šest

Jaké je vaše telefonní číslo? ....

2. Read the telephone numbers.

158 – policie	150 – hasiči	71 65 45	351 94 22	62 76 66 39
155 – ambulance	1044 – servis	81 56 24	624 62 99	24 55 62 78

3. Read. Set up similar simple telephone dialogues.

1. Dobrý den, tady je Brown. Prosím vás, je tam slečna Machalická? – Ano, je tady. Moment!
2. Dobrý den, firma Borex. Prosím vás, je tam pan Boudník? – Ne, bohužel. není tady, je v centru.

❑ *For more about telephoning, see lesson 22, pp. 219–221.*

How much is it? - Kolik to stojí?

telling the price

NEW WORDS AND PHRASES:
stát, stojí – to stand; to cost
Kolik to stojí? – How much is it?
Kolik stojí pivo, káva, čaj... ? – How much is ... ?
To je zdarma/zadarmo. – It is free of charge.
To je sleva. – It is a discount.

> ***REMEMBER*** *(for the rules see pages 59, 102 and 159):*
> To stojí **jednu korunu**.
> To stojí **dvě, tři, čtyři koruny**.
> To stojí **pět, šest... korun**.

Observe:
Normální rohlík stojí dvě **koruny**. Lepší rohlík stojí 3 **koruny**. Dobrý sýrový rohlík stojí 4 **koruny.** Pivo stojí deset **korun**. Diamant stojí milion **korun.** Luxusní vila stojí 5 milionů **korun**.

1. Read and answer:

Example: Kolik stojí čaj v restauraci? Čaj v restauraci stojí asi deset korun.

1. Kolik stojí jeden jogurt?
2. Kolik stojí velký tonik nebo kola?
3. Kolik stojí oběd v restauraci v centru?
4. Kolik stojí levná propiska nebo tužka?
5. Kolik stojí populární majonéza Hellman´s?
6. Kolik stojí velký čokoládový nebo šlehačkový dort?
7. Kolik stojí lístek na metro (autobus, tramvaj...)
8. Kolik stojí škoda, porsche, fiat nebo mercedes?
9. Kolik stojí české nebo moravské víno?
10. Kolik stojí pivo v hospodě?
11. Kolik stojí kapučíno?
12. Kolik stojí chleba?
13. Kolik stojí jedna becherovka?
14. Kolik stojí známka na dopis?
15. Kolik stojí kilometr taxíkem v Praze?
16. Kolik stojí vila v Praze?

2. Practise prices with the pictures from lessons 1 and 2.

3. Do the crossword puzzle.

crossword puzzle - křížovka

1. child
2. coincidence
3. granddaughter
4. one
5. is
6. Miss
7. aunt
8. magazine
9. umbrella
10. key
11. bride
12. the last letter
13. diary
14. surprise
15. envelope
16. niece
17. wallet/purse
18. mayonnaise
19. cream
20. picture
21. twelve
22. twenty
23. Ann
24. fun
25. salami
26. Czech cars

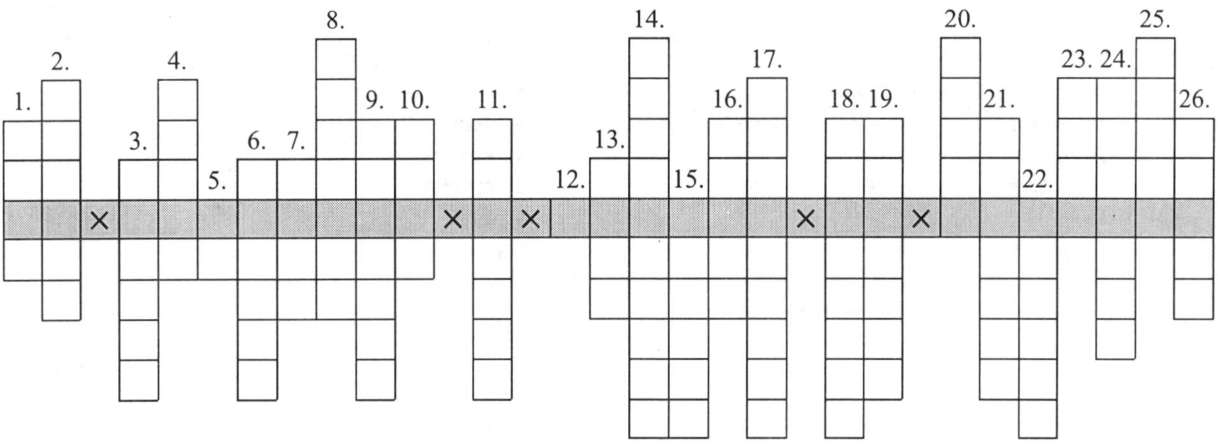

when is it - kdy je to?

first aid in telling time

time – čas	*kdy?*
Kolik je hodin? What´s the time?	**V kolik hodin?** At what time?
Je jedna hodina, minuta.	**v jednu hodinu, minutu**
Jsou dvě, tři, čtyři hodiny, minuty.	**ve dvě, tři, čtyři hodiny, minuty**
Je pět ... hodin, minut.	**v pět ... hodin, minut**

❑ *Observe:* v pět, v sedm *BUT* **ve tři**, **ve** **čtyři**. *Can you say the rule now? See also p. 265, point 3b.*

❑ *Note: When telling time you can use the twelve hour system (adding* „ráno, dopoledne, večer....“ *for more precise information). Later you will use "Czech time" (see lesson 15, p. 155).*

1. Read:

Kolik je hodin?

je 15. 30 je 6. 35 je 13. 45
je 17. 56 je 7. 58 je 7. 45
je 12. 24 je 24. 00 je 14. 30

V kolik hodin?

v 16. 30 v 6. 35 ve 12. 45
v 18. 56 v 9. 58 v 5. 45
v 17. 24 ve 21.00 ve 22. 30

2. Read the dialogues:

1. Prosím vás, kolik je hodin?
   Dvanáct padesát.

2. Kolik je?
   Moment. Je šest hodin deset.

3. Pardon, kolik je hodin?
   Bohužel **nemám hodinky**.

4. V kolik jste v kanceláři?
   V kanceláři jsem v 9.30.

5. V kolik je konference?
   Konference je odpoledne v 16 hodin.

6. V kolik jste doma?
   Doma jsem v 7.30 večer.

parts of the day – části dne	*kdy?*
ráno	**ráno**
dopoledne	**dopoledne**
poledne	**v poledne**
odpoledne	**odpoledne**
večer	**večer**
noc	**v noci**
půlnoc	**o půlnoci**
víkend	**o víkendu**

day – den		*kdy?*
pondělí	*from* po neděli, *after Sunday*	**v pondělí**
úterý	*the second day – compare Russian* vtoroj	**v úterý**
středa	*from* střed *– the middle*	**ve středu**
čtvrtek	*from* čtvrtý *– the fourth*	**ve čtvrtek**
pátek	*from* pátý *– the fifth*	**v pátek**
sobota	*from Hebrew sabath*	**v sobotu**
neděle	*from* nedělat *– not to do*	**v neděli**

1. Answer.

Jste v práci dopoledne nebo odpoledne? Jste ve škole ráno nebo večer? Jaký je váš oblíbený den?

month – měsíc		***kdy?***
leden	*from* led – *the ice*	**v lednu**
únor	*probably from* nořit se – *to immerse (melting ice)*	**v únoru**
březen	*from* bříza – *birch tree or* březí – *pregnant animal*	**v březnu**
duben	*from* dub – *the oak (sprouting)*	**v dubnu**
květen	*from* květina – *the flower*	**v květnu**
červen	*from* červený – *red (berries)*	**v červnu**
červenec	*from* červený – *red (berries)*	**v červenci**
srpen	*from* srp – *the sickle*	**v srpnu**
září	*from* za říje — during the rutting season	**v září**
říjen	*from* říje – *rutting season*	**v říjnu**
listopad	*from* list *and* padat – *the leaf and to fall*	**v listopadu**
prosinec	*probably from* siný – *a bookish word for gray*	**v prosinci**

season of the year – roční období:	***kdy?***
jaro	**na jaře**
léto	**v létě**
podzim	**na podzim**
zima	**v zimě**

year – rok:	***kdy?***
1998	**v roce** 1998
1 tisíc devět set devadesát osm	1. tisíc devět set devadesát osm
2. devatenáct set devadesát osm *(since 11..)*	2. devatenáct set devadesát osm *(since 11..)*

1. **Answer:** Jaký je váš oblíbený měsíc nebo roční období? Kdy jsou **Vánoce** a **Velikonoce**?

2. **Read the following years. You can also read "Czech History in Short" on page 51 .**
   v roce 1306, 1348, 1415, 1526, 1620, 1781, 1918, 1939, 1945, 1948, 1968, 1989, 1993, 2000

3. **Work with a dictionary. Say the meanings of the following nouns. Make sentences.**
   Example: Konference je příští rok v dubnu. Diskotéka je dneska večer v 8 hodin.
   akce, míting, konference, konzultace, experiment, festival, film, opera, balet, seriál, kurz, snídaně, oběd, večeře, party, příští lekce, detektivka, hokejový šampionát, fotbalová liga, olympiáda, pauza?

REMEMBER:

teď – now	**často** – often
tenhle rok, letos – this year	**někdy** – sometimes
pořád – all the time	**už** – already, *in negative sentence:* anymore
vždycky – always	**ještě** – still, *in negative sentences:*not yet

❑ *Czech* **ještě** *and* **už** *can be very tricky! Remember that you* **always** *have to translate them according to their context. Sometimes their meaning is idiomatic, sometimes you need no equivalent in English.*

4. **Read and answer.**

   1. Jste pořád v práci?
   2. Jste často doma?
   3. Jste někdy smutný/á?
   4. Jste teď v práci?
   5. Víte, kdy jsou letos Velikonoce?
   6. Jste už doma nebo jste ještě ve škole?

some useful verbs

❑ *By knowing these verbs, you will be able to make appointments and say when something begins and finishes, opens or closes.*

sejít se – to meet

sejdu se	sejdeme se
sejdeš se	sejdete se
sejde se	sejdou se

Notes:

❑ *For an overview of Czech conjugation see lesson 7, p. 80.*

❑ *This verb is perfective - its present forms have a future meaning. For more see lesson 16, p. 164.*

❑ *Before, we only had one reflexive verb:* **jmenovat se.** *Review what you know about the position of the reflexive particles in the sentence. For more about the second position, see lesson 8, p. 93.*

Observe:
Sejdeme **se** odpoledne.
Kdy **se** sejdete?
Jana a já **se** sejdeme odpoledne.
Karel, Ivan a Adam **se** sejdou zítra večer v hotelu Renesance.

začínat – to start, to begin		**končit** – to end, to finish		**otvírat** – to open		**zavírat** – to close	
začínám	začínáme	končím	končíme	otvírám	otvíráme	zavírám	zavíráme
začínáš	začínáte	končíš	končíte	otvíráš	otvíráte	zavíráš	zavíráte
začíná	začínají	končí	končí	otvírá	otvírají	zavírá	zavírají

1. Read and answer.

1. Kdy začíná konference?
2. Kdy otvírá a zavírá restaurace?
3. Kdy končíš zítra v práci?
4. Kdy otvírá a zavírá bar?
5. Sejdeme se ve 3 odpoledne?
6. Sejdeme se dneska ráno v hotelu?
7. Končíte v 8 večer?
8. Začínáte dneska v práci v 7 ráno?
9. Jaký rok je letos?
10. V kolik začíná nějaký dobrý film?
11. Sejdeme se v restauraci? A v kolik?
12. Kdy začíná lekce?
13. Kdy začíná kurz?
14. Kdy je konzultace?
15. Kolik je hodin?
16. Kdy je příští lekce?

Czech history in short

863 – The arrival of Christian missionaries, Constantinus and Methodius **(Konstantin a Metoděj).** They introduced the literary Slavonic language as a language of liturgy.

929 – The first Czech saint, prince Václav (**Svatý Václav)** was murdered by his brother Boleslav.

1085 – Vratislav I, the first Czech king **(první český král)** was crowned.

1306 – King Wenceslas III. was murdered in Olomouc and the Přemyslid dynasty **(Přemyslovská dynastie)** died out because of no male heirs.

1348 – Charles IV. of the Luxemburg dynasty **(Karel IV. z Lucemburské dynastie)** founded the Charles University **(Karlova Universita)**, the oldest university in Central, Northern and Eastern Europe. This University was created "so that the Czechs need not beg for the crumbs of learning abroad, but found at home a laden table."

1415 – Master John Huss **(Jan Hus)**, the Czech preacher and religious reformer was burned at the stake in Constance. Influenced by the ideas of John Wycliffe and other reformers, he criticised the rich and corrupted clergy saying: "It is better to obey God than people". The death of Hus gave an impetus to a great revolution, the Hussite movement **(husitské hnutí)** in Bohemia.

1526 – The first Habsburg, Ferdinand I, was elected a Czech king. The Habsburgs later united Austrian, Hungarian and Czech lands into a powerful Central European federation **(Rakousko-Uhersko)** that survived more than 300 years.

1620 – The Battle of White Mountain **(Bílá Hora)**, the end of the Czech anti-Habsburg revolt. The protestant troops were defeated by the united forces of Catholic Europe. The beginning of the catholization of the country.

1781 – Josef II, an enlightened Habsburg emperor, abolished serfdom and issued an edict of religious tolerance. This meant the start of the following period of the National Revival **(Národní obrození)** in the 19th century that influenced the development of the modern Czech language to a large extent.

1918 – The establishing of independent Czechoslovakia **(Československo)** headed by president T. G. Masaryk.

1939 – The Nazi occupation of Bohemia. Hitler came to Prague to proclaim the transformation of the occupied Czech territory into the first German Protectorate **(Protektorát Čechy a Morava).**

1945 – The end of World War II. The Prague uprising **(Pražské povstání)**. The liberation of the country by Russian troops (American ones stood along the line Karlovy Vary – Plzeň – České Budějovice).

1948 – The Communist February coup (called "**Velký únor**"). The communists misused their victory in the elections in 1946 when they enjoyed the trust of much of the population disappointed by other parties.

1968 – The beginning of "Prague Spring" (**Pražské jaro**), an attempt to create the democratic model of socialism. This process lasted only until August 21, when the armies of the Soviet Union, the German Democratic Republic, Bulgaria, Poland and Hungary occupied the country (**okupace**).

1989 – The November demonstrations resulting in the "velvet" revolution (**sametová revoluce**).

1993 – The splitting up of Czechoslovakia and the creation of the Czech republic (**Česká republika**).

weather – počasí

first aid in talking about the weather

❑ *Of course you can say:* Je hezké počasí. Je škaredé počasí. *However, when speaking about the weather Czechs usually use short* **subjectless sentences** *of two types:*

1. *The verb být + adverb:*

Je hezky.	It is nice.	**Je slunečno.**	It is sunny.
Je horko.	It is very hot.	**Je sucho.**	It is dry.
Je jasno.	It is bright.	**Je škaredě. Je ošklivo.**	It is nasty.
Je krásně.	It is beautiful.	**Je teplo.**	It is hot.
Je mokro.	It is wet.	**Je vedro.**	It is scorching hot.
Je oblačno. Je zamračeno.	It is cloudy.	**Je zima. Je chladno.**	It is cold/cool.

❑ *Instead of* "**je**", *use* "**bylo**" *for the past tense and* "**bude**" *for the future.*

> *REMEMBER:*
> **Je mi teplo.** I am hot. **Je mi zima.** I am cold.

2. *Verbs in the 3rd person neuter:*

Prší.	It is raining (pršet – to rain).	**Mrzne.**	It is freezing (mrznout – to freeze).
Sněží.	It is snowing (sněžit – to snow).	**Hřmí.**	It is thundering (hřmít – to thunder).
Klouže to.	It is slippery (klouzat – to slip).	**Blýská se.**	It is lightening (blýskat se – to lighten).

❑ *These words form past and future tense according to the rules explained in lesson 8, pages 92 and 96.*

1. Describe the weather in the pictures.

2. Work with a dictionary. Look up the meaning of the following adjectives.
teplý, horký, tmavý, jasný, chladný, studený, suchý, mokrý, krátký, dlouhý

3. Read and answer.
Example: Jaké počasí je v létě? – V létě je krásně, je vedro a den je dlouhý.
Jaké počasí je v zimě? Jaké počasí je v dubnu? Jaké počasí je v listopadu?

❑ *For more about weather, see in lesson 21, pp. 211–212.*

there is/are in Czech

❑ *There is no similar construction in Czech. The equivalent is often* **je, jsou**:
V kanceláři **je** stůl. **There is** a table in the office.
V Praze **jsou** staré domy. **There are** old houses in Prague.

1. Read.

1. V centru je obchodní dům.
2. V Praze je Komerční banka.
3. V kanceláři je chaos!
4. V hotelu je recepce.
5. V Anglii je demokracie
6. Ve škole je student z Austrálie.
7. Doma nejsou peníze.
8. V centru je krásný dům
9. V kanceláři je počítač.

REMEMBER the useful beginnings of sentences:

To je/to jsou...	There is/there are...
Tam je/tam jsou...	There is/there are... there.
Tady je/tady jsou...	There is/there are... here.

2. Learn the vocabulary on the following page.

3. Draw pictures according to these directions. Give similar directions to each other.

1. Tady je velké modré jezero. Nahoře je les a vzadu jsou hory. Vlevo je velký dům a vpravo je kostel.
2. Uprostřed je řeka a most. Vzadu je hora a nahoře je starý a černý hrad. Dole je les. Vpředu je malá vesnice, vlevo je hřbitov a napravo je rybník.
3. Vlevo je velké sídliště. Vpravo je banka a obchodní dům. Uprostřed je silnice a most.

4. Find out the meanings of the following adjectives. Make sentences.
turistický, rekreační, průmyslový, bizarní, impozantní, monumentální, exotický, gotický, renesanční...

where is it? - kde je to?

first aid in orientation

5. Review the adverbs from lesson 2, p. 30.

6. Learn these new words:

pěšky	on foot	**vlak; vlakem**	train; by train
auto; autem	car; by car	**taxík; taxíkem**	taxi; by taxi
autobus; autobusem číslo...	bus; by bus number...	**tramvaj; tramvají**	tram; by tram
metro; metrem	metro; by "metro"	**loď; lodí**	ship; by ship
áčko; áčkem	A (green) line; by...	**letadlo; letadlem**	plane; by plane
béčko; béčkem	B (yellow) line; by...	**odtud**	from here
céčko; céčkem	C (red) line; by...	**rovně**	straight

7. Read. Then, give similar short information about the places you know.

1. Kde je restaurace?
   Restaurace je blízko, asi pět minut autem. Je tam nahoře a vlevo.
2. Kde je kavárna?
   Kavárna je odtud daleko - tramvají číslo 12 asi 30 minut. Nebo taxíkem - to je asi 10 minut.
3. Prosím vás, kde je hotel Renesance?
   Hotel není daleko, je blízko. Je odtud asi 5 minut pěšky.
4. Prosím vás, kde je tady nějaká dobrá hospoda?
   Jedna hospoda je tady dole vpravo. Je asi 10 minut odtud. Myslím, že to je ulice Dlouhá.
5. Prosím vás, kde je divadlo?
   Tady blízko. Je to ulice Krátká a divadlo je žlutý dům vlevo. Je to blízko, pěšky asi 7 minut odtud.

1. **budova**	building
2. **divadlo**	theatre
3. **dům** *(coll.* **barák***)*, **domy**	house, houses
4. **galerie**	gallery
5. **hora, hory pl.**	mountain
6. **hrad**	castle
7. **hřbitov**	cemetery
8. **katedrála, kostel**	cathedral, church
9. **kino**	cinema
10. **knihovna**	library
11. **křižovatka, semafor**	crossroads/intersection, traffic lights
12. **les**	forest
13. **město**	city, town
14. **místo**	place; seat
15. **moře, oceán**	sea, ocean
16. **most**	bridge
17. **náměstí**	square
18. **nemocnice**	hospital
19. **obchod; obchodní dům**	shop; department store
20. **oblast**	area
21. **palác**	palace
22. **policejní stanice**	police station
23. **příroda; krajina**	country, countryside; landscape
24. **radnice**	town hall
25. **rybník, jezero**	pond, lake
26. **řeka**	river
27. **sídliště**	housing estate
28. **směnárna**	exchange office
29. **socha**	statue
30. **stanice, zastávka**	station, stop
31. **strom**	tree
32. **továrna**	factory
33. **ulice**	street
34. **vesnice**	village
35. **vchod, východ**	entrance, exit
36. **zámek**	chateau

❑ *Typical endings of non-coloured nouns are:* **consonant** *for* Ma/Mi, **-a** *for* F *and* **-o** for N.
❑ *The underlined -e- denotes the mobile -e- that disappears in declined forms.*

1
2
3
4
5
6
7
8
9
METROPOL
10
11
12
13
14
15
16
17
18
H

19

20
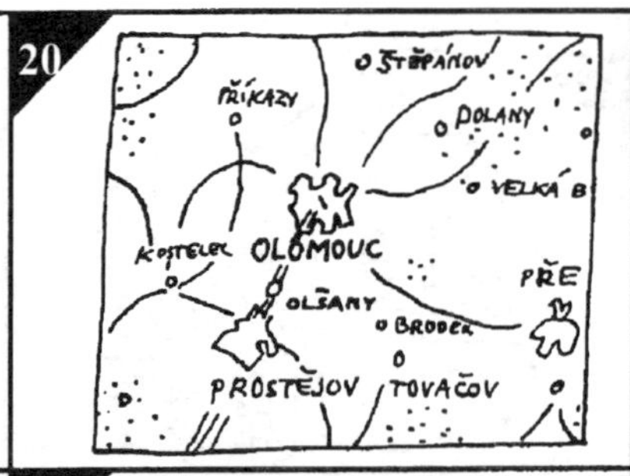

21

22

23

24

25

26

27

28

29

30

31

32

33

34

35

36

LESSON 5

- Use of the accusative.
- The accusative singular.
- To have.
- To have + nouns.
- To like/love in Czech.
- What do we look like?
- Vocabulary: Body and appearance.

use of the accusative

The main function of the accusative case is to express the person or thing to whom or to which an action is done. This person or thing is called ***the direct object****. Why does Czech need special endings forming the accusative case? The reason is that Czech has a* ***flexible word order****. In English, the word order is fixed. The subject of a sentence (= noun carrying out the action of the verb) usually precedes the verb and the object. Thus, the most common structure of the English sentence is: subject – verb – direct object.* (Peter loves Ann.) *In Czech the sentence structure can be the same - or absolutely different:*

1. subject - verb - direct object (Petr miluje Annu. Peter loves Ann.)
2. direct object - verb - subject (Annu miluje Petr. It´s Peter, who loves Ann.)
3. direct object - subject - verb (Petr Annu miluje. Peter *loves* Ann = not likes, watches, hates....)

You can see that Czech needs "a signal" (that is the ending) to tell the subject and object apart. *You might wonder if the Czech sentences above have different meanings. Yes, they do. The rule concerning Czech word order can be briefly expressed by the following general principle:* ***Information that was already mentioned – or otherwise "known" – is located at the front and new, or more important information is located at the end.***

❑ *The accusative is used:*

1. *to express the direct object after certain verbs*

Mám rád dobrý guláš. I like good goulash.
Chci silnou kávu. I want strong coffee
Těším se na české pivo. I am looking forward to Czech beer.

2. *in the accusative expressions (the verb + the accusative + the nominative)*

Alenu bolí hlava. **Davida** baví fyzika. Alena has a headache. David is interested in/enjoys physics.

3. *to express time*

Celou minulou noc jsem pracoval. I worked all night last night.

4. *after some prepositions*

na
Šampon na vlasy. Hair shampoo. Lak na nehty. Nail polish.
Destination: Jdu na kávu. I am going for coffee. Jedu na nádraží. I am going to the railway station.
Verbal constructions: Těším se na jaro. I am looking forward to spring. Čekám na ni. I´m waiting for her.
pro
To je dárek pro kamaráda. It is a present for my friend. Jdu pro pivo I am going for beer.
za
Jednou za den. Once a day. Dvakrát za týden. Twice a week.
Kniha za 150 korun. A book for 150 crowns. Kabát za 1000 korun. A coat for 1000 crowns.
v
V jednu hodinu, v poledne, v pondělí, v úterý... At one o´clock, at noon, on Monday, Tuesday…
o
11 je o jednu víc než 10. 11 is one more than 10.
Verbal constructions: Nestarám se o nic. I don´t care about anything.
přes
Jdu přes řeku Vltavu. I am going across the river of Vltava.
nad, pod, před, za, mezi *(These prepositions will be practised in* ***lesson 25****)*
Dávám obraz nad skříň. I am putting the picture above the wardrobe.
Ukládám boty pod postel. I am putting the shoes under the bed.
Jdu před školu. I am going in front of the school.
Běžím za dům. I am running behind the house.
Jedu mezi domy. I am driving between (among) the houses.

the accusative Ma, Mi, F, N singular

the question (interrogative pronouns)

the nominative	*the accusative*
kdo? co?	**koho? co?**

ten, ta, to (demonstrative pronouns) and adjectives:

Ma	**toho moderního českého**	(*coll.* **toho moderního českýho**)
Mi	**ten moderní český**	(*coll.* **ten moderní českej**)
F	**tu moderní českou**	(*coll.* **tu moderní českou**)
N	**to moderní české**	(*coll.* **to moderní český**)

nouns

main rules

Ma		*other rules*
hard and ambiguous	**-a** (studenta)	1. Mobile "e" (pes – psa) 2. Stem changes (kůň – koně) 3. Nouns ending in -a have -u ending (policista – policistu)
soft (ž, š, č, ř, č, ď, ť, ň, c, j, -tel + s, z, c)	**-e** (muže)	

Mi	
	= nom. sg.

F	
-a ending	**-u** (kávu)
-e/ě ending	**-i** (židli)
cons. ending	**= nom sg.**

N	
	= nom. sg.

- *For hard, soft and ambiguous consonants, see Grammatical Tables, p. 264.*
- *Ma names ending in the pronounced -i/-í /-y are declined like adjectives:* (Jiřího, Sampleyho).
- *F names ending in the pronounced -i/-y or a consonant do not change* (Lori, Judy, Carmen, *but also* paní).
- *For the "mobile -e-" and stem changes, see A Trip back through the History, p. 265.*

personal pronouns

the nominative | ***the accusative***

	short forms	*long forms*	*forms after prepositions (j ➪ n)*
já	**mě**	**mě**	**mě**
ty	**tě**	**tebe**	**tebe**
on	**ho**	**jeho**	**něho (Ma), něj**
ona	**ji**	**ji**	**ni**
ono	**ho**	**jeho**	**něho, ně**
my	**nás**	**nás**	**nás**
vy	**vás**	**vás**	**vás**
oni	**je**	**je**	**ně**

Notes:
- ❑ *Short forms of personal pronouns are members of "The Second Position Club" (see lesson 8, p. 93).*
- ❑ *Long forms are used if you stress the pronoun (e. g.:* Miluju tě. Miluju ho. *BUT* Miluju tebe, a ne jeho!*)*

possessive pronouns singular

the nominative sg. | ***the accusative***

	Ma	Mi	F	N
můj, moje, moje	**mého**	**můj**	**moji/mou**	**moje/mé**
tvůj, tvoje, tvoje	**tvého.**	**tvůj**	**tvoji/tvou**	**tvoje/tvé**
jeho	**jeho**	**jeho**	**jeho**	**jeho**
její	**jejího**	**její**	**její**	**její**
náš, naše, naše	**našeho**	**náš**	**naši**	**naše**
váš, vaše, vaše	**vašeho**	**váš**	**vaši**	**vaše**
jejich	**jejich**	**jejich**	**jejich**	**jejich**

possessive pronouns plural

the nominative pl.	***the accusative***
moji, moje, moje, moje	**mé/moje**
tvoji, tvoje, tvoje, tvoje	**tvé/tvoje**
její	**její**
jeho	**jeho**
jeho	**jeho**
naši, naše, naše, naše	**naše**
vaši, vaše, vaše, vaše	**vaše**
jejich	**jejich**

Notes:
- ❑ *You will hear forms* **mýho, tvýho, mý, tvý** *in colloquial Czech.*

- ❑ *For declension of possessive adjectives see Grammatical Tables, p. 270.*
- ❑ *For declension of numerals see Grammatical Tables, p. 270.*

to have - mít

mám	**máme**
máš	**máte**
má	**mají**

❑ *For an overview of Czech conjugation, see lesson 7, p. 80.*

1. Read and answer.

Máš hodnou matku?
Máš velkou dceru?
Máš doma silnou kávu?
Máš starší sestru?
Máte krásnou sestřenici?
Máte černou židli?
Máte zajímavou práci?
Máte malou neteř?
Máš hodného tatínka?
Máš velkého syna?
Máš energického šéfa?
Máš dobrého manažera?
Máte dobrého ředitele?
Máte zajímavého přítele?
Máte českého učitele?
Máte mladšího bratra?

2. Fill in the correct forms of the verb "to have":

1. Adam a Eva .... červené americké auto.
2. (Já) .... normální český telefon.
3. Jan .... hezký červený americký pulovr.
4. Prosím vás, ... tady čaj nebo kakao?
5. Olga, Jarmila a David .... nekvalitní víno.
6. Pan Vik je manažer. .... telefon, fax, peníze a problémy.
7. Alena .... kvalitní maso.
8. Petr .... dobrý banán.
9. (Ty) .... kvalitní fax?
10. (Vy) .... dobré pivo!
11. Martin .... dobrou práci.
12. Jsem rád, že .... mercedes.

3. Fill in "to have" + accusative:

1. Adam .... (dobrá žlutá limonáda).
2. Ředitel ....(veselá a kvalitní sekretářka).
3. (Ty) .... (káva a šlehačka)?
4. (My) .... (česká učitelka).
5. Jan a Eva .... (dobrý šéf).
6. Martin ....(veselý syn).
7. (Já) .... (sympatický bratr).
8. Jana .... (energický manžel).

4. Make sentences. Add the feminine form.

Example: Mám dobrého asistenta a dobrou asistentku.

1. sympatický kamarád
2. dobrý šéf
3. mladý spolužák
4. šikovný asistent
5. inteligentní student
6. nový premiér
7. chytrý prezident
8. výborný doktor
9. energický partner
10. nový ředitel
11. kvalitní manažer
12. český učitel

5. Make sentences using the following words.

Example: majonézu – Máme doma dobrou **majonézu.**

kamaráda, učitelka, nemáte, jsem, maminku, není, tatínka, učebnici, banán, kávu, šéf, rádi, limonádu

6. Some of the most common wishes are in the accusative. Can you explain why?

Dobrý den!	Hello!
Dobrou noc**!** **Dobrou** chuť**!**	Good night! Bon appetit!
Všechno nejlepší!	Happy birthday! All the best!
Upřímnou soustrast**.**	My deepest sympathy.
Na zdraví**!**	To your health!
Hodně štěstí**!**	Good luck!
Šťastnou cestu**!**	Happy journey!
Hezkou dovolenou**!**	Have a nice holiday/vacation!
Hezké Vánoce! Hezké Velikonoce!	Merry Christmas! Have a nice Easter!
Veselé Vánoce a šťastný nový rok!	Merry Christmas and happy new year!

7. You can practise the verb "mít" using the vocabulary from lessons 1, 2, 3, 5, 6, 7, 10, 20, 24.

to have + nouns

Do you remember the expression „Mám otázku!“ *from the first lesson? Now you know that the accusative was used there. All of the following expressions use the same construction: to have + a noun in the accusative. (Remember, that you "**have** hunger and thirst, bad mood and good mood" in Czech!)*

mít čas	to have time	**mít operaci**	to have an operation
mít depresi	to be depressed	**mít party, večírek,** *coll.* **mejdan**	to have a party
mít dietu	to be on a diet	**mít peníze** *(pl.)*	to have money
mít dobrou náladu	to be in a good mood	**mít pravdu**	to be right
mít dobrou zprávu	to have good news	**mít problém**	to have a problem
mít dovolenou	to have a vacation	**mít radost**	to be happy
mít hlad	to be hungry	**mít rande**	to have a date
mít horečku	to have a fever	**mít rýmu**	to have a cold
mít chřipku	to have flu	**mít schůzku**	to have an appointment
mít kašel	to have a cough	**mít smůlu**	to have bad luck
mít kocovinu	to have a hangover	**mít starost**	to be worried
mít krásný život	to have a beautiful life	**mít štěstí**	to have good luck
mít smutný život	to have a sad life	**mít talent**	to have talent
mít krizi	to have a crisis	**mít úspěch**	to be successful
mít migrénu	to have a headache	**mít volno**	to have free time
mít moc práce	to have lots of work	**mít zájem**	to be interested
mít nápad	to have an idea	**mít zkoušku**	to have an exam
mít návštěvu	to have guests	**mít zlost, vztek**	to be angry
mít nehodu	to have an accident	**mít žízeň**	to be thirsty

1. Say the nominatives of the preceding nouns.

REMEMBER *the useful beginnings of sentences:*

Mám pocit, že...	I have a feeling that
Mám dojem, že...	I have the impression that...
Nemám tušení, jestli/kdo/kdy/proč...	I have no idea if/who/when/why...
Mám strach, že...	I am afraid/frightened that...

2. Read. Answer the questions.

1. Máte vždycky pravdu?
2. Jste zítra v práci nebo máte volno?
3. Jste pozítří v kanceláři nebo máte dovolenou?
4. Máte dneska štěstí nebo smůlu?
5. Máte o víkendu návštěvu?
6. Máte krásný nebo těžký život?
7. Máte dneska večer čas?
8. Máte někdy strach? Nebo jste superman?
9. Máte dneska dobrou náladu?
10. Máte dneska rande nebo schůzku?
11. Máte dojem, že máte moc práce?
12. Máte pocit, že máte chřipku?
13. Nemáte tušení, jestli je tady nějaká dobrá a levná restaurace?
14. Máte o víkendu party nebo večírek?

3. Do you understand these sayings?

Malé děti, malé starosti, velké děti, velké starosti.
Čas jsou peníze.
Mít štěstí v neštěstí.

To like/love in Czech.

1. *If something appeals to your taste, you will say:* Chutná mi ... (= *I like it, because it is delicious). E. g.:* Chutná mi pivo. Chutná mi... *is followed by the nominative. See lesson 23, p. 224.*

2. *If something appeals to your senses – except for taste – you will say:* Líbí se mi.... *This expression is based on a single impression or reference to a single occasion. E. g.:* Líbí se mi Praha. Líbí se mi *is followed by the nominative. See lesson 23, p. 224.*

3. *If you love/like someone or something permanently, you will say:* Mám rád .... *E. g.:* Mám rád Prahu. Mám rád kávu. Mít rád... *is followed by the accusative.* ***See here!***

4. *If you are in love and it is really serious, you can use the verb* "milovat". *E.g.:* Miluju tě. Miluju kávu! Milovat... *is followed by the accusative. See lesson 7, p. 82.*

to like/love - mít rád

❑ *The short adjectives* rád/ráda/rádo/rádi *are important in Czech. They are used in three constructions:*

1. **Být rád, že -** to be glad that, to be happy that. *See lesson 2, p. 31.*
2. **Mít rád** - to like. ***See here.***
3. **Rád dělat -** to like doing/to do. *See lesson 7, p. 85.*

singular			plural
rád = rád	**ráda**	**rádo**	**rádi/y/y/a**

1. Learn the conjugation of the verb „mít rád“.

mám rád/ráda	**máme rádi/y/y/a**
máš rád/ráda	**máte rád/ráda//rádi/y/y/a**
má rád/ráda/rádo	**mají rádi/y/y/a**

2. Fill in "to like" + the accusative:

1. Adam .... (ta dobrá silná káva).
2. Ředitel .... (ta šikovná sekretářka).
3. Pane, (vy) .... (ta nesympatická slečna Božena)?
4. Alice, (ty) .... (silná káva)?
5. Eva a Jan .... (dobrý čaj).
6. John .... (české pivo).

3. Answer.

Máš ráda kapučino?
Máš ráda "preso"?
Máš ráda bílé víno?
Máš ráda šampaňské?
Máš rád becherovku?
Máš rád vodku?
Máš rád koňak a rum?
A máš taky rád aspirin?
Máte rádi balet?
Máte rádi klasiku?
Máte rádi operu?
Máte rádi heavy metal?
Máte rádi džez?
Máte rádi film?
Máte rádi kulturu?
Máte rádi literaturu?

4. Say someone who...

Kdo má dobrou náladu?
Kdo má dneska smůlu?
Kdo má žízeň?
Kdo nemá počítač?
Kdo má dneska štěstí?
Kdo je pesimista?
Kdo má večer rande?
Kdo má kocovinu?
Kdo má hlad?
Kdo nemá rád zmrzlinu?
Kdo má vždycky pravdu?
Kdo má rád knedlíky?
Kdo má rýmu?
Kdo nemá rád pivo?
Kdo je milionář?
Kdo nemá rád kávu?
Kdo má rád džez?
Kdo má rád seriál Dallas?
Kdo je večer v práci?
Kdo nemá televizi?

5. You can also practise the verb "mít rád" using the vocabulary from lessons 1, 3, 6 and 20.

What do we look like? - Jak vypadáme?

vypadat

vypadám	**vypadáme**
vypadáš	**vypadáte**
vypadá	**vypadají**

❑ *For conjugation of Czech verbs, see lesson 7, p. 80.*

REMEMBER:
Like all languages, Czech uses euphemisms to avoid offensive expressions:
starý – **starší** (older)
tlustý – **plnoštíhlý** (well-figured), **statný** (hefty), **silnější** (stronger**), silný**

1. **Work with a dictionary. Look up the meanings of the following words.**
   dost, docela, skoro, jiný, stejný, podobný, dlouhý, rovný, krátký, křivý, kudrnatý, vlnitý, zrzavý, tenký

2. **Who is who in the picture?**
   ❑ *For the plural forms of nouns and adjectives, see lesson 9, p. 100.*

   1. Martin je malý a má silnější postavu. Má pleš, malé černé oči, a velký rovný nos. Taky má velký elegantní knír. Vypadá trochu jako detektiv Hercule Poirot.
   2. Alena je elegantní starší dáma. Má prostřední štíhlou postavu a má brýle. Má bohaté šedé vlasy a hezký účes. Je pořád veselá a hodná a má vždycky dobrou náladu. Je moderní babička.
   3. Daniela je blondýnka - vypadá jako Marylin Monroe. Má světlé kudrnaté vlasy a modré oči. Je malá a štíhlá. Má moc hezkou postavu, ale není modelka, protože není dost vysoká.
   4. Jirka je vysoký a štíhlý, skoro hubený. Vypadá jako nějaký filozof. Má dlouhé černé vlasy a vousy a hnědé oči. Má brýle.
   5. Zdeňka není ani malá ani velká, ani tlustá ani hubená. Má hnědé rovné vlasy, velké zelené oči, malou pusu a trochu křivý, ale zajímavý nos (asi jako Barbra Streisandová).

3. **Describe yourself, your classmates, relatives and friends.**

4. **Work with a dictionary. Idioms, proverbs, catch phrases.**

Mít zlaté srdce.	Mít tváře krev a mléko.	Mít zlaté ruce.
Být samá ruka, samá noha.	Dlouhé vlasy, krátký rozum.	Mít dobrou hlavu.

1. **blondýn/blondýnka; blonďatý**	blond/blonde; blond
2. **brada**	chin
3. **brunet/brunetka; černovlasý**	dark-haired man/brunette; dark-haired
4. **brýle**	glasses
5. **břicho**	belly
6. **hlava**	head
7. **chlup**	hair (human body and animals)
8. **knír**	moustache
9. **krk**	neck, throat
10. **kůže**	skin
11. **noha**	foot, leg
12. **nos**	nose
13. **obličej**	face
14. **obočí**	eyebrows
15. **oko, oči**	eye, eyes
16. **piha**	freckle
17. **pleš**	bald patch; baldhead
18. **pleť**	complexion
19. **postava**	figure
20. **povaha**	character
21. **prst**	finger, toe
22. **pusa, ústa** *(pl. only)*	mouth *(coll.* **pusa** – kiss*)*
23. **rameno**	shoulder
24. **ruka, ruce** *(pl.)*	arm; hand
25. **sval**	muscle
26. **tělo**	body
27. **tvář**	cheek; face
28. **účes**	hairdo, hairstyle
29. **ucho, uši**	ear, ears
30. **vous, vousy** *(usually used in pl.)*	beard
31. **vlas, vlasy** *(usually used in pl.)*	hair
32. **vráska**	wrinkle
33. **vzhled**	appearance
34. **srdce**	heart
35. **zub**	tooth
36. **žaludek**	stomach

❑ *Typical endings of non-coloured nouns are:* **consonant** *for* Ma/Mi, **-a** *for* F *and* **-o** for N.
❑ *The underlined -e- denotes the mobile -e- that disappears in declined forms.*

This picture can be used in lesson 5 and 23.

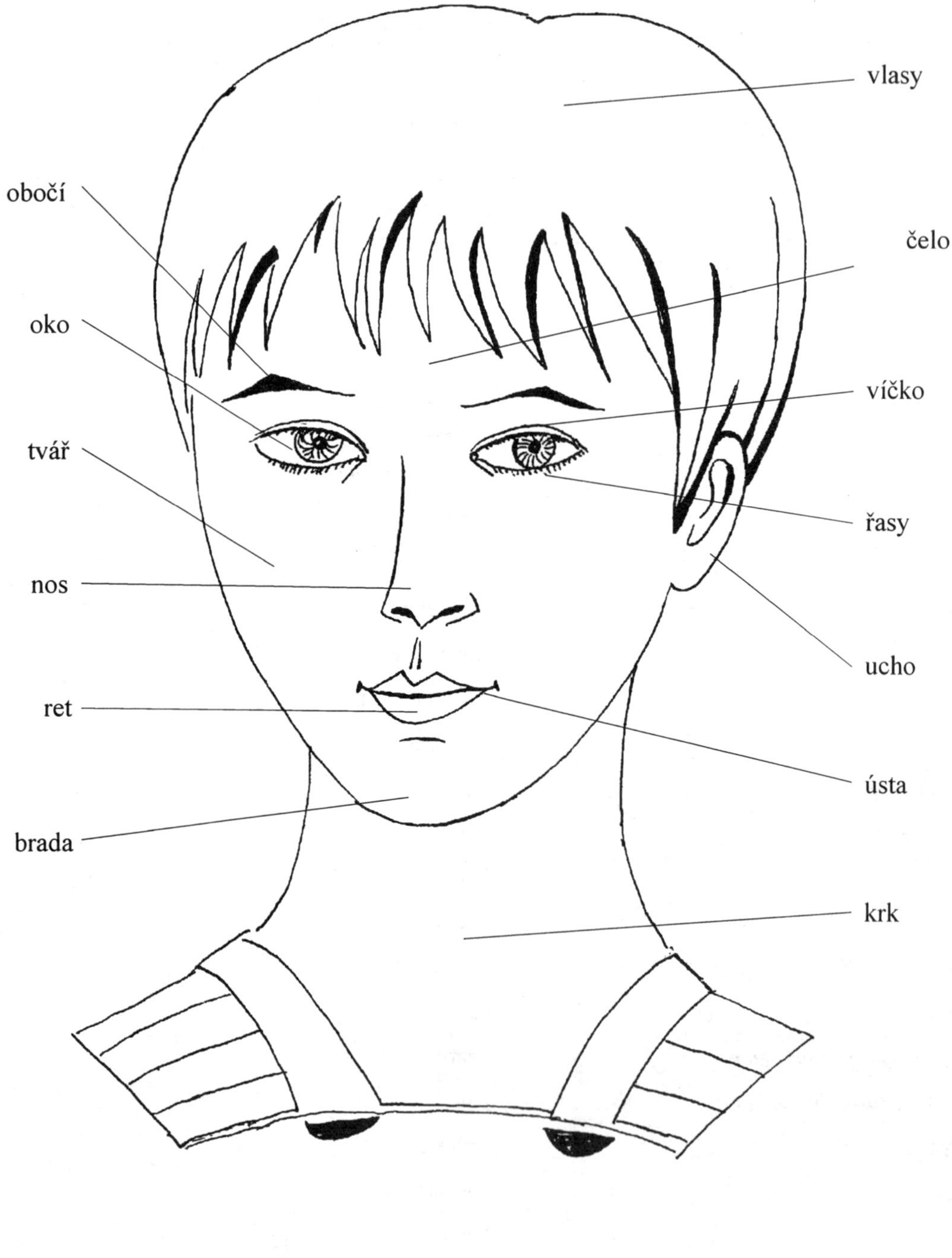

This picture can be used in lesson 5 and 23.

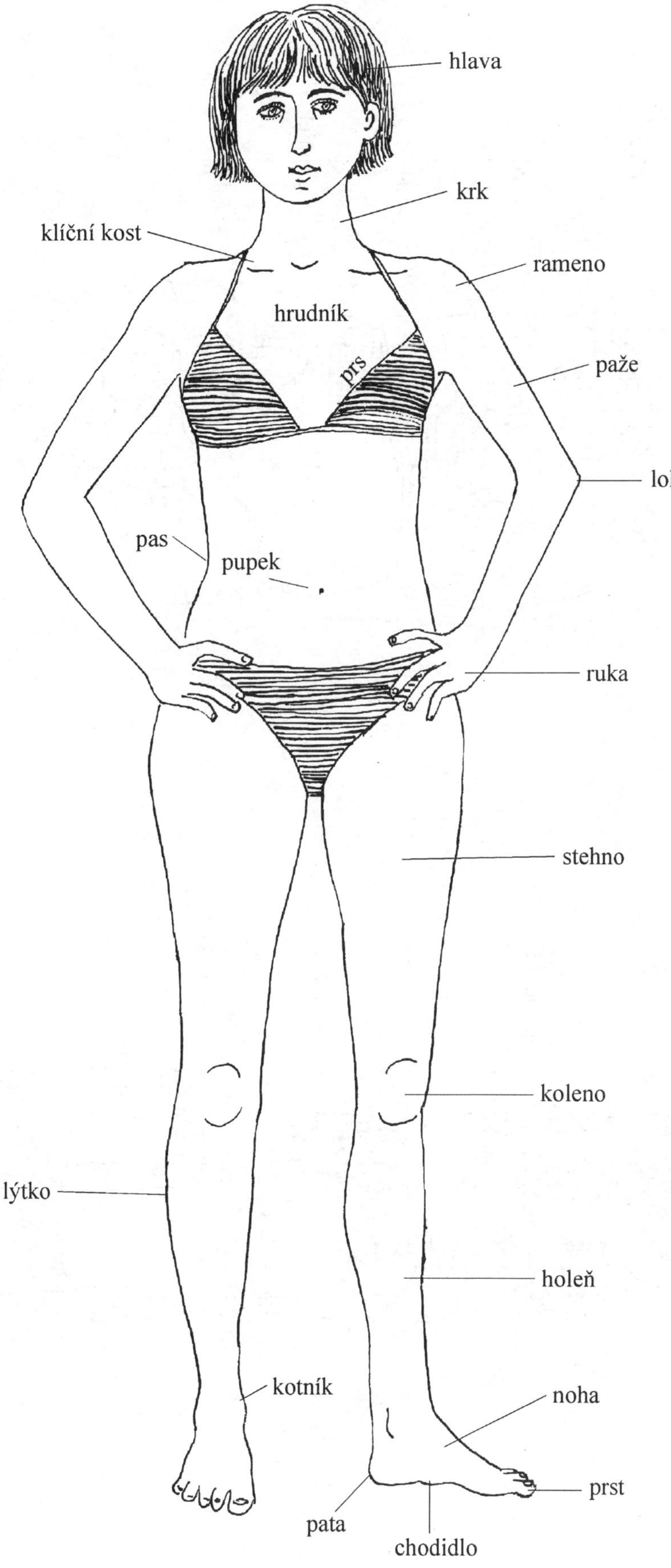

These pictures can be used in lesson 5 and 23.

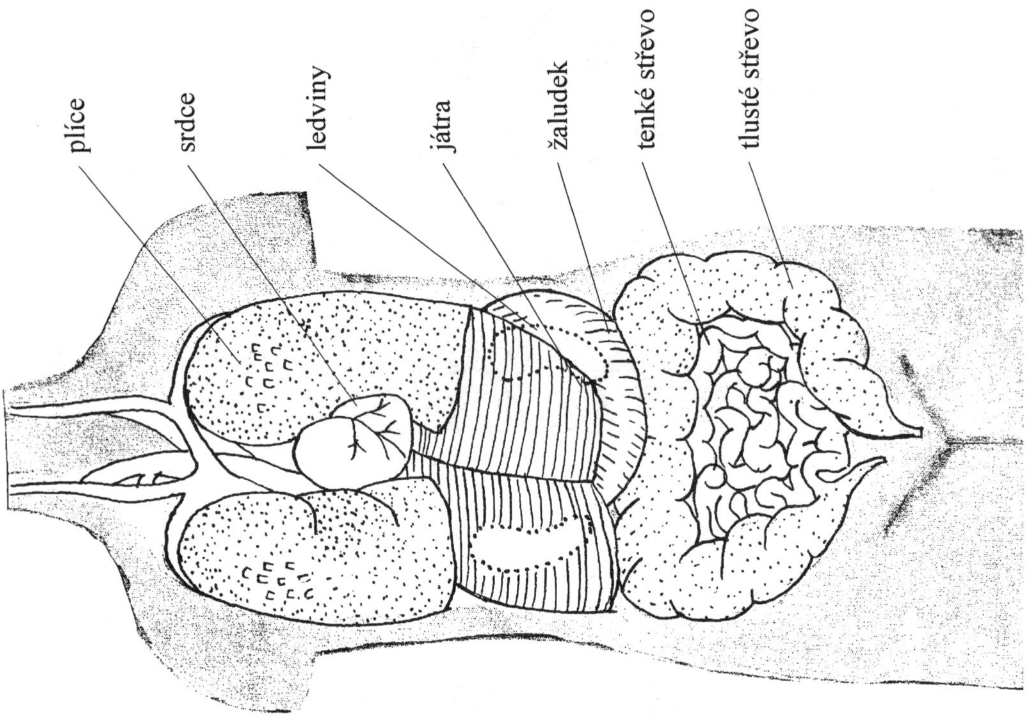

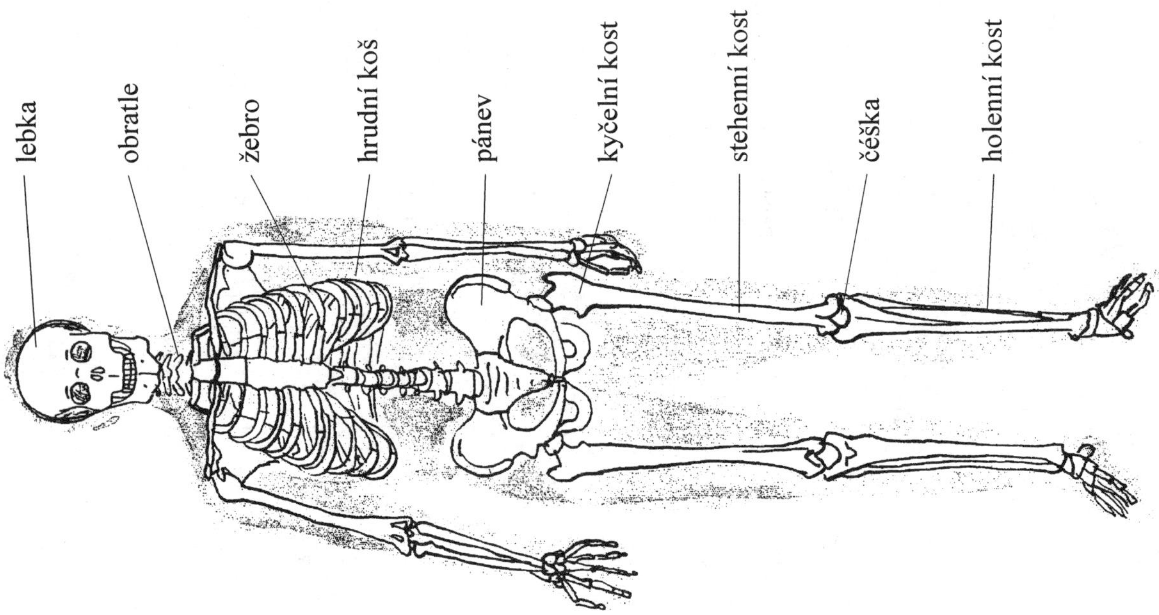

LESSON 6

- "The zero step" to Czech counting.
- To want.
- In a restaurant.
- Prepositions + the accusative.
- To eat and to drink.
- Vocabulary: Food and drinks.

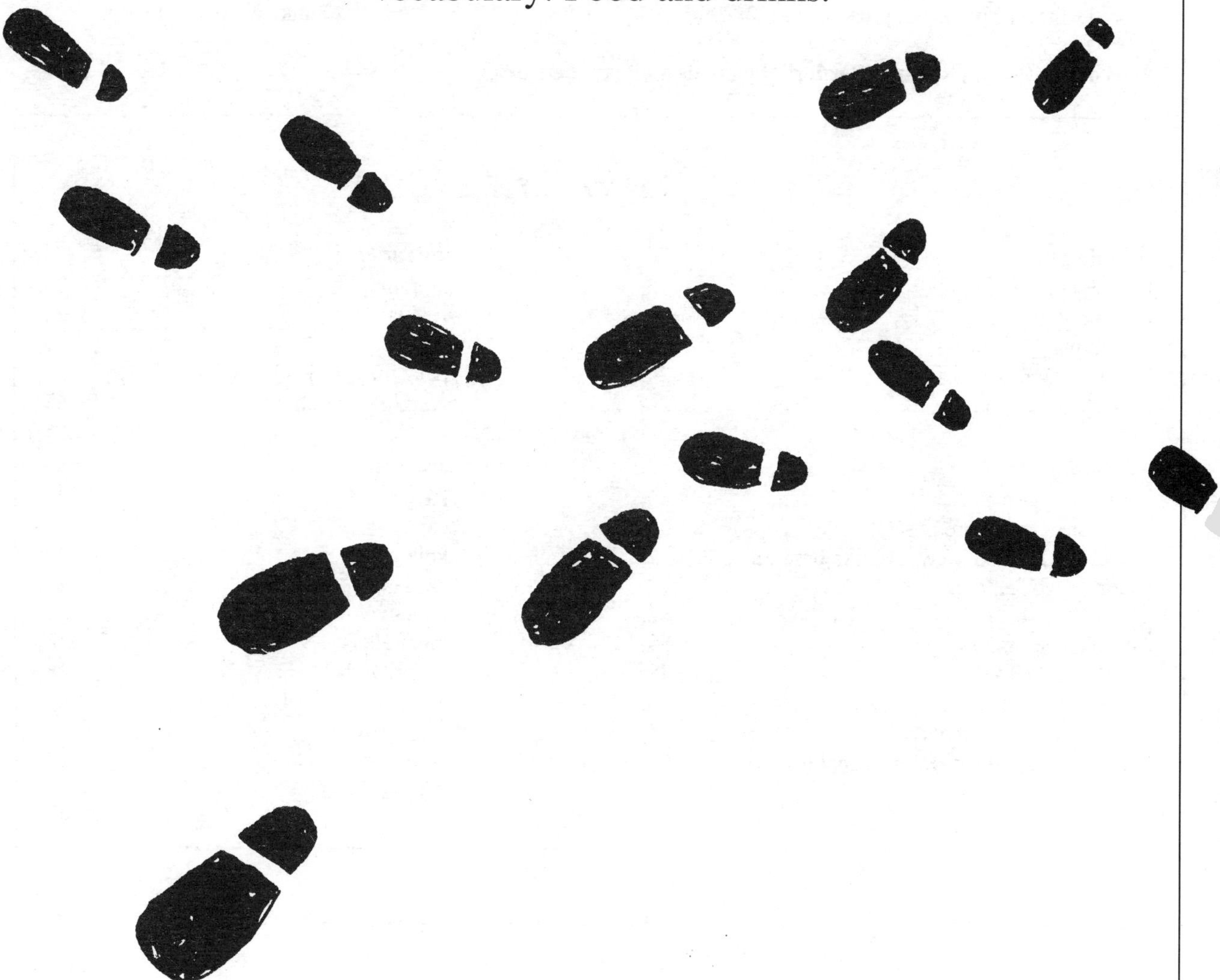

"the zero step" to Czech counting

❑ *The complete system of Czech counting is rather complex. It consists of three steps that you will learn gradually:*

0. *"The zero step": 1x (once), 2x (twice), 3x (three times), 5x, 6x... + the accusative sg. This is not "real counting" yet! It is only used for buying and ordering things. See here.*
1. *The first step: 2,3,4 + the nominative plural. See lesson 9, p. 102.*
2. *The second step: 5 - infinity + the genitive plural. See lesson 15, p. 159.*

Remember "the zero step":

1x jednou – once **2x** dva**krát** – twice **3x** tři**krát** – three times... **4x** čtyři**krát** **5x** pět**krát...**	+	***the accusative singular***

1. Read.

1. Prosím 2x kávu.
2. 3x limonádu.
3. 4x nějaký dobrý dort.
4. 1x biftek a pomfrity, prosím.
5. Prosím 1x omeletu.
6. 2x čokoládovou zmrzlinu.
7. 6x džus, prosím.
8. 2x zeleninový salát.
9. Prosím 3x pivo.
10. 10x guláš, 5x pivo a 5x limonádu!
11. 7x jogurt.
12. 6x šunku a okurku, prosím.

2. Work with a dictionary. "Order" the meals and say their prices.

jídelní lístek

polévka:

hovězí polévka	20,-
kuřecí polévka	22,-
cibulová polévka	25,-
bramborová polévka	24,-
gulášová polévka	26,-

hlavní jídlo:

vepřové maso a rýže	65,-
omeleta a bramborový salát	54,-
smažený kapr, krokety, tatarská omáčka	52,-
kuřecí řízek a brambory	79,-
hovězí maso a rýže	62,-
biftek a hranolky	89,-
guláš a knedlíky	48,-
pečené kuře a bramborová kaše	59,-
smažený sýr a hranolky	45,-
hovězí maso, svíčková omáčka, knedlíky	79,-

dezert:

zmrzlina	25,-
roláda	22,-
dort	29,-
palačinky, šlehačka, ovoce	39,-
zmrzlinový pohár	42,-

nápoje:

káva	20,-
čaj	19,-
kola	27,-
džus	25,-
Fanta	22,-
minerálka	18,-
Dobrá voda	18,-
víno: červené nebo bílé, 1 litr	69,-
pivo černé	28,-
pivo světlé	28,-

3. What other meals and drinks do you know and like and how much do they cost?

to want - chtít

chci	**chceme**
chceš	**chcete**
chce	**chtějí**

❑ *For overview of Czech conjugation, see lesson 7, p. 80.*

1. Read and answer:

1. Chcete nové auto?
2. Chcete krásný parfém?
3. Chcete kvalitní guláš, dobrou okurku a výbornou majonézu?
4. Chcete novou tiskárnu nebo nový počítač?
5. Chcete mít peníze (ale ne moc práce?)
6. Chceš kvalitní sekretářku?
7. Chceš dobrou bílou kávu?
8. Chceš ten papír a tužku?
9. Chceš novou učitelku?
10. Chceš novou učebnici?

> ***REMEMBER:*** *The Czech polite question is very often in negative form!*
> **Nechcete kávu?** **Ano, děkuju.**
> **Nechcete čaj?** **Ne, děkuju.**

2. Fill in "chtít".

1. Zuzana a Alena .... (dobrý čaj).
2. Ředitel .... (dobrá a kvalitní sekretářka).
3. Zuzano, (ty) .... (káva a šlehačka)?
4. Šéfka .... (špatná a nekvalitní asistentka).
5. Josefe, (ty) .... (dobrá a kvalitní cigareta)?
6. Alena .... být bohatá.
7. Adam .... být zdravý.
8. (Ty).. (káva nebo čaj)?
9. Petr .... (limonáda).
10. (Já)... (česká šunka).

3. Use the correct forms:

1. Alena (nemít) doma (mléko ani šlehačka).
2. Zuzana a Ivan (chtít) v restauraci (guláš a pivo).
3. Zuzano, ty (nemít rád) (kvalitní víno)?
4. A vy, paní? (Mít rád) (víno)?
5. Petr (mít rád) (káva).
6. Já (nechtít) (rum), ale (kola).

4. Fill in "být, chtít, mít":

1. Já .... čaj, ale .... silnou kávu.
2. Tomáš .... dobrou majonézu.
3. Petr .... doktor.
4. Alena a Jana .... být doma.
5. Ty .... tady taky?
6. Ron a Eva .... doma.
7. Já .... moderní auto.
8. Barb a Jan .... v práci.
9. Ann .... květinu.
10. V restauraci .... bílé víno.

5. Make sentences using the words from the following line.
Example: špatnou - Nemám rád špatnou kávu.
dobrý, dobrou, smůlu, šéf, víno, tatínka, americkou, anglický, šéfův, třikrát, máme rádi, sekretářku

6. Read and use the correct forms of the verbs.
Filip Novák (mít) velkou angorskou kočku Micku. Ta kočka (mít rád) smetanu a kvalitní maso, kuřecí nebo hovězí. Filip (mít) taky sympatickou kamarádku Zuzanu. Zuzana (být) výborná kamarádka, ale bohužel (nemít rád) kočku Micku. (Nechtít) mít kočku ani doma, ani v práci. Filip (mít) velký problém: kočku – nebo Zuzanu! A ta kočka (mít) taky smůlu. Kdo dneska (chtít) **takovou** tlustou a velkou kočku, že? Taková kočka (být) drahá a Filip a Zuzana (nemít) peníze. A tak (mít) kočka Micka dietu. (Nemít) smetanu, maso, ani šunku... (Mít) jenom mléko a myš. A Zuzana (být) ráda, že kočka (být) krásná a štíhlá a ona (mít) moderní nový svetr!

7. You can also practise the verb "chtít" using the vocabulary from lessons 1, 2, 5, 6, 7, 10 and 12 and also with the verbs from lessons 18 and 19 (imperfective forms).

in a restaurant – v restauraci

❑ *You can say:*

Je tady volno? – Is this seat taken?
samozřejmě, jistě, jasně – sure, of course
Ještě jednou (dvakrát...) – Once more...
dát si: dám si, dáš si... – I will have
chtěl bych/chtěla bych – I would like
chtěli bychom – we would like
To je všechno. – That s all.
Prosím účet. /Zaplatím. – The bill, please./ I will pay.

❑ *The waiter can say:*

Co si přejete? Co si dáte? – What do you wish?
Ještě něco? – Something else?
A co k pití? – Something to drink?
Nemáte drobné? – Do you have change?

❑ *Note: The forms* chtěl/a bych, chtěli bychom *are conditionals. For the conditional see lesson 20, p 198.*

1. **Read the dialogues. Set up similar ones.**

Číšník: Prosím, madam, co si přejete?
Lori: Chtěla bych kávu, šlehačku a nějaký dezert. Co máte?
Číšník: Máme zmrzlinu, šlehačku, dort...
Lori: Výborně! Tak čokoládovou zmrzlinu a dvakrát koláč. Dneska nemám dietu! A máte horkou čokoládu?
Číšník: Ne, bohužel. Čokoládu nemáme.
Lori: Aha. Tak fajn, to je všechno.

Číšník: Co si dáte?
Bob: Chtěl bych vepřové, knedlíky a zelí.
Číšník: A k pití? Mám pivo, kolu, džus...
Bob: Tak pivo... Plzeň dvanáctku!
Číšník: A dezert? Chcete nějaký dezert?
Bob: Ne, děkuju. Dezert nechci.

John: Dobrý den, prosím vás, je tady volno?
Host: Ano, samozřejmě. Prosím...
Servírka: Prosím! Co si dáte?
John: Máte nějaké vegetariánské jídlo?
Servírka: Jistě. Máme omeletu a bramborový salát nebo špagety a parmazán.
John: Tak dvakrát špagety. A máte špenát?
Servírka: Ne, špenát bohužel nemáme. To je všechno?
John: Ano, děkujeme. To je všechno.

Servírka: Prosím?
David: Polévku, čili guláš a chleba.
Servírka: A ještě něco?
David: No, to je asi všechno... Jo, moment! Ještě silnou kávu.
Servírka: Tureckou nebo preso?
David: No, to je jedno. Tak preso... Díky!
Servírka: A co k pití?
David: Matonku, ale velkou! Je vedro.

2. **Read. Use the forms in the brackets in the accusative.**

Číšník: Prosím? Co si přejete?
Iva a Jakub: Chtěli bychom 2x (gulášová polévka) a 4x (rohlík).
Číšník: A ještě něco?
Iva a Jakub: Ano. 2x (kuřecí řízek), 3x (zeleninový salát), ale 5x (majonéza). Máme moc rádi (majonéza). Jo, a taky chceme 1x (světlé pivo, dvanáctka) a 1x (velká pomerančová limonáda).
Číšník: A dáte si brambory, hranolky nebo bramborový salát?
Iva a Jakub: 1x hranolky a 1x brambory. A taky chceme 3x (čokoládový dezert) a 2x (černá káva a šlehačka).
Číšník: Je to všechno?
Iva a Jakub: Ano, všechno, děkuju.

3. **V obchodě** (In the shop). **Complete the dialogue:**

Prodavačka: ....?
John: Chtěl bych chleba, mléko a nějaký dobrý sýr.
Prodavačka: ....?
John: Máte nějaké kvalitní české červené víno?
Prodavačka: ....!
John: Ne, Frankovku nechci. Chtěl bych Vavřinecké.
Prodavačka: ....
John: Aha... Tak tu Frankovku. Nemám čas a mám rande. Díky!

1. Read and retell the dialogues in Czech. Compare their language. For more about colloquial Czech, see lesson 27, p. 256.

Na návštěvě (On a visit)

NEW WORDS AND PHRASES:

Dále! Pojďte dál! – Come in!
Odlož si! Odložte si! *(the imperative)* – Take off (your coat…)!
Sedni si! Sedněte si! *(the imperative)* – Sit down, please!
Odskočím si. – I'll use the bathroom.
Pozdravuj... Pozdravujte... *(the imperative)* – Say hallo to ..

Paní Bílá: Dobrý den! Jak se máte! Pojďte dál! Jsem ráda, že jste tady.
Pan Novák: Děkuju, paní Bílá.
Paní Bílá: Venku prší a je zima, že? Prosím, odložte si! Tady je gauč, sedněte si, prosím! Dáte si čaj? Nebo kávu?
Pan Novák: Děkuju, dám si kávu. Ale prosím vás, nemáte smetanu nebo mléko?
Paní Bílá: Samozřejmě. Tady je mléko. Nechcete cukr?
Pan Novák: Ne, děkuju, cukr nechci. Cukr není moc zdravý. Pardon, prosím vás, kde tady máte toaletu? Odskočím si.
Paní Bílá: Tady, tady. Prosím.
Paní Bílá: Tak, tady je ta káva. No, a co vaše manželka? Ještě je nemocná?
Pan Novák: Ne, naštěstí je už zdravá. Je v pořádku a má dobrou náladu. Není teď tady v Praze, má dovolenou. Já mám bohužel moc práce, a tak jsem tady sám.
Paní Bílá: Jsem moc ráda, že je vaše manželka zdravá. Nechcete dort nebo koláč?
Pan Novák: Ne, děkuju, nemám hlad. A taky mám dietu.
Pan Novák: Tak na shledanou paní Bílá. Pozdravujte dceru!
Paní Bílá: Na shledanou. Pozdravujte manželku!

1. Answer the questions.

1. Chce pan Novák mléko nebo cukr?
2. Je paní Bílá nemocná?
3. Má pan Novák dovolenou?
4. Je paní Nováková v Praze?
5. Má paní Bílá dietu?
6. Má paní Bílá dceru?

Na ulici (In the street)

NEW WORDS:
takový – such

Adam: To je překvapení! Ahoj, Martino! To je náhoda! Jak se máš?
Martina: Čau, Adame. No, ujde to. A co ty? Jak se máš ty?
Adam: Fantasticky! Mám fakt štěstí. Mám výbornej džob, a tak mám moc práce, ale taky velký peníze. Mám všechno, co chci. Ale ty seš nějaká smutná. Máš špatnou náladu, nebo co?
Martina: Nejsem smutná, jsem normální. Nemám dneska čas... Mám taky moc práce, ale peníze nemám. A mám rýmu a trochu kašel.
Adam: Hmm, to je mi líto... A nechceš cigaretu? Mám ameriku... A nebo skotskou whisky? Nebo marihuanu? Ty seš taková krásná holka...
Martina: Co? Kdo? Já a marihuanu? Já a alkohol? To je špatnej vtip, ne?!? Nechci ani whisky, ani cigaretu, ani nějakou stupidní drogu. Máš smůlu! Čau... Mám rande!
Adam: Ach jo, fakt mám dneska nějakou smůlu!

2. Answer the questions:

1. Proč má Adam dobrou náladu?
2. Má Martina nějaký problém?
3. Kdo má smůlu?
4. Kdo má rande?

prepositions + the accusative

❑ *English preposition* "for" *is often translated by prepositions* **pro, za, na** ***(see here)*** *However, when expressing time, it has no equivalent in Czech (*for two weeks – dva týdny).

1. **pro** (*often "for people"*)
   Ta kniha je pro moje malé dítě.
   Chtěl bych nějakou kosmetiku pro manželku.
   Mám šampón pro Adélu.
   Jsem pro tradiční rodinný model.
   Jste pro nebo **proti**?

2. **za**
   a) with amounts of money
   Chci deštník za 300 korun.
   V obchodě mají čokoládovou zmrzlinu za 10 korun.
   Dám si svíčkovou za 98 korun.
   Chtěla bych krásný kabát za 5 000 korun.
   Prosím vás, máte tady ten nový česko-anglický slovník za 500 korun?
   b) with time
   Přijdu (I'll come) za chvíli.

REMEMBER:

za chvíli	**za týden**	**za měsíc**	**za rok**
in a while	in a week	in a month	in a year

3. **na**
   Co máme na oběd?
   Na snídani mám každý den jogurt.
   Na večeři máme dneska knedlíky, zelí a vepřové maso. A pivo!
   Co chcete na večeři?
   To je šek na 1 000 000 korun.
   Nemám peníze na byt.

❑ *For the use of this preposition, see lessons 11, p. 120, lesson 12, p. 128 and lesson 17, p. 174*

přes – across, through
Přes řeku vidím hrad.
Přes les vidíme nějaký dům.
Jdu přes ulici. I go across the street.

o – used for comparison
Můj dům je o 1 metr vyšší než váš dům. My house is one meter higher then your house.

❑ *For the use of this preposition see lessons 12, p. 128, lesson 17, p. 174 and lesson 18, p. 184.*

nad – above
pod – under
před – before, in front of
za – behind
mezi – between

❑ These prepositions *will be practised in lesson 25, p. 240.*

to eat and to drink – jíst a pít

1. Learn the vocabulary on the following page.

2. Learn the conjugation of the following two verbs.

jíst		pít	
jím	jíme	piju	pijeme
jíš	jíte	piješ	pijete
jí	jí/jedí	pije	pijou

❑ *For an overview of Czech conjugation, see lesson 7, p. 80.*

1. Answer the questions:
Máte rádi exotické jídlo? Jaké jídlo vůbec nejíte? Jaké pití máte rádi? Jaké pití vůbec nepijete? Co jíte a pijete na party? Co obvykle jíte a pijete na snídani, na oběd, navečeři?

REMEMBER: **Jak kdy. Jak kdo. Jak kde.** – It depends.

2. Do the crossword puzzle.

Křížovka

1. food
2. garlic
3. rum
4. spinach
5. cauliflower
6. fruit
7. onion
8. cake
9. oil
10. wine
11. cream
12. cabbage

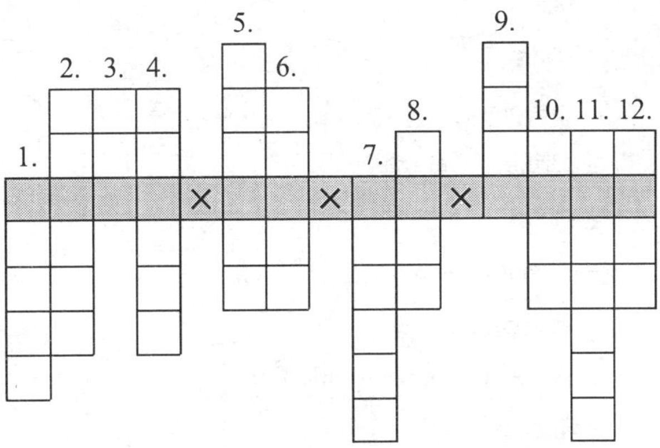

3. Work with a dictionary. Idioms, proverbs, catch phrases:
Mít hlad jako vlk.
Potřebovat něco jako sůl.
Být jako med.
Dělat kyselý obličej.
Bez práce nejsou koláče.
Humor je koření života.
Hlad je nejlepší kuchař.

4. Work with a dictionary. Look up the meanings of the following adjectives.
čerstvý, syrový, mražený, sladký, slaný, kyselý, ostrý, hořký, vařený, smažený, pečený, grilovaný

5. Topics for conversation.
Máte rádi nějaké typické české jídlo nebo pití? Jaká je vaše oblíbená restaurace nebo hospoda?

1. **brambor, brambory**	potato, potatoes
2. **brokolice**	broccoli
3. **fazole, fazole**	bean, beans
4. **cibule**	onion
5. **česnek**	garlic
6. **hořčice**	mustard
7. **hrách, hrášek**	pea, peas
8. **jídlo**	food, meal
9. **knedlík, knedlíky**	dumpling, dumplings
10. **koření**	spices
11. **kuře**	chicken
12. **květák**	cauliflower
13. **maso: vepřové, hovězí**	meat: pork, beef
14. **med**	honey
15. **meloun**	melon
16. **mouka**	flour
17. **oběd**	lunch
18. **oc<u>e</u>t**	vinegar
19. **olej**	oil
20. **omáčka**	sauce
21. **ovoce**	fruit
22. **pepř**	pepper
23. **pití; nápoj**	drink, beverage
24. **polévka**	soup
25. **rajče, rajčata**	tomato, tomatoes
26. **rostlinné máslo**	margarine
27. **říz<u>e</u>k**	Vienna schnitzel (cutlet)
28. **snídaně**	breakfast
29. **sůl**	salt
30. **špenát**	spinach
31. **těstoviny** *(pl.)*, **nudle**, *(pl.)*	pasta, noodles
32. **večeře**	dinner
33. **vajíčko, vajíčka/vejce**	egg, eggs
34. **vídeňská káva**	Vienna coffee
35. **zelenina**	vegetables
36. **zelí**	cabbage

❑ *Typical endings of non-coloured nouns are:* **consonant** *for* Ma /Mi, **-a** *for* F *and* **-o** for N.
❑ *The underlined -e- denotes the mobile -e- that disappears in declined forms.*

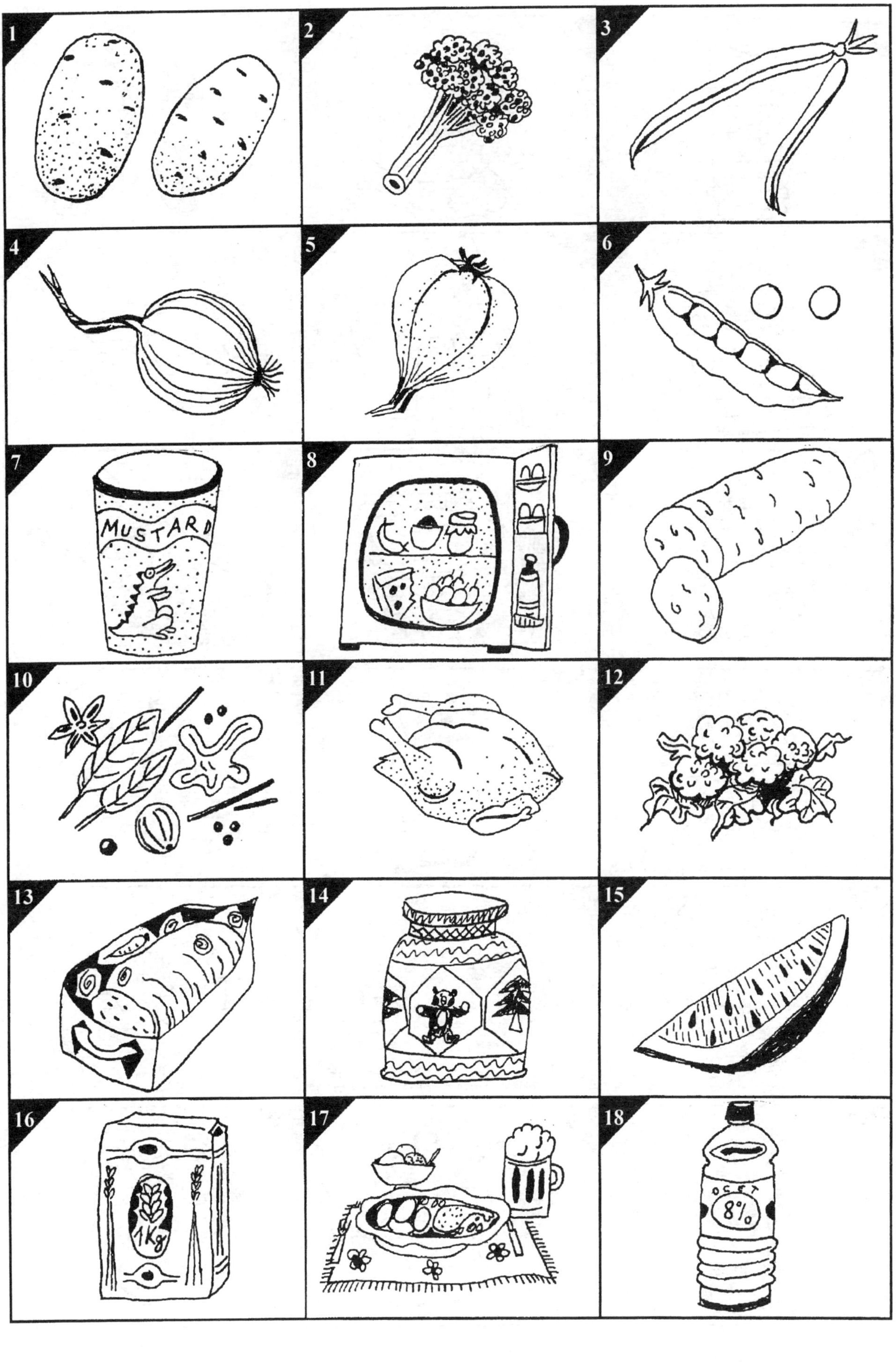
1
2
3
4
5
6
7
MUSTARD
8
9
10
11
12
13
14
15
16
1Kg
17
18
OCET
8%

19
FLORA
20
21
22
23
24
25
26
FLORA
27
28
29
30
31
32
33
34
35
36

LESSON 7

- Verbs according to their conjugation.
- Verbs according to their function.
- To like doing/to do.
- Stating a preference.
- Vocabulary: Flat, furniture.

verbs according to their conjugation

❑ *Verbs in the present tense are conjugated according to the following patterns:*

IRREG. -E VERBS (*often stem changes*)	REG. -E VERBS (*often -ovat verbs*)	-Í VERBS	-Á VERBS
číst (to read)	**potřebovat** (to need)	**vidět** (to see)	**hledat** (to look for)
čt-u **čteš** **čt-e** **čt-eme** **čt-ete** **čt-ou**	**potřeb-uju/-uji** **potřeb-uješ** **potřeb-uje** **potřeb-ujeme** **potřeb-ujete** **potřeb-ujou/-ují**	**vid-ím** **vid-íš** **vid-í** **vid-íme** **vid-íte** **vid-í/-ejí/-ějí**	**hled-ám** **hled-áš** **hled-á** **hled-áme** **hled-áte** **hled-ají**

❑ Číst, potřebovat, hledat, vidět *are transitive verbs (see p. 82). They are followed by the accusative.*

❑ *"Difficult verbs" (i. e. verbs with stem changes) are denoted by a star (e. g.* číst**). For their list, see the Grammatical Tables, p. 273.*

❑ *The forms* -uju/-ujou *are more common in colloquial Czech. The forms* -uji/-ují *are more frequent in standard Czech.*

❑ *Note that many words of Latin, Greek or English origin use -ovat ending:*
plánovat, organizovat, imitovat, exportovat, importovat, expandovat, likvidovat, instalovat, e-mailovat, respektovat, improvizovat, fungovat, testovat, studovat, relaxovat, rezervovat, komplikovat, provokovat...

1. Read. Answer the questions.

1. Co čteš? Co čtete?
2. Čteš noviny?
3. Čtete bestseller?
4. Čteš časopis?
5. Čteš thriller?
6. Čtete horor?
7. Čtete dialog?
8. Čtete dopis?
9. Čtete dokument?
10. Čtete večer pohádku?

11. Co potřebuješ? Co potřebujete?
12. Potřebuješ nějakou kvalitní tašku?
13. Potřebujete chytrou asistentku?
14. Potřebuješ nějaké moderní sako?
15. Potřebuješ krásný moderní svetr?
16. Potřebujete špagety, kečup a sýr?
17. Potřebujete nový počítač?
18. Potřebujete kvalitní monitor?
19. Potřebujete dobrou sekretářku?
20. Potřebuju silnou černou kávu?

21. Co hledáš? Co hledáte?
22. Hledáš banku?
23. Hledáš toaletu?
24. Hledáš nádraží?
25. Hledáš autobus číslo 19?
26. Hledáte pumpu? Potřebujete benzín?
27. Hledáte tramvaj číslo 12?
28. Hledáte metro „áčko"?
29. Hledáte paní Jarmilu Knotkovou?
30. Hledáte paní Alenu Maškovou?

31. Co vidíš? Co vidíte?
32. Vidíš učebnici?
33. Vidíš tady nějaký hrnek?
34. Vidíš koberec?
35. Vidíš židli?
36. Vidíte stůl?
37. Vidíte sklenici?
38. Vidíte tužku?
39. Vidíte televizi?
40. Vidíte učitele nebo učitelku?

2. You can also practise these verbs using the vocabulary from lessons 1, 2, 4, 6, 7, 12 and 16 (singular forms).

1. Work with a dictionary. Read and retell in Czech.

Pan Bláha a kravata

V obchodě.

Prodavačka: Prosím? Co si přejete?

Pan Bláha: Dobrý den. Potřebuju nějakou hezkou kravatu. Elegantní a perfektní.

Prodavačka: Aha. A jakou barvu chcete? Máme tady tuhle veselou růžovočervenožlutou kravatu. Vidíte? Je moc elegantní a velmi moderní! Je trochu drahá, ale je moc krásná.

Pan Bláha: Ne, děkuju, nechci! Ta kravata je taková extravagantní! Chtěl bych nějakou decentní večerní kravatu. Tmavomodrou nebo šedou. Nevidíte? Já jsem seriózní konzervativní džentlmen, a ne nějaký chuligán!

Prodavačka: Moment, moment... A co tuhle žlutozelenou? Ta je taky krásná!

Pan Bláha: Ne, děkuju. Žlutozelenou kravatu taky nepotřebuju. Chci černou nebo tmavomodrou!

Prodavačka: Ale taková tmavá a smutná barva není moderní! Je jaro a je krásný den! Vy nejste rád, že je jaro? A nechcete být elegantní a moderní?!

V kanceláři

Sekretářka: Dobrý den, pane šéf. Óóóó! Co to vidím? To je překvapení! Co to máte?

Pan Bláha: Kde? Co je? Co vidíte? Vidíte nějaký problém?

Sekretářka: Ne, všechno je v pořádku. Vidím jenom, že máte novou kravatu. Ta je krásná! Fakt fantastická! A ta barva!!! Vy máte rád růžovou? A červenou? A žlutou? Jakto?

Pan Bláha: Prosím vás! Je jaro a je krásný den! Nejsem konzervativní snob! Jsem moderní, energický a dynamický muž!

Sekretářka: Hmmm... Máme tady ale jeden problém. Dneska večer je koncert. Festival Pražské jaro! Symfonie! Rudolfinum! Je tam pan premiér. A taky pan prezident!

Pan Bláha: Ne! To je opravdu problém... Pomoc! Kde je ta moje stará dobrá tmavá večerní kravata?

Doma

Pan Bláha: Jsem rád, že jsem doma. Ale kde je moje manželka? Zuzano! Zuzanóó! Kde je? Asi tady není. To je strašné! To je chaos! Ne, to je tragédie... Nemám ani oblek, ani deštník, ani moji oblíbenou starou kravatu. A taky nemám manželku!

Paní Bláhová: Ahoj, Martine! Já jsem tady! Co hledáš? Já teď nemám čas. Hledám lístky!

> ***REMEMBER:***
> *When translating from Czech into English, you should always find the subject in the sentence first (it can be incorporated in a verb or mentioned in the preceding sentence). Then, organise the sentence the way you would an English sentence: subject – verb – object – manner – place – time.*

verbs according to their function

❑ *The verbs are printed in this order:* **imperfective verb/perfective verb**. *At this stage you should only use the imperfective ones. For more information see lesson 16, p. 164.*

1. *modal verbs*

❑ *Modal verbs modify the sentence expressing the attitudes of the speaker. These verbs are followed by the infinitive. The most common modal verbs are:*

chtít*	to want	Chci pracovat.
moct*	can, to be able, to be allowed	Můžu být tady?
muset	must, have to	Musím spát.
umět	can, to know how to	Umíš plavat? Umíte česky?

More about the modal verbs in lesson 6, p. 71 (chtít), *lesson 8, p. 97* (umět) *and lesson 19, (the general overview).*

2. *intransitive verbs*

❑ *Verbs that cannot be followed by a direct object are called* ***intransitive.***

cestovat	to travel	Cestuju v létě.
plavat*/zaplavat si	to swim	Plavu taky v létě.
pracovat	to work	Pracuju v kanceláři na počítači.
spát*	to sleep	Spím v hotelu.
sportovat/zasportovat si	to play sports	Nesportuju v zimě.

3. *transitive verbs*

❑ *Verbs that can be followed by a direct object (in the accusative) are called* ***transitive.*** *Some transitive verbs take the prepositional direct object.*

fotografovat/vyfotografovat	to take snaps, snapshots	Fotografuju katedrálu.
(coll. **fotit/vyfotit**)		Fotím kamarádku.
dělat/udělat	to do/to make	Dělám dobrý oběd.
hrát*/zahrát	to play	Hraju hru (game/play).
1. hrát fotbal, hokej, basketbal, tenis, šachy, karty...		Hrajeme karty.
2. hrát na klavír = na piáno, na kytaru, na flétnu...		Nehraju na klavír.
kupovat/koupit	to buy	Kupuju novou knihu.
nakupovat/nakoupit	to shop around	Pořád nakupuju.
milovat	to love	Miluju kávu.
nenávidět	to hate	Nenávidím špenát.
nesnášet/nesnést	to hate/can´t stand	Nesnáším cibuli.
používat/použít	to use	Používám sprej.
prodávat/prodat	to sell	Prodávám byt.
psát*/napsat	to write	Píšu dopis.
připravovat/připravit	to prepare	Připravuju dokument.
řídit	to drive/to run	Řídíte?
1. řídit auto, traktor, kombajn…		Řídím auto. Neřídím kombajn.
2. řídit firmu, obchodní dům, továrnu...		Ředitel řídí firmu.
uklízet/uklidit	to clean, tidy up	Uklízím byt.
vařit/uvařit	to cook	Vařím oběd.

REMEMBER:
"řídit" *cannot be used with direction in Czech! This meaning is expressed by the verbs* jet *and* vézt.
For these verbs see lesson 11, p. 118.

What are the people in the pictures doing?

1. Fill in the blanks using the verbs you know.

1. Pavel .... doma.
2. V sobotu .... celý byt.
3. Iva a Jan .... šachy.
4. .... tenis nebo golf?
5. Pan ředitel .... mercedes.
6. Paní Nováková .... pití.
7. .... dobrou knihu.
8. Martina .... Prahu.
9. V neděli .... dobré jídlo.

2. Make sentences.

Example: vidět – legrační člověk: Vidím legračního člověka

1. studovat – česká lekce ....
2. hledat – pan Antonín Rott ....
3. potřebovat – dlouhá konzultace ....
4. prodávat – čerstvý losos ....
5. hledat – levná restaurace ....
6. kupovat – plyšový medvěd ....
7. vidět – stará ulice ....
8. fotografovat – mladý cizinec ....
9. chtít mít – hnědá skříň ....
10. nesnášet – nudný partner ....
11. mít rád – veselá sestřenice ....
12. milovat – smažený pstruh ....
13. hledat – Lucie a Alice ....
14. řídit – velká firma ....
15. psát – dlouhý dopis ....

3. Read and retell in Czech.

Miluje Anežka Honzu?

Honza: No ne, Anežka! Miluju Anežku! Hej, Anežko! Co dneska večer děláš? Tady blízko je jedna dobrá kavárna!
Anežka: Ahoj! Mám se dobře, ale nemám čas... Pracuju v kanceláři a dneska máme moc práce!
Honza: Aha... A co v úterý? Máš čas v úterý odpoledne?
Anežka: Ne, ne, v úterý odpoledne taky nemám čas. Sportuju - plavu a hraju tenis.
Honza: Hmm... A co ve středu? Ve středu je jeden výborný americký film.
Anežka: Moment, moment. Ve středu já a moje kolegyně Jarka nakupujeme. Potřebuju nějakou novou tašku a svetr a kamarádka chce kabát. Její starý kabát už opravdu není hezký.
Honza: Ach jo... A co ve čtvrtek? Ve čtvrtek taky nemáš čas?
Anežka: Ve čtvrtek? Ne, ve čtvrtek taky nemůžu.
Honza: Taky ne? A co děláš?
Anežka: Ve čtvrtek odpoledne vždycky píšu dopisy a e-maily.
Honza: Tak v pátek...
Anežka: V pátek? Ale já v pátek nakupuju, vařím a uklízím!
Honza: Ale pak už je víkend... A co děláš v sobotu?
Anežka: V sobotu studuju angličtinu! Celý den!
Honza: Ale pak už je jenom neděle...A v neděli taky studuješ, pracuješ, sportuješ a vaříš?
Anežka: Ne. V neděli spím!

REMEMBER: English* "when" *in Czech:
1. kdy *(in a question):*
2. když *(as a conjuction)*
3. jestli *(in future tense, in reported questions, "on condition, that")*
4. až *(often implying* as soon/late as*)*

4. Topics for conversation.

Co potřebujete, když děláte oběd/snídani/večeři/party/guláš/vaše oblíbené jídlo?
Co děláte, když jste nervózní/máte špatnou náladu/máte hlad a žízeň/máte čas?

to like doing/to do - rád dělat

❑ *The short adjectives* rád/ráda/rádo/rádi *are very important in Czech. They are used in constructions:*

1. **Být rád, že** – to be glad that, to be happy that. *See lesson 2, p. 31.*
2. **Mít rád** – to like. *See lesson 5, p. 63.*
3. **Rád dělat** – to like doing/to do. ***See here.***

*To say that you like **doing/to do** something just insert* rád/ráda/rádi *into the sentence:*

rád = rád	**ráda**	**rádo**	**rádi/y/y/a**
singular	singular	singular	plural

to do	*to like doing/to do*	*intensification*	
Čtu.	**Rád/ráda** čtu.	**velmi:**	**Velmi rád** čtu.
Eva pracuje.	Eva **ráda** pracuje.	**moc:**	Eva **moc ráda** pracuje.
Petr hraje tenis.	Petr **rád** hraje tenis.	**strašně** *(coll.)*:	Petr **strašně rád** hraje tenis.
Vaříme.	**Rádi** vaříme.	**hrozně** *(coll.)*:	**Hrozně rádi** vaříme.

1. Compare the three constructions using "rád, ráda, rádo, rádi".
Jsem rád, že mám kávu. Mám rád kávu. Rád piju kávu.
Jsem ráda, že máš tady šachy. Mám ráda šachy. Ráda hraju šachy.

2. Fill in the negative forms:
Example: Alice ráda spí. **Alice nerada spí.**
1. Ivo rád hraje na kytaru. ....
2. Jana ráda pracuje. ....
3. Kristýna ráda nakupuje. ....
4. Zuzana ráda plave. ....
5. Ota rád pracuje. ....

3. Change the constructions according to the given model.
Example: Mám ráda kávu. (pít): Ráda piju kávu.
1. Máme rádi tenis. (hrát) ....
2. Mám rád guláš. (jíst) ....
3. Mám ráda Prahu. (fotografovat) ....
4. Aleš má rád sport. (sportovat) ....
5. Daniela má ráda horkou čokoládu. (pít) ....
6. Horákovi mají rádi starý nábytek. (kupovat) ....
7. Novákovi mají rádi knihy. (číst) ....

4. Topic for conversation.
Co rádi nebo neradi děláte vy?

5. You can also practise the form "rád" using imperfective verbs from lesson 18, p. 187 and lesson 19, p. 196.

stating a preference

❑ *To state preference, replace* **rád/ráda/rádi** *with the comparative* **raději** (*coll.* **radši**) *and the superlative* **nejraději** (*coll.* **nejradši**). *For direct comparison use* **než** (= *than*).

1. Jsem **rád**, že... Jsem **raději**, že/když... Jsem **nejraději**, že /když...
2. Mám **rád** čaj. Mám **raději** kávu. Mám **nejraději** pivo.
3. **Rád** nakupuju. **Raději** vařím. **Nejraději** jím.

nejraději, *coll.* **nejradši**

raději, *coll.* **radši**

rád/ráda/rádi

1. Read and answer.

***Example*:** Máte raději basketbal nebo volejbal? Mám raději volejbal.

1. Máte raději ryby nebo maso?
2. Máte raději kávu nebo čaj?
3. Máte raději hemenex nebo hamburger?
4. Máte raději Beatles nebo Rolling Stones?
5. Máte raději lososa nebo pstruha?
6. Máte raději tenis nebo fotbal?
7. Máš raději operu nebo balet?
8. Máš raději hokej nebo fotbal?
9. Máš raději čočku nebo hrách?
10. Máš raději Toma Cruise nebo Toma Hankse?
11. Máš raději starý nábytek nebo nový nábytek?
12. Máš raději moderní hudbu nebo klasickou hudbu?
13. Máš raději akční filmy nebo psychologické filmy?
14. Máš raději detektivky nebo horory?

2. Topics for conversation:

Jaké jídlo, pití, stát, město... máte rádi, raději a nejraději? Co děláte rádi rádi, raději a nejraději?

3. Read and answer.

1. Co děláte raději? Jíte nebo vaříte?
2. Co pijete raději? Minerálku nebo whisky?
3. Co hrajete raději? Tenis nebo fotbal?
4. Co hrajete raději? Kanastu nebo bridž?
5. Co čtete raději? Noviny nebo časopis?
6. Co fotografujete raději? Přírodu nebo lidí?
7. Co jíte raději? Maso nebo zeleninu?
8. Kde pracujete raději? V kanceláři nebo doma?
9. Kdy spíte raději? Ráno nebo večer?
10. Kdy cestujete raději? V létě nebo v zimě?
11. Kde spíte raději? Doma nebo v hotelu?
12. Kdy pracujete raději? Dopoledne nebo odpoledne?

4. Topics for conversation.

Co děláte rádi, raději a nejraději?

5. You can also practise stating a preference using imperative verbs from lesson 18, p. 187 and lesson 19, p. 196.

1. **Learn the vocabulary on the following page.**

2. **Read the advertisements. Make up similar ones.**

Kupujeme a prodáváme!

Hledám velký a světlý 5+1 v Praze, nejraději v centru. Byt musí mít velkou kuchyň a balkón nebo terasu. Tel. 784 81 55.

Prodávám velkou, starou, luxusní postel, barva zlatá a bílá. Je drahá, ale krásná a stylová a jako nová! Tel. 0603/52 34 56 88.

Chcete kupovat byt, garáž, dům nebo chatu? Naše firma prodává všechno, co potřebujete! Můžete telefonovat nebo faxovat na číslo 0406 – 55 43 75 99.

3. **Read and retell in Czech.**

Paní Smutná a paní Veselá

NEW WORDS:
1+1 (2+1, 3+1) – a flat with a kitchen and one (two, three) room

Paní Veselá: No ne! Není to paní Smutná? Ano, je! To je náhoda! Tak co, jak se máte, paní Smutná?
Paní Smutná: Ále, špatně. Bohužel špatně! Je to mizérie, paní Veselá. Hledám nový byt.
Paní Veselá: A proč hledáte nový byt? Máte hezký 2+1, ne?
Paní Smutná: Ano, ale můj byt je moc malý. Mám teď doma dceru a její rodinu. Potřebujeme velký byt!
Paní Veselá: Hm, to je problém...
Paní Smutná: Mám malou kuchyň a malou ložnici. Obývák je velký a světlý. Problém ale je, že potřebujeme velký obývák, velkou ložnici, velkou kuchyň a taky dětský pokoj. A garáž na auto! A tak hledám nový byt, ale to je problém. Takový velký byt je moc drahý a já nemám peníze. Tak mám špatnou náladu a jsem smutná.
Paní Veselá: No ne, to je náhoda!!! Já teď hledám takový malý byt! Mám velký byt 4+1, ale ten je starý a tmavý a potřebuje rekonstrukci. Jsem sama a takový velký byt nechci. Chcete ten velký starý byt?

4. **Work with a dictionary. Catch phrases, proverbs, idioms.**
Všude dobře, doma nejlíp.
Můj dům, můj hrad.
Otvírat okno do světa (do Evropy).
To je studená sprcha!
Člověk nemůže sedět na dvou židlích.

5. **Work with a dictionary. Look up the meanings of the following adjectives.**
luxusní, superluxusní, komfortní, moderní, typický, orientální, stylový, exotický;
dřevěný, skleněný, kovový, kožený, papírový, plastový, plyšový, železný, kamenný, bronzový

6. **Topics for conversation.**
Jaký máte byt nebo dům? Jaký máte nábytek? Jak vypadá váš oblíbený pokoj nebo místo?
Co potřebujete, když **zařizujete** (furnish) byt nebo dům?

❑ *If you need plural forms, see lesson 9, p. 100.*

1. **balkón, terasa**	balcony, terrace
2. **byt**	flat
3. **dětský pokoj**	nursery, children's bedroom
4. **dveře** (*pl. only*)	door
5. **garáž**	garage
6. **gauč**	couch
7. **chata**	summer cottage
8. **chodba**	corridor, passage
9. **jídelna**	dining room
10. **knihovna**	bookcase
11. **koupelna**	bathroom
12. **křeslo**	armchair
13. **kuchyň**	kitchen
14. **lednička**	refrigerator
15. **ložnice**	bedroom
16. **magnetofon,** *coll.* **magneťák**	tape recorder
17. **nábytek**	furniture
18. **obraz, fotografie,** *coll.* **fotka**	picture, photograph
19. **obývací pokoj,** *coll.* **obývák**	living room
20. **okno**	window
21. **patro: první, druhé, třetí...**	the first, second, third... floor
22. **panelák**	panel house, building
23. **pokoj, místnost**	room
24. **postel**	bed
25. **pračka**	washing machine
26. **předsíň**	hallway
27. **půda**	attic
28. **rádio, CD [cédé],** *coll.* **cédéčko**	radio, CD
29. **rodinný dům, vila**	family house, villa
30. **sklep**	cellar
31. **skříň**	wardrobe
32. **stavba**	construction; building
33. **vana, sprcha, umyvadlo**	bathtub, shower, washbasin
34. **záclona, záclony**	curtain, curtains
35. **zahrada**	garden
36. **záchod/toaleta**	toilet

❑ *Typical endings of non-coloured nouns are:* **consonant** *for* Ma / Mi, **-a** *for* F *and* **-o** for N.
❑ *The underlined -e- denotes the mobile -e- that disappears in declined forms.*

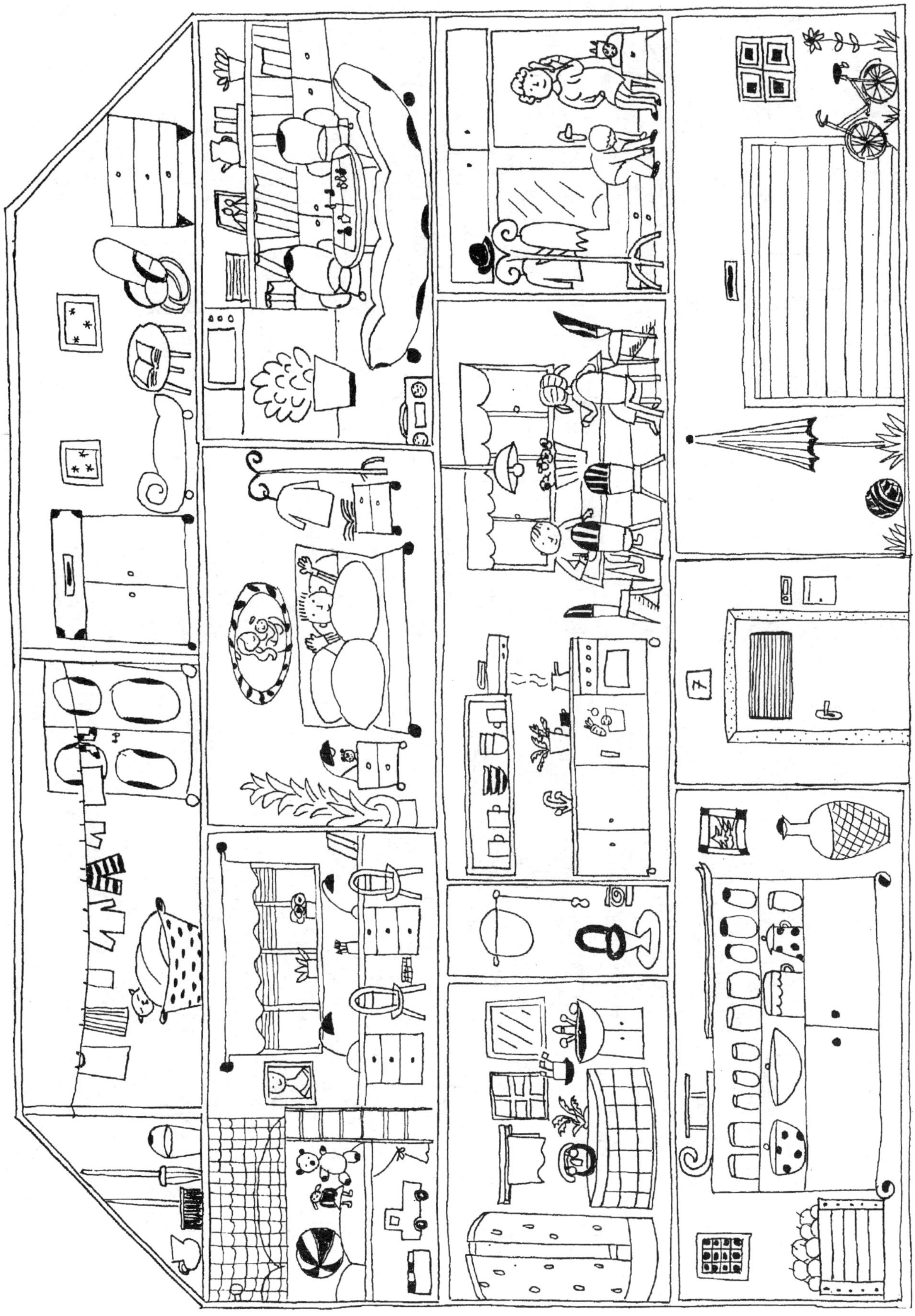
7

LESSON 8

- The past tense.
- Word order.
- Adverbs expressing time. The accusative expressing time.
- The future tense.

A. The future tense of the verb “to be” .

B. The future tense of imperfective verbs.

- English “to know” in Czech.
- Vocabulary: Countries, nationalities.

the past tense

❑ *To form the past tense make four steps:*

1. *Find the infinitive of the verb.*
2. *Remove the final* -t *and replace it with* -l. *This form is called the* -l *form or, in the linguistic terminology, the past participle. Note that some verbs – mainly the monosyllabic ones – have changes in the stem (see the irregular past participles at the bottom of this page.)*
3. *The past participle has the masculine, feminine, neuter and plural form. To form them, just add the typical feminine, neuter and plural endings. (The verb* "být" *is used as an example.)*

byl = byl	**byla**	**bylo**	**byli/-y/-y/-a**
singular			plural

-y *and* -a *in the plural are important only in writing and in very formal Czech* (-i = *Ma or Ma, Mi, F and N nouns altogether,* -y = *Mi and F nouns,* -a = *N nouns only).*

4. *Now add auxiliary verbs (part of the conjugation of the verb* "to be"*) to the first and second person sg. and pl. The he, she, it and they forms have no auxiliary verbs!*

byl/-a/-o jsem	I was	**byli/-y/-y/-a jsme**	we were
byl/-a/-o jsi	you were	**byli/-y/-y/-a jste**	you were
byl/-a/-o	he/she/it was	**byli/-y/-y/-a**	they were

❑ *The polite address is logical:* Pane Vít, byl jste tady? Paní Malá, byla jste tady?
❑ *Informal* you-*forms can be contracted in colloquial spoken Czech:* byl jsi = byls, byla jsi = bylas
❑ *The past participle (*-l *form) is also used to create the conditional (lesson 20, p. 198).*

negation

❑ *To form negative forms just add* **ne-** *to the* ***main verb (not to the auxiliary!)*****: nebyl jsem…, nebyl jsi, nebyl...**

irregular past participles

❑ *The majority of Czech verbs have regular past tense forms. However, some monosyllabic verbs, verbs ending in* -nout *and some other verbs change their stems in the past tense.*

1. *The* ***monosyllabic verbs*** *with irregular past participles:*

být – byl	**jíst – jedl**	**moct – mohl**	**spát – spal**
číst – četl	**jít** (to go) **– šel, šla...**	**pít – pil**	**umřít** (to die) **– umřel**
chtít – chtěl	**mít – měl**	**psát – psal**	

(Use of the verb jít *will be explained in lessons 11.)*

2. *The verbs ending in* **-nout/-out** *in the past tense:*
mrznout – mrzl/mrznul (froze), **pronajmout – pronajal/pronajmul** (to rent), **padnout – padl/padnul** (to fall)…

In this textbook, the verbs with irregular past participles are denoted by the star (e. g. mít**). For their list see in the Grammatical Tables, p. 273.*

word order

❑ *From before you know the unstressed reflexive particle* "se" *(in* "sejdeme se"*) that is located in the second position (not necessarily as the second word) in the sentence. However, there are more little unstressed words that "want" to be located in the same position. They have to be organised here. The second position becomes their" battlefield" where they "run" like this:*

the second position in the Czech sentence

❑ *Remember:* ***None of these little words can stand at the beginning of the sentence!*** (*The conjunctions* a, ale ... *at the beginning of the sentence do not count.*)

❑ *Of course, your "second position skill" will develope gradually. You might ask what happens if you put the unstressed items in some other place. Frankly speaking, nothing: the sentence sounds strange to Czech ears, but the meaning remains the same. However, what is really important is the fact that by not knowing this rule you wouldn't* ***understand*** *Czech speakers or texts.*

1. *The past tense auxiliaries win first place in the second position. (Later you will learn that also the conditional auxiliaries bych, bys, by... can be located here. See the conditional in lesson 20, p. 198.)*
   Byl **jsem** doma.
   Večer **jsem** byl doma.
   Včera večer **jsem** byl doma.
   Včera večer a dneska ráno **jsem** byl doma.

2. *The short forms of reflexive pronouns* **se** *and* **si**. *For more about them, see lesson 12, p. 126.*

3. *The short forms of dative personal pronouns. For more about them, see lesson 22, p. 216.*
   Bál jsem se **mu** půjčit peníze. I was afraid to lend him money.

4. *Other short forms of personal pronouns, usually accusative and genitive and the demonstrative pronoun "to" in the accusative. For more about them, see lessons 5, p. 60 (accusative) and 13, p. 138 (genitive).*
   Bál jsem se mu to půjčit. I was afraid to lend it to him.

5. *Short adverbs like* prý, však *and others. They can be located here – or somewhere else.*
   Bál jsem se mu to **však** půjčit. However, I was afraid to lend it to him.

adverbs expressing time

brzo/brzy	– early, soon	**naposled**	– for the last time
dlouho	– for a long time	**nedávno**	– recently
chvíle, chvilka	– moment	**nejdřív**	– first
jednou	– once, another day	**pak, potom**	– then
kdy?	– when	**poprvé**	– for the first time
když	– when, if *(as a conjunction)*	**pozdě**	– late
minulý měsíc	– last month	**později**	– later
minulý rok/loni	– last year	**předevčírem**	– the day before yesterday
minulý týden	– vlast week	**předtím (než)**	– before
minulý víkend	– last weekend	**včera**	– yesterday

1. **Answer the questions.**
   1. Co jste dělali včera nebo předevčírem?
   2. Byli jste minulý víkend tady v Praze?
   3. Kdy jste byli naposled doma?
   4. Kdy jste měli naposled nějaký fantastický nápad?
   5. Kdy jste naposled hledali taxík?
   6. Kdy jste byli poprvé v Praze?
   7. Kdy jste poprvé viděli moře?
   8. Kdy jste poprvé jedli české knedlíky?

the accusative expressing time

❑ *The accusative can express time:*

celý den
celý týden
celou hodinu
celou noc
BUT ALSO: chvíli, chvilku

každý den
každý týden
každou hodinu
každou noc

minulý měsíc
minulý týden
minulou hodinu
minulou noc

2. **Practise:** Co jste dělali minulý týden, minulou sobotu, minulou neděli...?

REMEMBER *useful phrases and beginnings of sentences in the past tense:*

Jak jsi/jste se měl/a?	How were you (doing)?
Jak to dopadlo?	How did it go? How did it turn out?
Viděl/a jsem, že...	I saw ...
Myslel/a jsem, že...	I thought...
Četl/a jsem, že...	I read...
Říkal/a jsem, že...	I said...
Slyšel/a jsem, že…	I heard…
Zapomněl/a jsem, že/jak/kdo...	I forgot...

3. **Make sentences.** *(Note that there is no consequence of tenses in Czech:* Slyšel jsem, že Eva **je** tady…*)*

4. **Do you know that...**
some of the male last names are in fact -l forms, i. e. past participles?(Havel is not one of them – it was a first name in the past and only later it became a last name.) Do you know a Mr. Koukal? – He is the man who STARED, Mr. Stared. (Naturally, Mrs. Koukalová is the "MAN-WHO-STARED'S" wife!) Or a Mr. Zlámal? - He is the man who probably BROKE something. Or a Mr. Vyskočil? – He is the man who JUMPED OUT.

5. **You can try to look up the meanings of the following last names in a good dictionary:**
Donutil, Hrabal, Líbal, Netušil, Páral, Pospíchal, Vyseděl, Zamazal...

6. **You can practise the past tense using the vocabulary from lessons 18 and 19 (imperfective verbs).**

1. Read. Observe the shifts in the word order.

1. Byl jsem v restauraci.
   Včera jsem byl v restauraci.
2. Byl jsem v práci.
   V pátek jsem byl v práci.
4. Byla jsem v kanceláři.
   Ve středu jsem byla v kanceláři.
5. Byl jsem v hotelu.
   Předevčírem jsem byl v hotelu.
3. Byl jsem v Praze.
   Minulý víkend jsem byl v Praze.
6. Byla jsem v Anglii.
   Minulý rok jsem byla v Anglii.

❑ *If you want to use more locatives, see the simplified rules in lesson 2, p. 26 and the rules in lessons 17 and 18.*

2. Practise the past tense of the irregular verbs.

1. Minulý týden jsem (mít) smůlu!
2. Dneska ráno (mít) Petr moc dobrou náladu.
3. Včera tady (být) Zdeněk a chtěl peníze.
4. Minulý víkend (chtít) pracovat.
5. (Číst) celý den.
6. (číst) někdy nějakou výbornou sci-fi?
7. Kolik to (stát)?
8. Kolik (stát) naše večeře v restauraci?
9. Marie (moct) vařit, protože (mít) čas.
10. Jakub (moct – *neg.*) cestovat.
11. (Jíst) už české ovocné knedlíky.
12. Včera (jíst – *neg.*) v restauraci, ale doma.

3. Read and retell in Czech.

Typický domácí dialog I.

NEW WORDS AND PHRASES:
Co je? – What´s happening? What´s going on?
něco – something

Jana: Proč jsi včera odpoledne a večer nebyl doma?
Petr: Protože jsem byl v práci.
Jana: A proč jsi byl v práci?
Petr: Protože jsem něco potřeboval v kanceláři.
Jana: A co jsi potřeboval v kanceláři?
Petr: Potřeboval jsem kreditní kartu.
Jana: A proč jsi potřeboval kreditní kartu?
Petr: Protože jsem neměl peníze.
Jana: A proč jsi chtěl peníze?
Petr: Protože jsem chtěl kupovat nový monitor!
Jana: Ale proč jsi chtěl kupovat nový monitor?
Petr: Protože ten starý monitor je špatný a nekvalitní!!
Jana: A kde ten nový monitor máš?
Petr: No, měl jsem smůlu. Viděl jsem kvalitní monitor, ale byl moc drahý.
Jana: Aha... A kde máš ty peníze?
Petr: Ehm... Měl jsem včera nějaký špatný den, a tak jsem si dal jeden koňak... No, a v restauraci byli můj kolega Ivan a kamarád Zdeněk. Dali jsme si ještě jeden koňak a pak ještě jeden... Ale včera bylo včera! Teď jsem doma a jsem rád, že mám takovou hodnou a hezkou manželku! – Co je, Jano? Ty máš špatnou náladu? Ale proč?

Typický domácí dialog II.

Irena: Ahoj, Adame? Jak se máš? A co čteš?
Adam: To je jedno, co čtu. Ale kde jsi ty?!? Je večer a ty nejsi doma! Kde jsi byla? Mám strašný hlad a žízeň a doma není jídlo!
Irena: Byla jsem v práci a pak jsem nakupovala v centru. Viděla jsem hezký kabát, krásný svetr a fantastickou, ale opravdu fantastickou perfektní kabelku! Byla černá, supermoderní a elegantní a nebyla moc drahá... Stála jenom 1999 korun. Vidíš? Tady je! Ta je senzační, viď?
Adam: Co? Ty jsi kupovala takovou drahou kabelku? No, není špatná... Ale levná nebyla! Jo, a kde máš to jídlo? Maso! Nebo salám... A pivo!!!
Irena: Nó... Nemám to. Nevidíš, že jsem neměla čas?!

the future tense

❑ *The future tense in Czech:*

1. *a) the verb* být: budu, budeš, bude… *(see here)*
   b) the imperfective verbs except for the determined verbs of motion: budu + the infinitive. ***See here.***

2. *the determined verbs of motion:* půjdu, pojedu, poběžím, poletím… *See lesson 11, p. 123.*

3. *the perfective verbs: their present forms have future meaning* *See lesson 16, p. 166.*

A. *The future tense of the verb* to be – být

budu	**budeme**
budeš	**budete**
bude	**budou**

1. Practice according to the given model.
Example: Příští týden nebudu v kanceláři. – A co Monika? Monika taky nebude v kanceláři.

1. Zítra budu doma.	4. Budeš zítra doma?	7. Budeme o víkendu doma?
2. Milan pozítří nebude v práci.	5. Adéla pozítří nebude v práci.	8. Asi budu nemocný.
3. Večer budeme v divadle.	6. Bude pan šéf zítra v kanceláři?	9. Zítra nebudu smutná!

B. *The future tense of imperfective verbs*

budu	**budeme**	+	**the infinitive**
budeš	**budete**		
bude	**budou**		

2. Practice according to the given model. Answer.
Example: Zítra budu kupovat nové auto. – A co ty? Budeš taky kupovat nové auto?

1. V pátek budu potřebovat auto!	4. Budu mít krásný nový svetr.	7. Budu chtít vaše dokumenty.
2. Zítra budu vidět nový film.	5. Nebudu chtít vidět ten film.	8. Budu potřebovat nový kabát.
3. Příští rok budu hledat nový byt.	6. Budeš mít o víkendu návštěvu?	9. Doufám, že nebudu mít hlad.

❑ *When speaking about the future, people often express their hopes, beliefs, fears and promises:*

REMEMBER *useful beginnings of sentences:*

Myslím, že...	I think...	**Zdá se mi, že...**	It seems to me...
Věřím, že...	I believe...	**Mám dojem, že...**	I have an impression...
Doufám, že...	I hope...	**Slibuju, že...**	I promise...
Mám strach, že...	I am afraid/frightened...	**Divím se, že...**	I am surprised...
Bojím se, že...	I am afraid/frightened...	**Jsem zvědavý, jestli...**	I wonder/I am curious if...

3. Make sentences using the expressions in the frame.

4. Topic for conversation: Co jste dělali minulý víkend? Co budete dělat příští víkend?

5. You can also practise the future tense using the vocabulary from lessons 18 and 19 (imperfective forms.)

English "to know" in Czech

1. *to know, to be familiar with:* znát, -á

(Compare in English: I know Václav Havel.*)*

znát	+	**the direct object in the accusative**

Znáte Prahu? Znáte Českou republiku?
Znáte nějaký dobrý anglicko-český slovník?
Znáte nějakého českého sportovce nebo sportovkyni?
Znáte nějakého českého politika nebo političku?

2. *to know:* vědět, vím, víš, ví...

(Compare in English: I know who Václav Havel is.*)*

vědět	+	**the clause or the pronoun "to"**

Vím **to**. Vím **něco**. Vím **všechno**.
Vím, **že**...
Vím, **kdo** ...
Vím, **kde** ....
Vím, **kdy** ....
Vím, **jestli**...

Víte, kdy začíná festival Pražské jaro?
Víte, kdo je Boris Jelcin? Víte, kdo je český premiér?
Víte, kde je tady nějaká dobrá restaurace?
Víte, že dneska je krásný den?

3. *to know how to/can:* umět, -í

- *When expressing our language abilities, the verbs* **umět** *and* **mluvit** *are followed by* ***adverbs (anglicky, česky, rusky, francouzsky, německy...)****. Note, that these adverbs are very similar to -ý adjectives, just without the lengthmark at the end. More about adverbs in lesson 21, pp. 209–210.*

umět	+	**skills, abilities and languages**

Umíte vařit?
Umíte hrát na klavír? Umíte hrát fotbal?
Umíte plánovat, organizovat, kombinovat, improvizovat a diskutovat? A umíte taky relaxovat?
Umíte anglicky? Mluvíte anglicky?
Umíte česky? Mluvíte česky?

1. **Topics for conversation (Use a map of the world and of the Czech Republic):**
   Jakou zemi nebo stát znáte? Jaké tam znáte město? Jaké české město nebo vesnici, řeku nebo hory?
   Znáte nějakého Němce nebo Němku, Rusa nebo Rusku...?
   Jaké jazyky umíte?

2. **You can also practise the verb "umět" using the vocabulary from this lesson (languages) and from lessons 18 and 19 (imperfective verbs).**

country/state/continent	*nationality*	*nationality*	*adjective*	*language*
Afrika	Afričan	Afričanka	africký	
Amerika/Spojené státy/USA	Američan	Američanka	americký	
Anglie	Angličan	Angličanka	anglický	angličtina
Asie	Asiat	Asiatka	asijský	
	Arab	Arabka	arabský	arabština
Austrálie	Australan	Australanka	australský	
Bulharsko	Bulhar	Bulharka	bulharský	bulharština
Česká republika/Česko	Čech	Češka	český	čeština
Čína	Číňan	Číňanka	čínský	čínština
Dánsko	Dán	Dánka	dánský	dánština
Evropa	Evropan	Evropanka	evropský	
Finsko	Fin	Finka	finský	finština
Francie	Francouz	Francouzka	francouzský	francouzština
Itálie	Ital	Italka	italský	italština
Irsko	Ir	Irka	irský	irština
Izrael	Izraelec	Izraelka	izraelský	ivrit
Japonsko	Japonec	Japonka	japonský	japonština
Kanada	Kanaďan	Kanaďanka	kanadský	
Maďarsko	Maďar	Maďarka	maďarský	maďarština
Mexiko	Mexičan	Mexičanka	mexický	
Německo	Němec	Němka	německý	němčina
Norsko	Nor	Norka	norský	norština
Polsko	Polák	Polka	polský	polština
Portugalsko	Portugalec	Portugalka	portugalský	portugalština
Rakousko	Rakušan	Rakušanka	rakouský	
Rusko	Rus	Ruska	ruský	ruština
Rumunsko	Rumun	Rumunka	rumunský	rumunština
Řecko	Řek	Řekyně	řecký	řečtina
Slovensko	Slovák	Slovenka	slovenský	slovenština
Skotsko	Skot	Skotka	skotský	
Španělsko	Španěl	Španělka	španělský	španělština
Švédsko	Švéd	Švédka	švédský	švédština
Švýcarsko	Švýcar	Švýcarka	švýcarský	
Turecko	Turek	Turkyně	turecký	turečtina
Velká Británie	Brit	Britka	britský	
Vietnam	Vietnamec	Vietnamka	vietnamský	vietnamština
	Žid	Židovka	židovský	hebrejština

LESSON 9

- The nominative plural of Mi, F, N.
- The accusative plural of Ma, Mi, F, N.
- "The first step" to Czech counting.
- In a department store.
- Vocabulary: Business Czech.

the nominative – Mi, F, N plural
the accusative Ma, Mi, F, N plural

❑ *For the nominative pl. of Ma nouns and adjectives, see lesson 10, p. 110.*

ten, ta, to (demonstrative pronouns) and adjectives

Ma (*only the accusative!*)	**ty moderní české**	(*coll.* **ty moderní český**)
Mi	**ty moderní české**	(*coll.* **ty moderní český**)
F	**ty moderní české**	(*coll.* **ty moderní český**)
N	**ta moderní česká**	(*coll.* **ty moderní český**)

nouns

main rules:		***other rules:***
Ma (only the accusative!)	**-y** (studenty)	1. Mobile -e-: pes – psy
soft (**ž,š,č,ř,d,t,ň,c,j, tel**)	**-e** (muže)	2. Stem changes: kůň – koně
Mi	**-y** (banány)	1. Mobile -e-: koberec – koberce
soft (**ž,š,č,ř,d,t,ň,c,j**)	**-e** (čaje)	2. Stem changes dům – domy, stůl – stoly
F **-a ending**	**-y** (kávy)	1. Nouns with -ost, -st, and -t endings and some other nouns ending in cons. have -i ending (noci, radosti)
-e/ě ending **consonant ending**	**-e/ě** (židle) **-e/ě** (skříně)	2. Mobile -e- broskev – broskve
N **-o ending**	**-a** (piva)	Irregular neuters: kuře – kuřata, rajče – rajčata, zvíře – zvířata
-e ending **-í ending**	**-e** (moře) **-í** (nádraží)	BUT: dítě – děti

❑ *The mobile -e- and the stem changes are explained in A Trip back through History on page 265.*
❑ *For possesive pronouns in the nominative and accusative plural, see p. 60.*

1. Put the nouns into the correct plural forms. Make sentences.

rum
rádio
espreso
bakterie
perspektiva
kategorie
ekvivalent
motor
mikroskop
baterie
rodeo
eskalátor
film
video
filtr
portfolio
formát
mafie
gorila
guláš
planeta
raketa
dokument
koncepce
generace
univerzita
symbol
program
katalog
rituál
alergie
statistika
tým
faktor
extrém
experiment
džungle
elektron
krize
embryo
deprese
festival
organizace
bestie
deodorant
civilizace
gauč
gen
grapefruit
dynamo
iluze
diamant
droga
analýza
hypotéza
investice
parodie
koncept
klub
sprej

2. Put the nouns into the correct plural forms:

1. Kupuju (čerstvé máslo, kvalitní káva, dobré vajíčko, dobré mléko, jahodový jogurt, čokoládová zmrzlina, francouzský sýr, výborná čokoláda, banánový dort, kakaový koktejl).

2. Prodáváme (žlutý a zelený banán, oranžový a červený pomeranč, zelená okurka, červená, žlutá a zelená paprika, kvalitní ananas, sladká jahoda, výborná broskev, červené rajče).

3. Když cestuju, potřebuju (dobrá mapa, kvalitní kufr, velká taška, dobrá detektivka).

4. V Praze jsou (dům, kostel, kino, divadlo, most, ulice, obchod, radnice, křižovatka, náměstí, tramvaj, auto, autobus, hotel, restaurace, kavárna, obchodní dům, nádraží).

5. Tady prodávají nábytek. Mají (stůl, lampa, gauč, obraz, křeslo, koberec, počítač, postel, židle).

6. Rád čtu (detektivka, horor, časopis, dopis, e-mail).

3. Put the nouns into plural forms.

1. Kupuju (dobrá houska).
2. Studentka čte (anglická kniha a slovník).
3. Chtěla bych (vídeňská káva).
4. Chtěl bych (bílý papír, růžová obálka).
5. Znáš (ten francouzský obraz)?
6. Potřebujete (stará známka)?
7. Vidíš (to ošklivé velké supermoderní auto)?
8. Taky vidíš (krásný barokní kostel)?
9. Alice nepoužívá (drahý parfém).
10. Jana čte (nový bestseller a thriller).
11. Žena používá (drahý šampon, sprej a krém).
12. Viděli jsme (nový film).
13. Vidíš (ten hezký dům)?
14. Máte (sladký koláč)?
15. Alena kupuje (pomerančový džus).
16. Hledáš (stará ulice)?
17. Vidíte (krásné nové město)?
18. Adam studuje (německá učebnice).
19. Marie a Dana jsou (dobrá studentka).
20. Na Vánoce nakupuju (hezký dárek).
21. Čteme (populární detektivka).
22. Doma mám (velké křeslo).

4. Answer the questions using plurals.

1. Co potřebujete, když cestujete?
2. Co potřebujete, když děláte party?
3. Co potřebujete, když chcete být zdravý?
4. Jaké dárky obvykle kupujete na narozeniny?
5. Co vidíte z okna (from the window) v kanceláři nebo ve škole?
6. Co vidíte z okna doma?

5. You can also practise plural forms using the vocabulary from lessons 1, 2, 4, 6, 7, 12 and 16.

"the first step" to Czech counting

❑ *By now we have only used "the zero step" to Czech counting which was perfect for ordering and buying food.* ***Now we'll make the first step to the real Czech counting.***

0. *"The zero step": 1x, 2x, 3x... + the accusative singular. See lesson 6, p. 70.*
1. ***The first step: 2 (oba), 3, 4 + the nominative plural. See here.***
2. *The second step: 5 - infinity + the genitive plural. See lesson 15, p. 159.*

2	both:	3	4
dva / dva (dva banány, počítače)	oba / oba (oba banány, počítače)	**tři**	**čtyři**
dvě (dvě kávy, hodiny, minuty)	obě (obě kávy, hodiny, minuty)		
dvě (dvě piva, másla, rádia)	obě (obě piva, másla, rádia)		

1. Use plural forms adding the numerals 2, 3 and 4.

Example: To je dobrá káva. To jsou dvě dobré kávy.

1. To je hezké modré pero. To jsou ....
2. To není kvalitní počítač. Chtěl bych ....
3. To je nemoderní stará taška. Nechci ....
4. To je drahý svetr. To jsou ....
5. To je fantastické nové auto. Chtěl bych taky ....
6. To je nedobrá houska. To jsou ....
7. To je nekvalitní majonéza. Nechci ....
8. To je agresívní sekretářka. Naštěstí nemám ....
9. To je veselý film. Mám rád ....
10. To je hezký a moderní béžový kabát. Bohužel nemám ....
11. To je nesympatická doktorka. Nemám rád ....

2. Use the numerals 2, 3 and 4.

Example: Třikrát guláš, prosím. Tři guláše, prosím.

1. Dvakrát preso a šlehačku. ....
2. Čtyřikrát čaj a dvakrát čokoládový dort. ....
3. Třikrát omeletu a bramborový salát. ....
4. Čtyřikrát pivo! ....
5. Dvakrát kuřecí řízek. ....
6. Chtěl bych dvakrát hovězí polévku. ....
7. Chtěla bych třikrát gulášovou polévku a rohlík. ....
8. Chtěla bych dvakrát Fantu a jednou sodu. ....
9. Chtěli bychom dvakrát becherovku a třikrát matonku. ....

3. Answer according to the given pattern.

Example: Máš jednoho kamaráda? – Ne, mám 2 (3, 4) kamarády.

1. Máš jednoho bratra? ....
2. Máš jednoho učitele? ....
3. Chceš jednoho psa? ....
4. Potřebuješ jeden stůl? ....
5. Dáš si jeden guláš? ....
6. Chceš jeden čaj? ....
7. Máš jednu sestru? ....
8. Hledáš jednu kamarádku? ....
9. Dáš si jedno pivo? ....
10. Potřebuješ jedno auto? ....
11. Vidíš jedno křeslo? ....

in a department store - v obchodním domě

> ***REMEMBER:*** *Things consisting of two parts use special numerals:*
> **jedny, dvoje (oboje), troje, čtvery, patery, šestery, sedmery, osmery, devatery, desatery...**

1. **Read and observe.**
jedny kalhoty, dvoje džíny, troje boty, čtvery ponožky, patery brýle, šestery šortky, sedmery náušnice, osmery kalhotky, devatery hodinky, desatery šaty, jedenáctery dveře, dvanáctery hodiny...

2. **Work with a dictionary. Find out the meanings of the new words. Then, "buy" 2, 3 or 4 things. (Some of the products already have plural forms!).**

Oděvy
kalhoty, oblek, šaty, kabát, sukně, kravata, košile, bunda, sako, džíny, šortky, tričko
Example: V oděvech kupuju dvoje kalhoty, tři obleky, ...

Boty/Obuv
bota, ponožka, teniska, tkanička, bačkora, sandál
V obuvi kupuju ....

Papírnictví
papír, tužka, pero, propiska, blok, diář, guma, dopisní papír, obálka, známka, pohlednice/pohled
V papírnictví kupuju ....

Knihy/Knihkupectví
detektivka, báseň, povídka, román, učebnice, slovník, mapa, atlas
V knihkupectví kupuju ....

Optika
brýle, sluneční brýle, pouzdro na brýle, sklo, mikroskop
V optice kupuju ....

Trafika/Tabák
noviny, časopis, cigareta, doutník, lístek na metro, autobus, tramvaj, telefonní karta
V trafice kupuju ....

Cestovní kancelář
výlet, rekreace, cesta, jízdenka, letenka
V cestovní kanceláři kupuju ....

Zlatnictví a hodinářství
prsten, náramek, řetízek, náhrdelník, náušnice, hodiny a hodinky
Ve zlatnictví kupuju ....

Hračky
panenka, auto, traktor, plyšový medvěd, hra
V hračkách kupuju ....

Sport/Sportovní potřeby
lyže, brusle, míč, tenisová raketa, kolo, sportovní oděv
Ve sportu kupuju ....

Elektronika
CD přehrávač, televize, magnetofon, rádio, autorádio, video; CD disk (cédéčko), kazeta, videokazeta
V elektronice kupuju ....

Drogerie a kosmetika
šampon, krém, mýdlo, zubní pasta, kondicionér, hřeben, lak na vlasy, kartáček na zuby
V drogerii kupuju ....

Lékárna
vitamín, lék, oční a nosní kapky, mast, bylinkový čaj
V lékárně kupuju ....

1. Work with a dictionary. Read and retell in Czech.

Vánoce? Vánoce!

Paní Veselá: Dobrý den, paní Smutná! Jak se máte? Taky nakupujete na vánoce?
Paní Smutná: Vánoce? To nechci ani slyšet! Vánoce – to jenom práce, práce a ještě jednou práce. Vy myslíte, že existuje nějaká normální česká žena, která má ráda Vánoce? Prosím vás – vařit, uklízet celý dům a péct cukroví! To jsou ty celé ty slavné Vánoce! Ne, ne, já nemám ráda žádné svátky a Vánoce vůbec ne. A co vy?
Paní Veselá: No, já asi nejsem normální. Já Vánoce prostě miluju. Naše rodina slaví Vánoce moc ráda. Moc neuklízíme, jenom obývák a kuchyň. To víte, máme malý byt. A taky myslím, že to není tak důležité, a vím určitě, že to není to hlavní. Na Vánoce máme vždycky návštěvy – moje dcery a jejich rodiny, naše staré příbuzné a dokonce taky jejich psa!
Paní Smutná: Cože? Taky psa? To musíte vařit celý den! A co děláte na Štědrý den na večeři, paní Veselá?
Paní Veselá: Vařím vždycky tradiční vánoční jídla – to víte, tradice jsou tradice. Rybí polévku, kapra, bramborový salát a jako dezert štrúdl, vánočku a vánoční cukroví.
Paní Smutná: Hm, to jsou taková komplikovaná jídla... Já rybí polévku nevařím. Dělám jenom řízky a brambory. A co dárky? Nakupujete nějaké dárky?
Paní Veselá: Dárky už naštěstí mám, nakupovala jsem je už v říjnu a v listopadu. Nejraději mám malé obchody. Pro manžela mám dvě kravaty, hnědou a béžovou. A taky nové album – víte, on je filatelista.
Paní Smutná: A co máte pro dcery? Vím, že vaše dcery měly vždycky rády moderní šaty.
Paní Veselá: Máte pravdu, pro dcery mám hezké nové svetry. Ale pro jejich manžely ještě nic nemám. Pro vnuky mám čtyři cédéčka. Mají rádi takové ty moderní zpěváky, nějakou Madonnu a Jacksona, nebo jak se jmenujou... A pro vnučky mám taky moc hezké dárky. Dvě krásné velké panenky a pro každou dvoje šaty. To bude překvapení!
Paní Smutná: Já žádné dárky nekupuju. Pro syna a manžela mám vždycky jenom nějaké peníze nebo šek.
Paní Veselá: Ale to je škoda, nemyslíte, paní Smutná? Já kupuju dárky moc ráda!

2. Answer the questions:

1. Máte rádi Vánoce?
2. Jaké dárky nakupujete?
3. Nakupujete rádi? Kdy nakupujete dárky?
4. Uklízíte byt? Děláte nějaká tradiční jídla?
5. Máte na Vánoce nějaké rodinné tradice?
6. Znáte nějakou českou vánoční koledu?
7. Co děláte na Silvestra?
8. Jaké svátky každý rok slavíte?

3. Znáte nějakou českou koledu?

Narodil se Kristus Pán

1. Narodil se Kristus Pán, veselme se,
z růže kvítek vykvet nám, radujme se.

2. Jenž prorokován jest, veselme se,
ten na svět poslán jest, radujme se.

Refrén: Z života čistého, z rodu královského, nám, nám narodil se.

business Czech

1. Learn the vocabulary on the following page.

2. Read and retell in Czech.

Firma Čokola prosperuje!

NOVÁ SLOVA:
mlsat – to have a sweet tooth
mít názor – to have an opinion
mít rozum – to be reasonable
majitel – owner
jiný – different
stejný – the same
podobný – similar
různý – various

Máte rádi sladké? Jestli ano, určitě znáte český podnik Čokola Sladkovice. Je to firma, která prosperuje - importuje a prodává kakao a taky vyrábí, prodává a exportuje různé sladké dezerty, bonbony, sušenky, čokolády a bonboniéry. Její výrobky mají vždycky optimální kvalitu.

Čokola je známá a populární značka. Má velký domácí a mezinárodní trh - její zboží znají a objednávají obchody v Africe, v Asii a taky v Americe. Samozřejmě, že její akcie mají dobrý kurz a jsou drahé. Burza prodává jednu její akcii za 1 156 korun. Nakupovat akcie Čokola – to je dobrá investice! Čokola má obrat 22 milionů korun za rok a zisk asi 10 milionů korun za rok.

Pro podnik je velmi důležitá reklama. Každý den mají inzeráty v televizi. Čokola má dobrého ředitele, pana Jaroslava Těžkého, kvalitní manažery a personál. Má taky bohatého majitele, podnikatele a milionáře pana Josefa Tlustého. Pan Tlustý samozřejmě říká, že všechno není ideální – firma má silnou konkurenci, německou továrnu Zuckerwerk. Ale pan Tlustý je optimista. Zná statistiky a ví, že všichni lidé rádi mlsají – průměrně čtyřikrát za týden jí sladké dezerty, zmrzliny, koláče, dorty nebo bonbony a pijou sladkou kávu, čokoládu a kakao. A to je moc dobré, myslí pan Tlustý. Pan Těžký má stejný názor. „Kdo má rozum, jí sladké!" říká. „Cukr a čokoláda jsou výborné na nervy!" A co vy? Vy máte jiný názor? Nevidíte, jak jsou páni Tlustý a Těžký spokojení?

3. Ask each other questions about the Čokola firm.

4. Make sentences using the words: jiný, podobný, stejný, různý
Example: Naše firma je nejlepší! Má někdo jiný názor?

5. Answer the following questions.
1. Jak se jmenuje vaše firma?
2. Je to továrna? Vyrábíte něco?
3. Je to obchodní firma?
4. Co importuje a exportuje?
5. Jaké zboží prodává vaše firma?
6. Prodáváte nějaké populární a slavné obchodní značky (například kosmetiku, jídlo, pití, auta)?
7. Jak často objednáváte nové zboží?
8. Když nakupujete, platíte šekem nebo hotově?
9. Máte nějakou velkou konkurenci?
10. Znáte českou obchodní burzu?
11. Znáte český nebo mezinárodní trh?
12. Myslíte, že český trh je někdy jako džungle?
13. Jaké české firmy, podniky nebo továrny znáte?
14. Znáte nějakého známého českého podnikatele?
15. Máte rádi nějaký typický český výrobek?
16. Prodáváte nebo kupujete někdy akcie?

1. **akcie**	share, stock
2. **bankomat**	ATM machine
3. **burza**	stock exchange
4. **cizí, zahraniční**	foreign
5. **dluh**	debt
6. **firma, podnik**	firm, company
7. **faktura**	invoice
8. **investice, investovat**	investment, to invest
9. **konkurence**	competition
10. **kreditní karta**	credit card
11. **kurz**	course; exchange rate
12. **majetek, majitel**	possession, owner
13. **měna**	currency
14. **měnit/vyměnit**	to change, exchange
15. **internacionální, mezinárodní**	international
16. **inzerát**	advertisement
17. **obchod**	shop; business
18. **objednávat/objednat**	to order
19. **objednávka**	order
20. **obrat**	sales, turnover
21. **plán; plánovat/naplánovat**	plan, to plan
22. **plat: nízký, průměrný, vysoký**	salary: low, average, high
23. **platit/zaplatit hotově, kreditkartou**	to pay in cash, by credit card
24. **podnikatel; podnikat/podniknout**	entrepreneur, businessman, to enterprise, undertake
25. **příjem a výdaj**	credit and debit
26. **výrobek**	product
27. **vyrábět/vyrobit**	to produce
28. **profit, zisk**	profit
29. **reklama**	commercial, advertisement
30. **smlouva**	contract, agreement
31. **sortiment**	assortment
32. **továrna**	factory
33. **trh**	market
34. **klient, zákazník**	client, customer
35. **zboží**	goods
36. **značka**	trademark, brand

❑ *Typical endings of non-coloured nouns are:* **consonant** *for* Ma /Mi, **-a** *for* F *and* **-o** for N.
❑ *The underlined* -e- *denotes the mobile* -e- *that disappears in declined forms.*

LESSON 10

- Interrogative, indefinite and negative pronouns.
- Multiple negative.
- The nominative plural Ma.
- Vocabulary: Animals.

indefinite and negative pronouns, adjectives and adverbs in nominative

❑ *The declesion of the interrogative pronouns* kdo, co *and their derivations* *see on p. 268.*

	NĚ- = SOME- (ANY-)	**NI-** = NO- (ANY-)
kdo, koho	**někdo, někoho**	**nikdo, nikoho**
co	**něco**	**NIC**
kdy	**někdy**	**nikdy**
kde	**někde**	**nikde**
jak	**nějak**	**nijak**
jaký	**nějaký**	**ŽÁDNÝ**
(*in the question*: what, what kind/sort of)		
který	**některý**	**ŽÁDNÝ**
(*very often as a conjuction between the sentences*: which; who, that)		
čí	**něčí**	**ničí**
The following expressions will be practised later:		
kam (to where)	**někam** (to somewhere)	**nikam** (to nowhere)
odkud (from where)	**odněkud** (from somewhere)	**odnikud** (from nowhere)
kolik (how much/many)	**několik** (several)	

1. First, practise the interrogative pronouns. Make sentences.

Kdo ....

Koho ....

Co ....

Kdy ....

Kde ....

Jak ....

Jaký ....

Který ....

Čí ....

2. Ask about the underlined words.

Example: Zítra končím v 10 hodin. – Kdy zítra končíš?

1. Je tady John Davis.
2. Peněženka je tady dole.
3. Zítra budu ve škole.
4. Konference začíná v 9.
5. Zítra ráno začíná míting.
6. To je můj stůl.
7. Mám se dobře.
8. Ta tužka je modrá.
9. Hledala jsem Angelu.
10. Včera jsem byl v práci.
11. To je tatínkova židle.
12. Včera jsem viděla Toma.

3. Read and compare.

1. **Co** potřebujete? Hledáte **něco**?
2. **Kdy** je festival? Festival je **někdy** v dubnu.
3. **Kde** je ten svetr? **Někde** jsem ten svetr viděla, ale nevím, kde.
4. **Jak** vaříte polévku? **Nějak** nevím, jak tu polévku vařit.
5. **Jaký** jsi měl dneska den? Vypadáš **nějaký** unavený.
6. **Čí** je ten kabát? Ten kabát musí **něčí** být, ale nevím, čí.

REMEMBER:

"nějaký" *and* **"jeden"** *are often used where you use the indefinite article in English*
"ten" *is often used where you use the definite article in English*

multiple negative

❑ *Observe the multiple negative:*

Nekupuju nic.	I don´t buy anything.
Nikde nic nekupuju.	I don´t buy anything anywhere.
Nikde nikdy nic nekupuju.	I don´t ever buy anything anywhere.
Nikdo nikdy nikde nic nekupuje.	No one ever buys anything anywhere.

1. Read and answer.
1. Hej! Je tady někdo? – Ne, ...
2. Máte někdy špatnou náladu? – Ne, ...
3. Máte někdy smůlu? – Ne, ...
4. Máte někdy depresi? – Ne, ...
5. Jste někdy frustrovaný? – Ne ....
6. Znáte nějakého originálního nového autora? – Ne, ...
7. Máte někdy nějaký velký problém? – Ne, ...
8. Znáte nějakého milionáře? – Ne, ...
9. Znáte nějakou dobrou doktorku? – Ne, ...
10. Máte někde milion dolarů? – Ne, ...
11. Jste někdy unavený? – Ne, ... Jsem superman!

2. Create negative answers.
1. Hledáte někoho?
2. Potřebujete někoho?
3. Vidíte někoho?
4. Máte někoho rád?
5. Milujete někoho?
6. Provokujete někoho?
7. Kupujete něco?
8. Čtete něco?
9. Vidíte něco?

3. Make the statements negative.
Example: Někdo tady je. – Nikdo tady není.
1. Někdy mám depresi.
2. Někde tady je pošta.
3. Někde mám klíč.
4. Někde tady blízko je moje manželka Irena.
5. Mám tady nějaký telegram.
6. Potřebuju nějakou hezkou tašku.
7. Někdy spím v hotelu.
8. Kupuju něco na víkend!

NIKDE NIC NEVIDÍM!

4. Use the correct forms of verbs.
1. Ten náš nový kolega (být) nudný! (Být) žádný kamarád - nikdy (organizovat) žádnou party a (znát) žádný dobrý vtip!
2. Haló!!! (Být) tady někde někdo? To (být) strašné! Nikde nikdo (být) a já (potřebovat) telefonovat!
3. Koho (hledat)? – Sekretářku. Ta dáma tady nikdy (být), a když tady (být), tak (mít) špatnou náladu.
4. Adame, ty (být) hrozný! (Mít) tady v kanceláři žádný systém! Nikdy (vědět), kde (mít) disketu, knihu nebo slovník. (Mít) tady zmatek!
5. Kde (být) ten diář? Nikde tady (být)!
6. Moniko! (Být) tady nějaký pán! – Ale kde? Nikoho (vidět).

5. Explain the following statements.

To je něco!
Lepší něco než nic.
Pan Homolka? To je někdo!
Aleš? – To je nikdo. To je nula.

the nominative plural Ma

❑ *Compare this scheme with the scheme on page 100 in lesson 9. You can see that the nominative plural forms of masculine animated nouns are very different. There is **softening** here.*

ten, ta, to (demonstrative pronouns) and adjectives:

Ma ti jedni moderní čeští (*coll.* ty jedny moderní český)	Softening:			
	-rý		-ří	(starý – staří)
	-ký		-cí	(hezký – hezcí)
	-hý	➪	-zí	(nahý – nazí)
	-chý		-ší	(hluchý – hluší)
	-ský		-ští	(slovenský – slovenští)
	-cký		-čtí	(optimistický – optimističtí)

nouns:

Ma		Softening *before* -i			
	-i	-r		-ři	(doktor – doktoři)
soft (ž,š,č,ř,d,t,ň,c,j, -tel)	-i	-k		-ci	(kluk – kluci)
		-g,h		-zi	(pstruh – pstruzi)
nouns ending in -an	-i/-é	-ch	➪	-ši	(Čech – Češi)
monosyllabic nouns	-i/-ové	-d		-di	(had – hadi)
professions of foreign origin	-ové	-t		-ti	(student – studenti)
nouns ending in in -tel	-é	-n		-ni	(pán – páni)

❑ *The mobile -e-, stem changes and softening see in A Trip back through History on page 265.*
❑ *Exceptions:* člověk – lidé, lidi; přítel – přátelé

1. You can practise the nominative plural Ma nouns using the vocabulary from lessons 3, 8, 10, 20 and 24.

2. Do you believe that there exists something like "a national mentality"?
Example: Myslím, že Češi jsou skeptičtí.

temperamentní cholerický sympatický flegmatický konzervativní liberální asertivní elegantní skeptický	Čech Američan Angličan Kanaďan Francouz Němec Ir Švýcar Arab Ital Maďar Švéd Rus Polák Fin Slovák

3. Je hokejový/fotbalový šampionát. Jaké týmy budou hrát? Který tým je silný a který je slabý?
Example: Je hokej, hrajou Švédi a Kanaďani. Je to drama! A bude to 3:2.

1. Work with a dictionary. Look up the meanings of the following nouns (you will need the singular forms!) and answer the questions. Then, use the nouns in the accusative.

doktoři, ministři, ekologové, ekonomové, kuchaři, šéfkuchaři, premiéři, politici, prezidenti, učitelé, číšníci, profesoři, manažeři, inženýři, ředitelé, docenti, obchodníci, asistenti, podnikatelé, lidi, prodavači, konzultanti, spisovatelé, zpěváci, herci, účetní, obchodníci, taxíkáři, řidiči, veterináři, králové, automechanici, studenti, novináři, moderátoři, komentátoři, turisti, zákazníci, fotografové

1. Kdo fotografuje a publikuje fotografie? ....
2. Kdo řídí taxíky? ....
3. Kdo pracuje v obchodním domě? ....
4. Kdo píše knihy? ....
5. Kdo učí děti? ....
6. Kdo dělá účty a faktury? ....
7. Kdo pracuje v restauraci? ....
8. Kdo opravuje auta? ....
9. Kdo studuje na univerzitě? ....
10. Kdo píše noviny a časopisy? ....
11. Kdo řídí státy? ....
12. Kdo nakupuje a prodává zboží? ....
13. Kdo vaří jídlo v restauraci? ....
14. Kdo cestuje? ....
15. Kdo řídí auta, traktory a kombajny? ....
16. Kdo pracuje v televizi? ....
17. Kdo řídí firmy? ....
18. Kdo učí na univerzitě? ....

2. Read the poem describing how difficult it is for Czechs to learn English.

Emanuel Frynta: Angličani

Angličani jsou námořníci
a slečny oslovují Miss
co o nich ale musím říci -
že neumějí pravopis!

Englishmen all go to sea,
and girls as „miss" address.
But the thing that most surprises me
is that their spelling is a mess!

Už jejich první omyl je ten
že píšou I a čtou to áj!
To jako kdyby psali květen
a vyslovovali to máj.

Their very first mistake is that
they write "I" but speak it "ay".
It's almost as if they wrote down "cat"
and pronounced it "butterfly".

Je mi jich líto, hlavně dětí,
co ty s tím mají za dřinu!
Já musel napsat jen tři věty
a myslel jsem, že zahynu.

I feel most sorry for the kid
who has such effort to apply.
three sentences are all I did
and thought that I would die.

Ta hrůza, než se naučíte
pár slovíček, a natož stran!
A u nich každé malé dítě
musí být rovnou Angličan.

Learning a few words is no joy,
let alone a page's worth.
But in their country every little boy
must be an Englishman from birth!

Adapted. Translation: © Keith Brandon 1996

1. Work with a dictionary. Read and retell in Czech.

Máme rádi zvířata!

Katka Holá vždycky chtěla mít koně. Kůň – to byl Katčin sen! Kůň je ale moc velký a taky potřebuje zahradu, a ne panelák. A tak má Katka jenom psa. Jmenuje se Ben. Je pravda, že Katka vždycky chtěla koně, ale teď myslí, že Ben je senzační. Ben je černý, hnědý a bílý. Má rád maso, ale nesnáší granule. Miluje sušenky a čokoládu, ale Katka ví, že tohle jídlo není pro psy zdravé. Má radost, že Ben je zdravý, veselý a silný. A víte, jaký sen má Katka teď? Chtěla by mít dva psy! „Psi jsou nejlepší kamarádi", říká.

Jirka Poláček je ještě malý kluk, ale už má zajímavého koníčka. Má doma terárium a tam má dva nejedovaté hady. Hadi mají šedou kůži. Mají rádi maso a taky rádi spí (jako Jirka). Jmenujou se Rambo a Bimbo. Loni v létě viděl Jirka v zoo jednoho moc nebezpečného jedovatého hada. Jirka ale myslí, že ten had nebyl moc nebezpečný, protože pořád spal. Jirka říká, že jednou chce mít doma velké terárium a nějaké opravdu exotické, krásné a nebezpečné hady, nejraději chřestýše.

Když byla Magda Holá malá, pořád chtěla mít nějaké zvíře. Říkala vždycky: moje setřenice Terezka má morčata, moje kamarádka Eva má králíky a já nemám nic! Teď má Magda doma dva roztomilé chlupaté kamarády – křečky. Křečci jsou zlatohnědí. Mají moc rádi oříšky, ale jí taky sušenky, vajíčka nebo maso. Mají malé akvárium a tam bydlí. Jmenujou se Bob a Fifa (nejdřív se jmenovali Bob a Fif, ale teď budou mít rodinu...) Magda chce mít taky morče, ale její maminka říká, že křečci stačí!

Ondra Suchánek má opravdu exotického koníčka! Má doma velkého černého chlupatého mazlíčka – pavouka tarantuli! (Ondra určitě nemá arachnofobii, že?) Jeho miláček se jmenuje Arabela. Ondra myslí, že jeho pavouk je moc zajímavé zvíře, ale Ondrova sestra Hana tarantuli nesnáší. Nemá ráda pavouky! Samozřejmě, že Ondra Hanu provokuje a pořád říká, že pavouci jsou určitě lepší než nějaké hloupé holky. Hana ale myslí, že pavouci jsou strašní a Ondra ještě horší!

2. Topics for conversation:

Měli jste někdy doma nějaké zvíře? Jaké zvíře máte doma teď? Jak se jmenuje?
Myslíte, že je dobré mít doma nějaká zvířata? Proč?
Jaká zvířata můžete vidět v zoo? Jaká zvířata můžete mít doma?
Viděli jste někdy nějaké velmi exotické zvíře?
Jaká zvířata mohou být pro člověka velmi nebezpečná?
Četli jste Knihu džunglí? Pamatujete se, jaká zvířata znal Mauglí v džungli?

3. Read.

Zvířata mluví česky!
Kočka mňouká: Mňau! Mňau!
Pes štěká: Haf! Haf!
Kráva bučí: Búúú!
Kohout kokrhá: Kykyryký!
Had syčí: Sssssss!
Kukačka kuká: Kuku! Kuku!

4. Work with a dictionary.
Idioms, proverbs, catch phrases
Být chytrý jako opice.
Být moudrý jako sova.
Být chudý jako kostelní myš.
Být pomalý jako šnek.
Být jako chameleon.

Say who lives in the ZOO using plural forms.

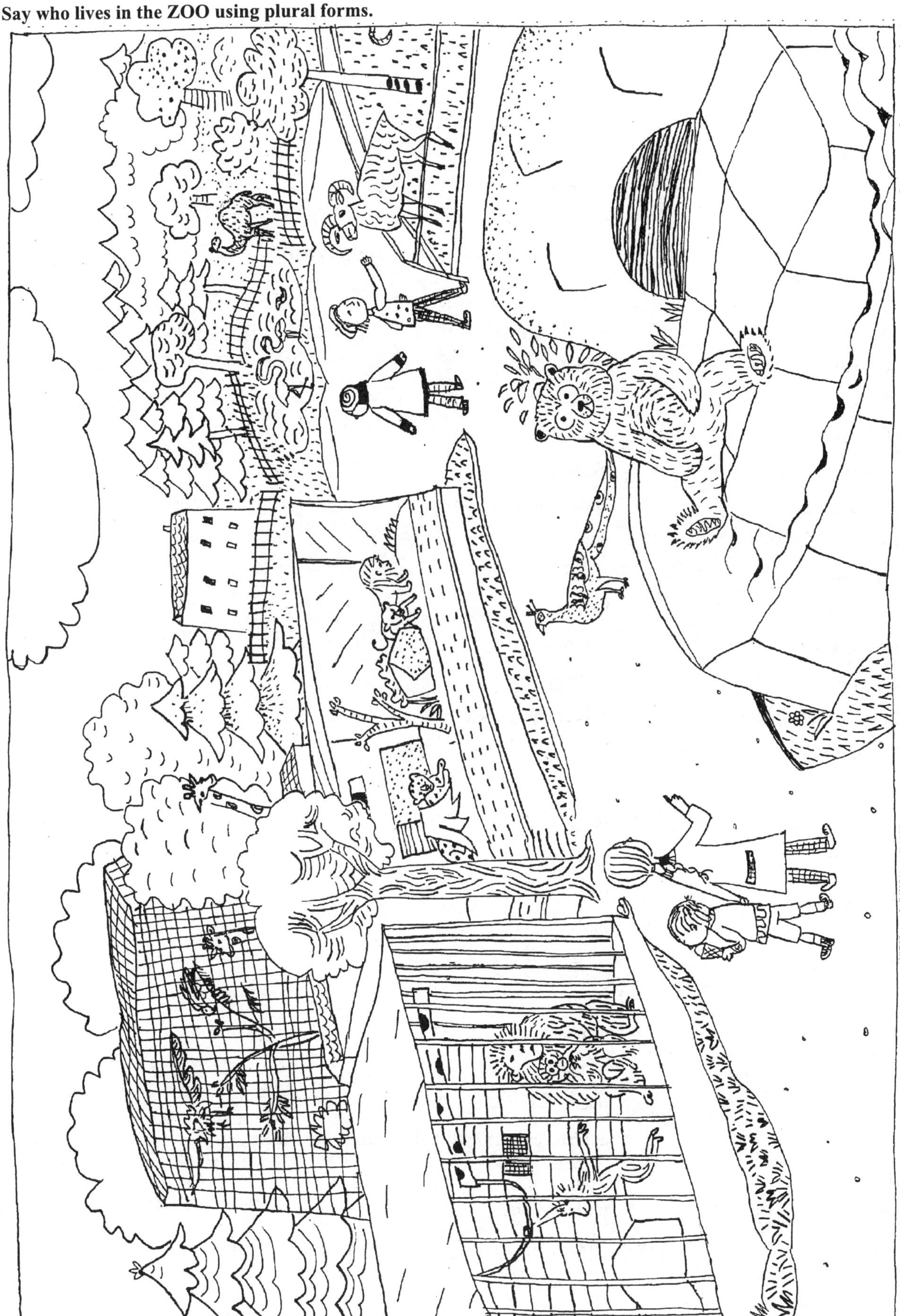

1. **aligátor**	alligator
2. **fena, fenka**	female dog
3. **had**	snake
4. **humr**	lobster
5. **chobotnice**	octopus
6. **chřestýš**	rattle-snake
7. **kapr**	carp
8. **kocour, kočka**	he-cat, cat *(coll.* kočka – **a beautiful girl***)*
9. **koza**	goat
10. **krab**	crab
11. **krajta**	python
12. **králík**	rabbit
13. **krokodýl**	crocodile
14. **křeček**	hamster
15. **kůň, koně**	horse, horses *(coll.* **koníček** – a little horse/hobby*)*
16. **lev**	lion
17. **losos**	salmon
18. **medvěd**	bear
19. **medúza**	jellyfish
20. **miláček, mazlíček**	darling, pet
21. **morče, morčata**	guinea pig, guinea pigs
22. **moucha**	fly
23. **opice**	monkey
24. **papoušek**	parrot
25. **pavouk**	spider
26. **pes**	dog
27. **pták**	bird
28. **pstruh**	trout
29. **nosorožec**	rhino
30. **slon**	elephant
31. **velryba**	whale
32. **tygr**	tiger
33. **zvíře, zvířata**	animal, animals *(coll.* **velké zvíře** – big cheese, VIP*)*
34. **žába**	frog
35. **želva**	turtle, tortoise
36. **žirafa**	giraffe

1
2
3
4
5
6
7
8
9
10
11
12
13
14
15
16
17
18

19
20
21
22
23
24
25
26
27
28
29
30
31
32
33
34
35
36

LESSON 11

- To go: jít, jet.
- Adverbs expressing direction vs. location I.
- Verbs of motion + na + accusative.
- Verbs of motion in general.
- The future tense of the determined verbs of motion.
- Vocabulary: Traffic.

to go – jít, jet

jít* = to go on foot		**jet = to go by a vehicle**	
jdu	**jdeme**	**jedu**	**jedeme**
jdeš	**jdete**	**jedeš**	**jedete**
jde	**jdou**	**jede**	**jedou**

- ❑ *Past participles of the verb* jít *are* šel, šla, šlo, šli *(see lesson 8, p. 92).*
- ❑ *Verbs of motion use special forms of the future tense (see page 123 in this lesson). However, present forms can be also used for the future in colloquial Czech.*

1. Review the basic means of transport *(lesson 4, p. 53):*

auto; autem	– car; by car	**céčko; céčkem**	– C (red line)
autobus; autobusem číslo	– bus; by bus number	**parník; parníkem**	– steamboat; by steamboat
kolo; jet na kole	– bike; to ride a bike	**pěšky**	– on foot
letadlo; letět letadlem	– plane; to fly by plane	**spěchat**	– to hurry
letět	– to fly	**stop; jet stopem**	– hitchhike; to hitchhike
loď; lodí	– ship; by ship	**taxík; taxíkem**	– taxi; by taxi
metro; metrem	– metro; by “metro”	**tramvaj; tramvají**	– tram; by tram
áčko; áčkem	– A (green line)	**vlak; vlakem**	– train; by train
béčko; béčkem	– B (yellow line)	**výtah; výtahem**	– lift/elevator; by lift/elevator

2. Ask questions according to the example.

Example: Jdu pěšky. – A co David? Taky jde pěšky?

1. Šla jsem pěšky.
2. Alice jede tramvají.
3. Jedu taxíkem nebo autobusem.
4. Letím letadlem.
5. Jedeme na kole.

3. Fill in the verbs “jít”, “jet” and “letět”.

1. Kdy .... na oběd?
2. .... výtahem nebo .... pěšky?
3. Zítra .... vlakem, protože nechci jet taxíkem.
4. Nemám peníze na taxík, a tak .... autobusem.
5. .... taxíkem, nebo tramvají?
6. Dneska .... vlakem, nemám auto.
7. Minulý týden .... letadlem.
8. Předevčírem .... taxíkem.
9. Včera .... pěšky.

REMEMBER:	**Promiňte, že jdu pozdě.** Sorry I am late. **Promiňte, že jdu brzo.** Sorry I am early.

adverbs expressing direction vs. location I.

❑ *See the general scheme of Direction versus Location in Grammatical Tables, p. 271.*
❑ *Review the set of adverbs expressing location (lesson 2, p. 30).*
❑ *Learn the set of adverbs in Czech expressing direction "to somewhere":*

where to?	*where?*
kam	**kde**
tam	**tam**
domů	**doma**
sem	**tady**
nahoru	**nahoře**
dolů	**dole**
dopředu	**vpředu**
dozadu	**vzadu**
doleva, vlevo, nanalevo	**vlevo, nalevo**
doprava, vpravo, napravo	**vpravo, napravo**
dovnitř	**uvnitř, vevnitř**
ven	**venku**
doprostřed	**uprostřed, vprostředku**
jinam	**jinde**

1. **Make sentences. Use the expressions from both columns.**
   Example: Jedu domů a pak jsem doma. Jdu sem a pak jsem tady.

2. **Choose the correct adverb.**
   1. Kam jedete výtahem? – Jedu (nahoře – nahoru).
   2. Nemůžete jít (ven – venku), když je takový vítr.
   3. Kam píšete dopisy? – Píšu dopisy (doma – domů).
   4. Kde píšete dopisy? – Píšu dopisy (doma – domů).
   5. Když jsem (doma – domů), vždycky čtu detektivky.
   6. Kam telefonujete? Telefonuju (doma – domů).
   7. Kam jdete, když je krásné počasí? – Jdu (venku – ven).
   8. Když prší, jsme (někde uvnitř – někam dovnitř)
   9. Jdete (vlevo – doleva) nebo (nahoře – nahoru)?
   10. Jan byl (uvnitř – dovnitř).
   11. Židle je (dole – dolů).
   12. Pero je (uprostřed – doprostřed).
   13. Mám kancelář (nahoře – nahoru).
   14. Spěchám (doma – domů).
   15. Chcete jít (nahoře – nahoru)?
   16. Dáme ten stůl (jinde – jinam).
   17. Budu (dozadu – vzadu) v kanceláři.
   18. Když je hezky, jsme (venku – ven)
   19. Otvíráš dveře (sem – tady)?
   20. Petr šel (někde venku – někam ven).

3. **Move around the room. Describe it:** Jdu ven, pak jdu dovnitř…

4. **Describe the picture using the adverbs.**
   Example: Letadlo letí nahoru.

verbs of motion + na + the accusative

❑ ***See the general scheme of Direction versus Location on page 271 in Grammatical Tables.***

The destination can be expressed:
- *by the preposition* do + *the genitive (*do práce, do restaurace, do školy...*). See lesson 14, p. 149.*
- *by the preposition* na + *the accusative.* ***See here.***
- *by the preposition* k + *the dative (*k doktorovi, k holiči...*) See lesson 23, p. 225.*

❑ ***The preposition "na" in English means "on", but it is often used in many expressions where English uses "at". It is usually used with:***
1. ***open space or surface*** (table, floor, bridge, street, island, peninsula...)
2. ***actions and activities*** (concert, opera, exhibition, lunch, dinner...)
3. ***some public institutions*** (embassy, post office...)
4. ***exceptions*** (Morava, Slovensko)

❑ *Learn the most common "*na-*words" in the following exercise carefully! Of course, this list is not complete and you will extend it gradually.*

1. Work with a dictionary. Look up the meanings of the following words.

stanice (metro, bus)	**výlet**	**večeře**	**úřad**
zastávka (tramvaj)	**tábor**	**hokej (fotbal...)**	**ambasáda**
nádraží (vlak)	**hory**	**festival**	**policie**
náměstí	**koncert**	**služební cesta**	**pošta**
zahrada	**návštěva**	**nákup**	**houby, maliny...**
letiště	**schůze**	**trh (veletrh)**	**Slovensko**
dovolená	**schůzka**	**univerzita**	**Morava**
sídliště	**konference**	**lekce**	**sever**
hrad, zámek	**míting**	**rande**	**jih**
venkov	**recepce**	**výstava**	**východ**
ostrov, poloostrov	**snídaně**	**diskotéka**	**západ**
chata	**oběd**	**procházka**	**záchod = toaleta**

2. Make sentences.
Example: Teď jdu na nádraží. Jdeš odpoledne na nákup? Příští týden jedu na konferenci.

OBSERVE: **na vlak** *(at the station)* – **do vlaku** *(to inside the train)*
na autobus *(at the bus stop)* – **do autobusu** *(to inside the bus)*

3. Read. Say the sentences in the past tense.
1. Jdeš na ambasádu?
2. Kam jdeš? Na rande? Nebo na diskotéku?
3. Dneska jdu na schůzi. Začínáme už v 7!
4. Jarmila jde na nákup.
5. V sobotu jdu na krásný dlouhý výlet.
6. V červnu jedu na dovolenou na Kanárské ostrovy.
7. Tenhle víkend mají Iva a Dáša dovolenou a jedou na hory.
8. Teď jdu na ambasádu.
9. Víš, že Novákovi jeli na Maltu?
10. Adam a Alice jdou v neděli dopoledne na návštěvu.
11. Jel jsem na nákup.
12. Kam jedete na hory?
13. V pátek jedu na konferenci.
14. Jdu na mítink.
15. Ve tři ráno jedu na letiště.
16. Zítra jedu domů.
17. Teď jdu na oběd.
18. Pozítří jdeme na výstavu.
19. Jedu autem do práce.
20. V úterý ráno jdu na policii.

REMEMBER: **jdu na pivo** *(to drink it)* – **jdu pro pivo** *(to buy it)*

verbs of motion in general

❑ *Verbs of motion can be divided into two groups:*

1. *The determined verbs of motion*

They express that someone or something is moving in a definite time to a definite place.
Observe: Jdu na koncert, na výstavu, na nádraží...

2. *The indetermined verbs of motion*

They express:

a) *the kind of motion in repetition*
(každý den, každý týden, každý rok..., často, obvykle, vždycky, pořád)
Každý den chodím do školy, do práce...
Každý rok jezdím na hory.
Obvykle jezdím na výlety autem.

b) *the kind of motion in general.*
Malý Adam už chodí.

determined forms	*indetermined forms*	*in English*
jít	**chodit**	– to go
jet*	**jezdit**	– to go by a vehicle
běžet	**běhat**	– to run
letět	**létat**	– to fly
nést	**nosit**	– to carry; to wear
vézt	**vozit**	– to drive sb. or st., to carry by driving
vést*	**vodit**	– to lead; to run (a firm)

The determined verbs of motion are often used with prefixes that change their meaning considerably (**přijít** – to come, **odejít** – to leave, **najít** – to find...). *See lesson 16. pp. 168–169.*

1. Read and compare.

1. Dneska **jdu** na koncert. Na koncerty **chodím** každý týden.
2. Zítra **jedu** na výlet. Každý týden **jezdíme** na výlet.
3. Nemám čas, **běžím** na vlak! Každý den **běhám** na vlak.
4. Zítra **letím** pryč. Každý týden **létám** do Anglie.
5. Pozor, **nesu** velkou tašku! Každá typická česká žena **nosí** tašky.
6. Teď **vezu** syna k doktorovi, asi je nemocný. **Vozím** děti autem do školy.
7. **Vedu** psa na chvíli ven. Každý den ráno **vodím** děti na procházku.

2. Choose the correct verb and complete the sentence:

1. Eva je malá, ale už hezky (jde – chodí).
2. Ivan (jde – chodí) vždycky večer ven.
3. Marie často (jde – chodí) na koncert.
4. Obvykle (jedu – jezdím) na dovolenou v srpnu.
5. Znáte někoho, kdo rád (běží – běhá) maratón?
6. Každý rok (letím – létám) na Floridu.
7. Velký nákup (vezu – vozím) domů autem.
8. Teď (vedu – vodím) děti na výlet.
9. Nemám čas. (Běžím – běhám) na metro.
10. Často (nesu – nosím) dokumenty na ambasádu.
11. Každý víkend (vezeme – vozíme) na chatu jídlo a pití.
12. Zítra (jdu – chodím) na koncert.
13. Hele, tady (jde – chodí) Michal!
14. Nerada (jedu – jezdím) autem.
15. Kdy obvykle (jedeš – jezdíš) na hory?
16. Kam (běžíš – běháš)? Máš ještě čas!
17. Aleš často (nese – nosí) černý svetr.
18. Dneska (vedu – vodím) děti do školy já!
19. Často (vezu – vozím) tetu na výlet.
20. Ahoj! (Letím – létám) na rande!
21. Každý rok (vezu – vozím) děti na Moravu.
22. Každou sobotu (jedu – jezdím) domů.

1. Change the sentences using the expressions: každý den/týden/rok..., často, obvykle, vždycky...
Example: Dneska jdu na schůzku. **Každý týden chodím na schůzku.**

1. Jdu na nákup.
2. V sobotu jdu na krásný dlouhý výlet.
3. Jedu autem do práce.
4. Jedeme do restaurace na večeři.
5. V pondělí jedete na konferenci.
6. Adam a Alice jdou v neděli dopoledne na návštěvu.
7. Příští víkend jedeme na hory.
8. Ve středu večer jdu na koncert.
9. Tenhle víkend jdu na balet Šípková Růženka.
10. Zítra jedu na hokej.
11. Příští týden jedeme na konferenci.
12. Ve čtyři odpoledne jedu na letiště.
13. Jdu na policii.
14. Jdeme na úřad.
15. Jdete dneska večer na procházku?
16. Jdeš na ambasádu?
17. Jedeš zítra na služební cestu?
18. V sobotu jdu na velký nákup!
19. Pozítří jedu do Anglie.
20. Nechceš jít zítra na dobrou snídani?

2. Write questions using "jet" or "jezdit".

A.
1. ....? – Na výlet.
2. ....? – Vlakem.
3. ....? – Pavel a já.
4. ....? – Zítra v 11.46.

B.
1. .... každý den? – Do práce.
2. ..... tam ....? – Každý den ráno v 7.
3. ..... tam ....? – Já a manželka.
4. ..... tam ....? – Vlakem a metrem.

C.
1. ....? – Na ambasádu.
2. ....? – Tramvají a pak metrem.
3. ....? – Já a manželka.
4. ....? – Ráno v 9 hodin.

D.
1. .... každý týden? – Na lekci.
2. ..... tam ....? – Každé úterý a pátek.
3. ..... tam ....? – Jenom já sám.
4. ..... tam ....? – Autobusem.

3. Fill in the correct forms of verbs of motion.

Každý den .... do práce. Nikdy ....autem, protože mám blízko stanici. Obvykle .... autobusem a pak metrem. V poledne mám 30 minut pauzu, a tak .... na oběd. Někdy večer .... na návštěvu. Příští týden .... na služební cestu na Slovesko. O sobotu ....na procházku a v neděli .... na koncert.

4. Topics for conversation:

Chodíte nebo jezdíte do práce? Jezdíte metrem, autobusem, tramvají nebo autem?
Jak jezdíte na dovolenou? Chodíte na výlety? Nebo jezdíte autem?
Jak často chodíte na schůze, na výstavy, na koncerty, na diskotéky, na nákup...?
Chodíte někdy na ambasádu? Jak často?
Jak jezdíte na letiště? Jak často létáte letadlem? Jak často jezdíte nebo létáte domů?

5. Work with a dictionary. Read and retell in Czech.

Extrémista nebo realista?

Tomáš Vedral je mladý učitel. Má rád moderní hudbu a dobré jídlo. Často si kupuje cédéčka a knihy, má hezký byt a kvalitní počítač. Nemá ale jednu věc, kterou lidé obvykle mají. Nemá auto. Není to proto, že nemá peníze. Auto prostě nechce. Říká, že auto je stejně nebezpečné jako revolver. „Všichni jezdí autem, a proto je všude tak mizerný vzduch. Moje děti mají alergie a bronchitidy. Když budu jezdit autem, bude vzduch ještě horší," říká. „Vím, že takový názor mám skoro sám, ale auto kupovat nebudu." Tomáš raději chodí pěšky nebo jezdí autobusem nebo tramvají. Říká, že aspoň v Praze je doprava velmi dobrá a že může jet, kam chce. O víkendu chodí na procházky nebo jezdí na kole na různé výlety. Když chce jet jeho rodina někam daleko, jedou všichni vlakem. V centru ale na kole nejezdí, protože myslí, že je to dost nebezpečné. „V Praze nejsou žádné cyklistické stezky. Radnice má špatnou dopravní politiku – nedělá nic pro cyklisty. Řidiči mají dálnice, silnice, garáže a parkoviště, ale cyklisti? Cyklisti nemají nic! Když to vidím, mám vztek," říká. Jaký názor na to máte vy? Myslíte, že Tomáš je moc radikální, nebo že má pravdu?

the future tense of the determined verbs of motion

❑ *The future tense in Czech consists of:*

1. a) *the verb* být: budu, budeš, bude… *See lesson 8. p. 96.*
   b) *imperfect. verbs except for determined verbs of motion:* budu + the infinitive. *See lesson 8, p. 96*

2. *the determined verbs of motion:* půjdu, pojedu, poběžím, poletím… ***See here.***
   The determined verbs form special future tense using the prefixes **pů-** *(in the case of* jít*) and* **po-** .
   These verbs do not have the infinitives.

3. *perfective verbs: their present forms have a future meaning. See lesson 16, p. 166.*

***the future tense of the verb* "jít"**		***the future tense of verb* "jet" (letět, běžet...)**	
půjdu	**půjdeme**	**pojedu**	**pojedeme**
půjdeš	**půjdete**	**pojedeš**	**pojedete**
půjde	**půjdou**	**pojede**	**pojedou**

❑ ***The indetermined verbs*** *form the future tense using* **budu**: budu chodit (jezdit, běhat, létat, vodit...)

1. Read and compare.

1. Zítra **půjdu** do práce.	Příští měsíc už **budu chodit** do práce.
2. Pozítří **pojedu** na výlet.	Příští rok **budu jezdit** na výlety!
3. Popozítří **poletím** domů.	Příští rok **budu létat** domů každý měsíc.
4. Příští měsíc **povedu** děti poprvé do školy.	Škola je daleko. **Budu vodit** děti tam a zpátky.
5. Příští měsíc **povezu** děti na výlet.	V zimě **budu vozit** děti na hory každý víkend.
6. Za hodinu **poběžím** na vlak.	Zítra mám moc práce! **Budu běhat** jako blázen!

2. Say the sentences in exercise No 1 on the preceding page using the future tense.
Example: Jdu na nákup. – Půjdu na nákup.

3. Plan your week/year.
Examples:
V pondělí pojedu na služební cestu.
V lednu pojedu domů.
V létě pojedeme na dovolenou.

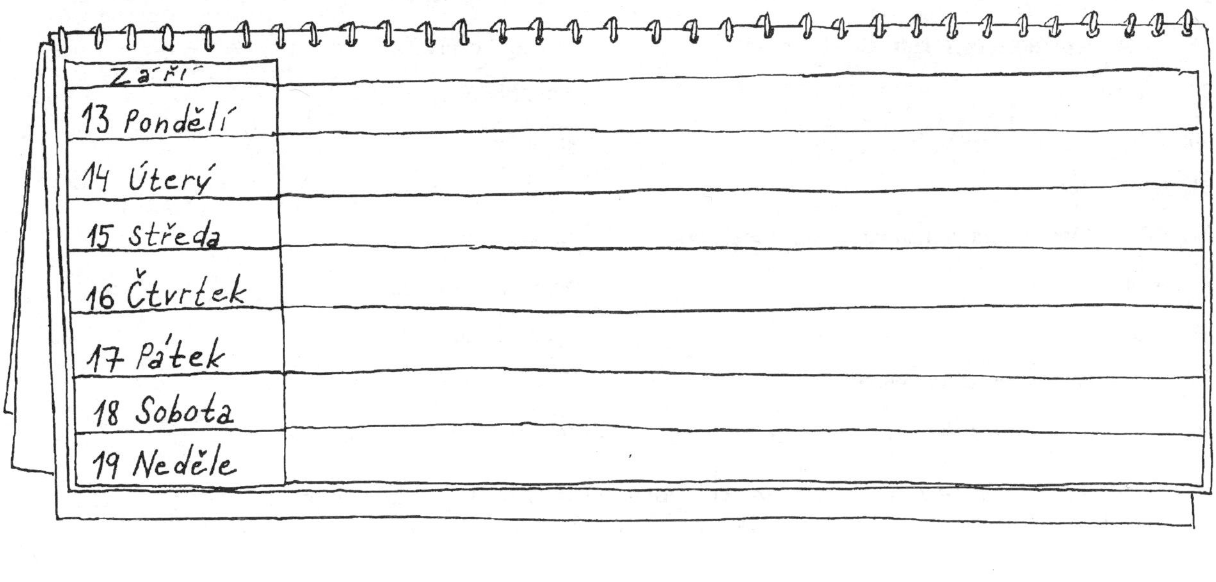

1. **servis, autoservis**	auto service
2. **benzín; brát*/vzít* benzín**	petrol/gas; to tank
3. **cesta; cestovat/procestovat**	way; road; to travel
4. **cyklistická stezka**	bike path
5. **dálnice**	motorway
6. **doprava**	traffic
7. **dopravní prostředky**	means of transport
8. **dopravní zácpa**	traffic jam
9. *coll.* **chytat/chytit autobus, vlak, taxík**	to catch the train, bus, taxi
10. **jízdenka**	train ticket
11. **jízdní řád**	time-table
12. **kolej**	rail
13. **křižovatka**	intersection, crossroads
14. **lístek**	ticket
15. **loď**	ship
16. **místenka**	seat-reservation ticket
17. **nákladní auto, kamion**	lorry, truck
18. **nástupiště**	platform
19. **osobní vlak,** *coll.* **osobák**	local train
20. **přechod; zebra**	zebra crossing/crosswalk, pedestrian crossing
21. **parkoviště; parkovat/zaparkovat**	car park; to park
22. **pneumatika**	tire, tyre
23. **pokuta**	fine
24. **porucha, mít poruchu**	breakdown, to have a breakdown
25. **předjíždět/předjet**	to overtake, pass
26. **rozbitý**	broken
27. **rychlík**	fast/express train
28. **řidičský průkaz,** *coll.* **řidičák**	driving license
29. **silnice**	road, highway
30. **sklo**	glass
31. **slepá ulice**	blind alley, dead-end street
32. **SPZ - státní poznávací značka,** *coll.* **espézetka**	number/licence plate)
33. **tramvajenka**	tram/street-line pass
34. **trvat**	to last, to take time
35. **zákaz parkování, zákaz vjezdu**	No parking! No entry! –
36. **zpoždění : mít zpoždění**	to be overdue, to be delayed

❑ *Typical endings of non-coloured nouns are:* **consonant** *for* Ma / Mi, **-a** *for* F *and* **-o** for N .
❑ *The underlined -e- denotes the mobile -e- that disappears in declined forms.*

LESSON 12

- Reflexive pronouns “se”, “si”. Reflexive passive forms.
- The verb + the accusative.
- The verb + preposition + the accusative.
- The verb + the accusative + the nominative.
- Pronouns in the accusative.
- Vocabulary: Clothing.

Reflexive pronouns "se", "si". Reflexive passive forms.

❑ **"Se"** *and* **"si"** *are the reflexive particles accompanying some Czech verbs. They have several functions.*

1. *Inseparable "se", "si"*

The particles have no meaning here. They are inseparable parts of verbs.
Starám se o děti. I look after the children.
Stěžuju si na plat. I complain about my salary.

2. *Separable "se", "si"*

The particles have a meaning here.
A) "se": oneself, **"si":** to oneself. *(For declension, see Grammatical Tables, p. 268).*
Myju se. I wash myself.
Dám si kávu. ("I'll give coffee to myself." = I will have coffee.)
B) ***each other***
Mají se rádi. They like each other.
Povídali jsme si celou noc. We talked all night.

3. *The particle "se" forms the reflexive passive forms of verbs*

There are two types of passive voice in Czech:
1. ***Reflexive passive forms.*** *See here and in lesson 19, p. 195.*
2. ***Descriptive passive forms.*** *See lesson 26, p. 251.*

Reflexive passive forms of verbs are formed by:

the verb (usually in the 3rd person singular or plural)	+	*se*

There are two types of reflexive passive forms:

A) ***The reflexive passive with the subject***
Kniha se čte dobře. Kniha se čte. The book reads well. The book is (being) read.
Písnička se zpívá. The song is sung.
Oběd se jí v poledne. Lunch is eaten at noon.

B) ***The reflexive passive without the subject (the verb is in the singular)***
This type has no equivalent in English. When translating it, you have to add the subject.
Čte se. People read. Books are read.
Jí se v poledne. People eat at noon. Lunch is eaten at noon.
Říká se, že je inflace. They say it´s inflation.

Read the sentences with the reflexive passive forms:

1. Oběd se vaří.
2. Tady se nekouří.
3. Test se píše zítra.
4. V kanceláři se nepracuje.
5. Byt se uklízí.
6. Dům se prodává.
7. Polévka se vaří.
8. Hospoda se zavírá.
9. Hledá se dítě.
10. Otvírá se zítra.
11. Nic se neprodává.
12. To se nedělá.

REMEMBER:
The particles **"se"** *and* **"si"** *are members of "The Second Position Club". See lesson 8, p. 93.*

the verb + the accusative

❑ *This list isn't exhaustive! The verbs are printed in this order:* **imperfective verb/ perfective verb**. *At this stage you should only use the imperfective ones. For more information see lesson 16, p. 164.*

brát*/vzít* – to take
Beru antibiotika. Beru to jako vtip.
číst*/přečíst – to read
Čtu dobrou detektivku. Čtu dobrého autora.
dávat/dát – to give; to put
Na Vánoce dávám každý rok dárky.
BUT: dávat pozor na – to take care, pay heed of
dělat/udělat – to do, to make
Nemám čas, dělám oběd. Každý člověk dělá chyby.
Studuju češtinu a dělám pokroky! Dělám zkoušku.
Adam dělá nesmysly! Dělá problémy.
dostávat/dostat* – to receive, to get
Vždycky na Vánoce dostávám hezké dárky.
hrát*/zahrát – to play
Hraju karty. Hrajeme tenis. Děti si hrajou venku.
jíst*/sníst* – to eat
Jíme dobré jídlo. Nejím moc.
(na)kupovat/(na)koupit – to buy
Nakupuju jídlo na neděli. Kupuju kabát pro syna.
navštěvovat/navštívit – to visit
Každý rok navštěvuju tetu. Navštívila jsem Prahu.
líbat/políbit – to kiss
Líbám Ivanu. Líbám Petra. Líbáme se.
milovat – to love
Miluju manželku. Miluju manžela. Milujeme se.
mít* na sobě – to be wearing, to have on
Mám na sobě svetr a kalhoty. Co máte na sobě vy?
myslet/pomyslet – to think; to mean
Myslím, že zítra bude hezky. – Myslím, že ano.
Znáš Davida? – Myslíš Davida Richtera?
Myslíš to vážně? *BUT:* To **znamená**, že...
mýt*/umýt – to wash
Myju nádobí. Myju se každý den. Myju si ruce.
nenávidět – to hate
Nenávidím pavouky. Nenávidíme se.
nesnášet/nesnést – can't stand
Nesnáším arogantní lidi. Nesnášíme se.
nosit – to carry, to wear
Nosím brýle. Nosím tašku. Nikdy nenosím džíny.
obdivovat – to admire, to think highly of
Obdivuju statečné lidi. Obdivuju kamaráda.
opravovat/opravit – to repair, correct
Pavel opravuje auto. Učitel opravuje úkol.
pamatovat si/zapamatovat si – to remember
Pamatuju si prababičku. Pamatuju si všechno.
péct*/upéct – to bake
Peču dort. Neumím bohužel péct.
pít*/vypít – to drink
Pili jsme víno. Nikdy nepiju alkohol.
popisovat/popsat – to describe
Tom popisoval krásnou přírodu, kterou viděl doma.
potkávat/potkat – to meet (by chance)
Potkávám každý den Karla. Včera jsem potkala Ivu.
používat/použít – to use
Každý den používám učebnici. Nepoužívám pero.
poslouchat/poslechnout – to listen to, to obey
Posloucháme hudbu. Děti neposlouchají rodiče.
postrádat – to miss *(bookish)*
Postrádám tady maminku. Postrádám naše jídlo.
pozdravovat/pozdravit – to say hello to, to greet
Pozdravuj Pavla. Pozdravujte Janu.
prodávat/prodat – to sell
Prodáváme náš starý dům. Prodávám ovoce.
připravovat/připravit – to prepare
Připravuju lekci. Připravuju se na lekci.
1. rušit/vyrušit – disturb **2. rušit/zrušit** – cancel
Promiňte, že ruším, ale mám důležitou zprávu.
řídit – to drive, to run
Rád řídím auto. Neřídím traktor. Ředitel řídí firmu.
sbírat/sebrat – to collect, to raise
Sbírám známky. Sbíráte pohlednice? Sbírám houby.
studovat/vystudovat – to study
Studuju češtinu. Pavel studuje chemii a biologii.
slavit/oslavit – to celebrate
Jan slaví narozeniny. USA slaví státní svátek.
šetřit/ušetřit – to save, to economise
Šetřím peníze. Šetřím elektřinu. Šetřím čas.
šít*/ušít – to sew
Nerada šiju. Šijeme nový kabát. Šiju si šaty.
učit/naučit – to teach
Učitelka učí češtinu. Profesor učí děti ve škole.
učit se/naučit se – to learn
Učím se česky. Učím se vařit. Učíme se plavat.
uklízet/uklidit – to clean
Uklízím kuchyň, obývák, koupelnu a ložnici.
vařit/uvařit – to cook, to boil
Vařím oběd. Neumím vařit. Vaříme rádi!
vybírat/vybrat – to choose; to take out
Vybírám si svetr. Vybírám peníze na dárky.
vydělávat/vydělat – to earn
Vydělávám peníze na byt.
vysvětlovat/vysvětlit – to explain
Učitel vysvětluje gramatiku.
zkoušet/zkusit – to examine, to try (on)
Učitel zkouší studenta. Zkouším si triko.
zlobit/rozzlobit – to be naughty, to annoy
Děti zlobí. Kluk zlobí maminku.
zpívat/zazpívat – to sing
Neumím zpívat, ale zpívám ráda.
zvát*/pozvat – to invite
Zvu Ivanu na oslavu. Zveme kamarády na party.

verb + na + the accusative

být zvyklý/á (na) – to be used to
Jsem zvyklý na těžkou práci. Jsem zvyklá pracovat.
čekat/počkat (na) – to wait for, to expect
Čekám na Pavla. Čekám problémy.
dívat se/podívat se (na) – to look at, to watch
Dívám se na televizi. Alena se dívala na Petra.
hrát*/zahrát (na) – to play something
Hraju na klavír. Děti si hrajou na doktora.
mít* chuť (na) – to fancy, to desire
Nemáte chuť na pstruha? – Ne, děkuju, nemám chuť.
mít* vztek/zlost = zlobit se (na) – to be angry at
Mám vztek na Pavla. Irena má zlost na Moniku.
myslet/pomyslet (na) – to mean; to think of, about
Myslím na maminku. Myslím na práci.
ptát se/zeptat se (na) – to ask (questions) about
Ptám se, jestli je Eva v práci. Ptám se na cestu.
těšit se (na) – to look forward to
Těším se na víkend. Těším se, že budu zítra doma.
pamatovat si/se (na) – to remember, to recall
Pamatuju se na prababičku. Pamatuju si rok 1968.
zvykat si/zvyknout si* (na) – to get used to
Musíme si zvykat na knedlíky.
žárlit (na) – to be jealous of
Alena žárlí na Davida. Daniel žárlí.

verb + o + the accusative

bát se* (o), mít starost (o) – to worry about
Mám starost o děti. Bojím se, že nebude hezky.
hádat se/pohádat se (o) – to argue, to quarrel
Hádali jsme se o peníze. O nic se nikdy nehádáme.
prosit/poprosit (o) – to ask for
Prosím o pomoc. Prosím rodiče o peníze.
starat se/postarat se (o) – to look after
Maminka se stará o děti.
zajímat se o; mít zájem o – to be interested in
Zajímám se o politiku. Nezajímám se o nesmysly.
žádat/požádat (o) – to ask, to apply for
Žádám o povolení. Žádám ambasádu o vízum.

verb + za + the accusative

děkovat/poděkovat (za) – to thank for
Děkuju za krásné dárky. Děkuju za dobrý oběd.
mít* zodpovědnost (za) – to have responsibility for
Mám zodpovědnost za naše děti.
modlit se/pomodlit se (za) – to pray for
Modlím se za děti. Modlím se za rodinu.
utrácet/utratit (za) – to spend on
Neutrácím jako Rothschild! Neutrácím za cigarety.

verb + accusative + nominative

❑ *This construction mainly expresses points of view, sensations, feelings and impressions experienced by alive beings. This is why it is very often a <u>person</u> who is in the object (in the accusative) here.*

bolet/zabolet – hurt
Bolí mě hlava.
Bolí mě záda.
Alenu bolí nohy.
Pavla bolí v krku (!).
bavit/pobavit – to enjoy
Baví mě fotbal.
Nebaví mě hokej.
Annu baví vařit.
Janu nebaví uklízet.
mrzet/zamrzet – to feel sorry for st.
To mě mrzí. – I am sorry.
Mrzí mě, že nemáte čas.
Mrzí nás, že tady není váš syn.
svědit/zasvědit – to itch
Svědí mě ekzém.
zajímat/zaujmout* – to interest
Zajímá mě všechno.
Politika mě nezajímá.
Alenu zajímá móda.
Petra zajímá chemie.
nudit – to bore
Nudí mě chemie a biologie.
Nudí mě dlouhé historické romány.
Petra nudí číst detektivky.
těšit/potěšit – to enjoy, to please
Těší mě. – Mě taky.

Practise. Read.

Mám velkou rýmu a bolí mě hlava.
Fyzika mě nikdy nebavila.
Mrzí mě, že zítra nemáte čas.
Co vás bolí?
Politika Alenu nebaví.
Zajímá mě, jak ten film končí.
Zajímá tě astronomie?
Nudí mě dlouhé historické romány.
Svrbí mě ruka – asi mám na něco alergii.
Nikdy mě ve škole nebavila matematika.
Když mám migrénu, moc mě bolí hlava.
Manžela fotbal baví, ale mě nebaví!
Těšilo mě, že jsme se viděli.
Mrzí mě, že máš tak špatnou náladu.
Ivanu dneska nějak bolí zub.
Je to divné, ale baví mě uklízet!
Baví vás vařit? Mě ne!
Zajímá tě hokej nebo fotbal?
Davida bolí všechno. Je starý hypochondr!

1. Read and retell in Czech.

Netypický pár

Veronika a Daniel jsou netypický pár. Veronika je manažerka. Pracuje pro velkou firmu, často jezdí na služební cesty a vydělává velké peníze. Řídí obchodní sektor, a proto má zodpovědnost za zboží, které její firma nakupuje a prodává. Samozřejmě, že si musí pamatovat každý detail a dobře se na každý den připravovat. Studuje jazyky – učí se anglicky a německy. Veronika nemusí šetřit. Ráda utrácí za parfémy a kosmetiku, nosí moderní oblečení a kupuje si elegantní věci. Je asertivní a dynamická – typická emancipovaná mladá žena!

Její partner Daniel je úplně jiný. Ještě studuje univerzitu, zajímá se o filozofii, hraje na klavír a saxofon a zpívá. Ráno spí, dopoledne se učí a několikrát za měsíc má koncert. Daniel moc nevydělává, ale rád pracuje doma. Stará se o celý byt, opravuje jejich staré auto, uklízí, vaří a myje nádobí. Daniel nesnáší elegantní obleky a nosí staré svetry, trička a džíny. Víte, jak je možné, že jsou tihle dva spolu? Protože mají stejné koníčky.

Oba poslouchají stejnou hudbu, čtou stejné autory, chodí na stejné výstavy a navštěvujou a zvou stejné kamarády. Jako dárky si dávají nové knihy a cédéčka. Veronika se vždycky těší na každý Danielův koncert. Ráda poslouchá, jak Daniel hraje a zpívá. A Daniel Veroniku obdivuje. Říká, že je moc inteligentní a že má talent na ekonomiku a finance. Nežárlí na její práci a Veronika nežárlí na jeho hudbu. Jejich kamarádi říkají, že Daniel a Veronika jsou ideální pár a těší se na jejich svatbu. A co myslíte vy? Bude jejich netypický rodinný model fungovat? A co budou Veronika a Daniel dělat, až budou mít dítě?

2. Answer the questions.

1. Kde pracuje Veronika?
2. Za co Veronika utrácí peníze?
3. Co dělá Daniel celý den?
4. Proč má Veronika ráda Daniela?
5. Proč Daniel obdivuje Veroniku?
6. Jste pro tradiční rodinný model, nebo **proti**?

3. Speak about your relatives/friends using the new verbs. You can also make up a fictitious character. Each of you can write a sentence on a piece of paper, fold it and pass it on.

4. Use the verbs from the preceding two pages in the past tense. Say what you did when you were a child.

5. Read and answer. You can also practise the negative answers.

Co... (uklízíte, studujete, kupujete na Vánoce, dostáváte na Vánoce, zpíváte, vaříte, připravujete, nesnášíte, používáte, čtete, opravujete, šijete, pečete, postrádáte, posloucháte)?
Koho... (milujete, nesnášíte, zvete na party, učíte, pozdravujete, obdivujete, posloucháte)?
Na co... (se těšíte, hrajete, dáváte pozor, máte zlost, jste zvyklí, myslíte, čekáte, máte chuť, se díváte)?
Na koho... (dáváte pozor, se pamatujte, máte zlost, jste zvyklí, myslíte, čekáte, se ptáte, se těšíte)?
O koho... (se bojíte, se staráte, se zajímáte)? O co... (se staráte, se hádáte, se zajímáte)?

6. Fill in the prepositions:

1. Těšila jsem se .... Evu.
2. Starám se .... děti.
3. Děkuju .... dárek!
4. Připravuju se .... lekci.
5. Utrácím .... nesmysly.
6. Žádáte .... asyl?
7. Těším se .... manžela!
8. Zajímám se .... politiku.
9. Jsem .... to zvyklý.
10. Starám se .... dceru.
11. Hrál jsem .... kytaru.
12. Čekáme .... učitele.
13. Bojím se .... děti.
14. Mám chuť .... okurku!
15. Starám se .... kočku.
16. Nemám dárek .... Ivana.
17. Myslím .... tetu.
18. Zvykám si .... práci.
19. Olga se ptala .... šéfa.
20. Už se těším .... víkend.
21. Alice asi žárlí .... Toma.

7. Fill in "který":

1. Pan Adam je muž, ... potřebujeme.
2. Alena je holka, na .... se těším.
3. Richard je člověk, za .... máme zodpovědnost.
4. Viděla jste toho pána, ... jste hledala?
5. Už vidím tu paní, ... hledám.
6. Máme psa, o .... se staráme.
7. Znám holku, o .... se zajímá Ivan.
8. Znáte tu paní, ... vidíme?

8. You can practise the verbs using the vocabulary from all the preceding lessons and from lessons 20 and 24.

pronouns in the accusative

❑ *Learn the pronouns in lesson 5, p. 60.*

1. Practise the interrogative pronouns.

1. .... (kdo) vidíte?
2. .... (kdo) potřebujete?
3. Na .... (kdo) se těšíte?
4. .... (kdo) hledáte?
5. .... (kdo) máte rádi?

2. Practise the short forms of personal pronouns.

1. To je Alena. Vidím ......
2. To je Ivan. Hledám ......
3. To je čaj. Potřebuju ......
4. To je káva. Mám ...... ráda.
5. To je Milan. Znáš ......?
6. To jsou Brownovi. Neznáte ......?
7. To jsme my. Potřebujete ......?
8. To jste vy. Jsme rádi, že ...... vidíme.
9. To je polévka. Vařím ......
10. Kdo jste, pane? Neznám ......!
11. Znáš ......? Já jsem Alice!
12. Aleno, kde jsi? Nevidím ......!

3. Practise the forms of personal pronouns used after prepositions.

1. Budu mít dovolenou. Připravuju se na ....
2. David má rád kamaráda. Těšil se na ....
3. Miluju čokoládu! Utrácím za ...... peníze.
4. Mám doma psa a kočku. Starám se o ....
5. Mám rád zvířata. Zajímám se o ....
6. Mám nemocnou dceru. Starám se o ....
7. Mám klavír a hraju na ...... moc rád.
8. Děti zlobí. Otec má na ...... zlost.
9. Chtěl bych pstruha. Mám na ...... chuť.
10. Kupuju dárek pro Otu. Nemám pro ...... nic.
11. Iva chce zmrzlinu. Má na ...... chuť!
12. Mám problémy, ale nestěžuju si na ....

REMEMBER:

❑ *Personal pronouns are members of "The Second Position Club". See lesson 8, p. 93.*

4. Practise the possessive pronouns singular.

1. Dívám se na .... (vaše krásná zahrada).
2. Těším se na .... (náš starý dobrý kamarád).
3. Mám ráda kamarádku. Starám se o .... (její velký dům).
4. Znám .... (jeho sympatická kamarádka).
5. Nežárlím na .... (váš perfektní projekt).
6. Adam hledá .... (moje nejmladší sestra).
7. Miluju .... (můj/svůj starý dům).
8. Kupuju .... (vaše velký garáž a vaše malá zahrada).
9. Potřebuju .... (tvoje nová postel).
10. Zvu taky .... (tvůj nový partner).

5. Practise the possessive pronouns plural.

1. Mám rád .... (její hodní rodiče)
2. Těším se na .... (vaše inteligentní názory).
3. Hledám .... (vaše zajímavé tradice).
4. Připravuju .... (mé/své chytré plány).
5. Miluju .... (naše krásné lesy).
6. Nechci znát .... (jejich divné plány).
7. Nepotřebuju .... (tvé staré skříně).
8. Nikde tady nevidím .... (její nové kufry).
9. Mám ráda .... (jeho velké zahrady).
10. Starám se o .... (jejich hezké květiny).

clothes - šaty a oblečení

REMEMBER:
Jakou máte velikost?

S – es, *coll.* **esko** **M – em,** *coll. em*, **emko** **L – el,** *coll.* **elko** **XL – iks,** *coll.* **ikselko**

1. **Work with a dictionary. Translate:**
dlouhý, široký, krátký, úzký, pohodlný, nepohodlný, bavlněný, vlněný, syntetický = umělý, kožený, přírodní

2. **Learn the words on the following page.**

3. **Learn the words on the following page. Read the texts and retell them in Czech.**
Alice a Joyce jsou dvě mladé Angličanky. Alice se zajímá o módu a někdy si sama šije extravagantní modely. Joyce ráda nosí elegantní věci. Teď jdou Alice a Joyce nakupovat nějaké oblečení. Je teplo a Alice a Joyce potřebujou nějaké lehké šaty a plavky. Připravujou se na dovolenou. Těší se, že příští týden pojedou na Slovensko. Hledají nějaký dobrý obchodní dům. Pak vidí obchodní dům Radost. Tam mají určitě všechno! Alice se dívá na letní šaty. Jsou světlemodré a opravdu moc hezké. Zkouší si je, ale má problém! Šaty jsou moc malé. Prodavačka nemá její velikost. A tak si Alice zkouší modrou džínovou sukni a nějaká trička. Pak si kupuje sukni a halenku, protože trička nemají moc hezké barvy. Joyce se dívá na plavky. Vidí elegantní černé bikiny. Černá je její oblíbená barva, a tak si je kupuje. Pak se dívají na džíny. Samozřejmě je nepotřebujou, protože Alice má doma troje a Joyce dokonce čtvery. No, ale znáte tyhle mladé holky! Nakonec si každá kupuje jedny džíny – Alice světlehnědé a Joyce tmavozelené. Teď jsou spokojené. Mají chuť na kávu, a tak jdou na kávu.

Monika: Mami, viděla jsem krásný svetr! Byl tmavozelený a strašně hezký! Asi byl vlněný – byl to nějaký příjemný a kvalitní přírodní materiál, žádná syntetika. A byla to moje velikost!
Matka: No, nějaký svetr na zimu potřebuješ, to je pravda. Myslíš, že je teplý? Potřebuješ něco na hory.
Monika: Určitě je teplý. Vlněné svetry jsou vždycky teplé. A víš, kolik stál?
Matka: Ne, to nevím. Ale dneska jsou svetry drahé – asi 1000 korun, ne?
Monika: Ne! 80 korun!
Matka: Cože? Teplý a kvalitní svetr za 80 korun? To je je skoro zadarmo!
Monika: To je překvapení, viď? Viděla jsem ho v second-handu! Zítra pro něj půjdu.

Matka: Lukáši, potřebuješ nové džíny! Ty dvoje, které pořád nosíš, vypadají strašně!
Lukáš: Žádné nové džíny nechci! Džíny jsou zbytečné. Šetřím na novou motorku!
Matka: Ne, opravdu musíš mít aspoň jedny nové kalhoty. Ty staré jsou nemožné.
Lukáš: No tak dobře. Ale chtěl bych nějakou tmavou barvu.
Matka: Včera jsem viděla hezké džíny, ty byly černé.
Lukáš: Fajn, beru!
Matka: Moment! Musíš si je zkusit, ne?

3. **Topics for conversation:**
Jaké barvy máte rádi?
Jaké oblečení máte na sobě?
Máte raději sportovní nebo elegantní styl? Jaké oblečení obvykle nosíte a proč ho máte rádi?
Jaké oblečení nesnášíte?
Jak často si kupujete nové šaty a boty?
Máte raději módní salony, obchodní domy nebo second-handy?
Myslíte, že oblečení, boty a podobné věci jsou dobré dárky na Vánoce nebo na narozeniny ?

1. **blůza, halenka**	blouse
2. **bota, boty**	shoe, shoes
3. **bunda**	jacket (with a zipper)
4. **čepice**	cap
5. **džíny** *(pl.)*	jeans
6. **kabát**	coat
7. **kalhoty** *(pl.)*	trousers, pants
8. **kalhotky**/**slipy** *(pl. only)*	women's/men's underpants
9. **klobouk**	hat
10. **knoflík**	button
11. **kostkovaný**	plaid, checkered
12. **košile**	shirt
13. **kožich**	fur coat
14. **kravata, vázanka**	tie
15. **kytičkovaný**	floral
16. **mikina**	sweatshirt
17. **oblečení, šaty**	clothing
18. **plavky** *(pl. only)*	swimsuit, swimming trunks
19. **podprsenka**	bra
20. **ponožka, ponožky**	sock, socks
21. **proužkovaný**	striped
22. **punčocháče** *(pl. only)*	tights
23. **puntíkovaný**	dotted
24. **rukavice**	glove
25. **kostým**	woman's suit
26. **oblek**	man's suit
27. **sako**	jacket
28. **sukně**	skirt
29. **svetr**	sweater
30. **šála**	scarf
31. **šátek**	kerchief, square
32. **šaty** *(pl.only)*	dress
33. **šortky** *(pl .only)*	shorts
34. **triko, tričko**	T-shirt
35. **vesta**	vest, waistcoat
36. **zip**	zipper, zip

❑ *Typical endings of non-coloured nouns are:* **consonant** *for* Ma /Mi, **-a** *for* F *and* **-o** for N .
❑ *The underlined -e- denotes the mobile -e- that disappears in declined forms.*

1
2
3
4
5
6
7
8
9
10
11
12
13
14
15
16
17
18

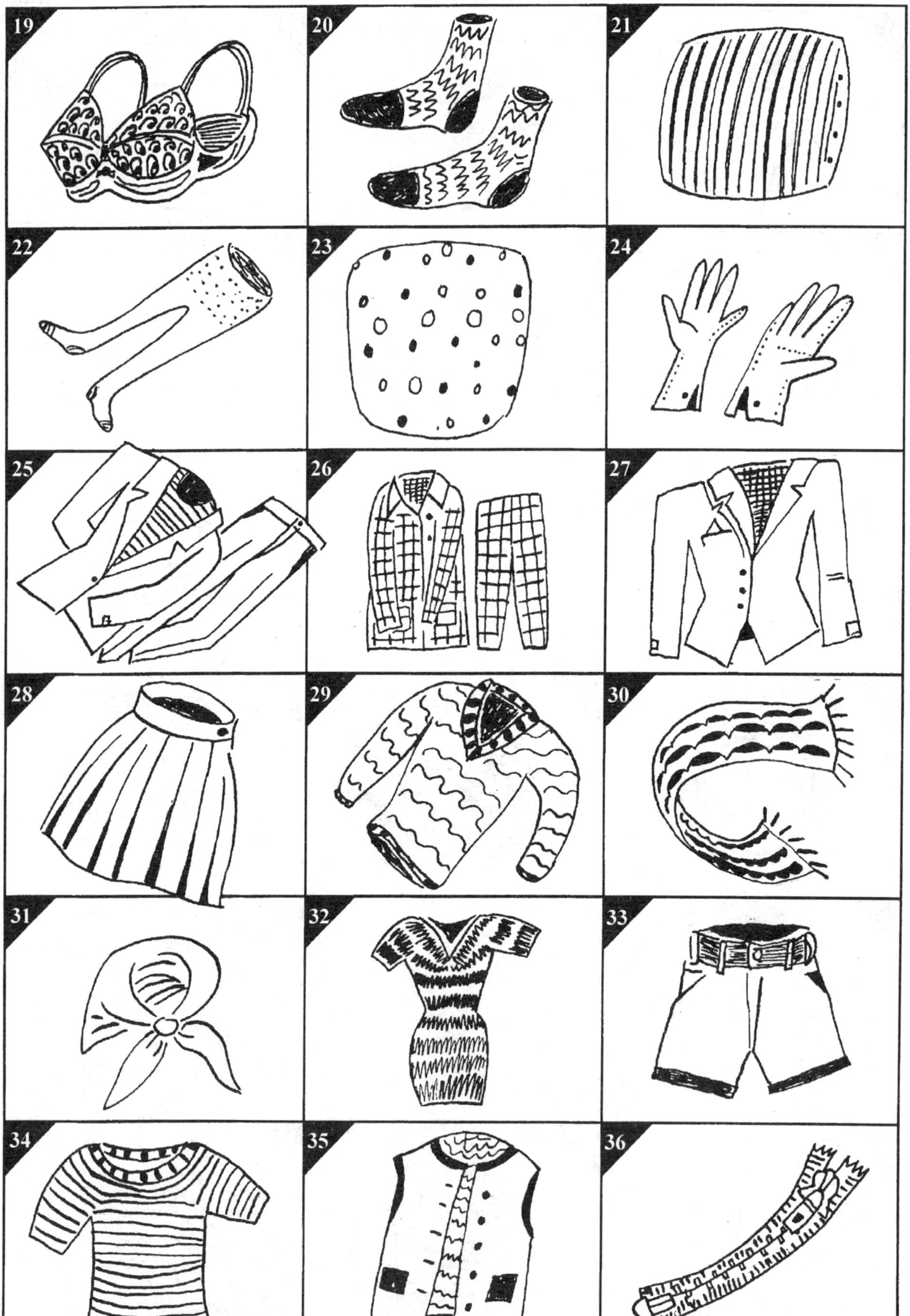
19
20
21
22
23
24
25
26
27
28
29
30
31
32
33
34
35
36

LESSON 13

- Use of the genitive.
- The genitive singular.
- The possessive meaning of the genitive.
- The qualifying meaning of the genitive.
- Other functions of the genitive.
- Vocabulary: Cooking.

use of the genitive

❑ *The genitive is used:*

1. *to express the possessive and qualifying meaning*

It expresses possession:
Ten svetr je **maminky**. That sweater is my Mum's.
It qualifies the preceding noun:
Praha je hlavní město **České republiky**. Prague is the capital of the Czech republic.

2. *in other functions*

It is used
a) as a partitive genitive after words denoting parts, containers, weights and measures:
Chtěl bych litr **červeného vína**. I'd like one litre of red wine.
Prosím metr **téhle látky**. Please, one metre of this fabric.
b) after "quantifiers" (trochu, moc, hodně, málo, dost, míň, víc, většina...)
Znám v Praze hodně **Američanů.**
c) The genitive plural is used with the numbers higher than 5. (See lesson 15, pp. 158, 159.)
Mám 5 **bratrů.** Kupuju 10 **housek.**
d) co, něco, nic... + the genitive sg. of adjectives
Chtěla bych něco **dobrého**.

Note that 1 and 2 a) and b) often correspond to the English "of" *or* "'s". *However, there is no outer "signal" (as* "of" *or* "'s"*) here. This meaning in implied by the ending!*

3. *after prepositions*

bez – without
během – during
blízko – near by
do – *(destination)* to, into
(time) to, up to, till, until
kolem, okolo – around, round; about
kromě, kromě toho – except, besides
místo, místo toho – instead, instead of
od – *(place or person)* – from, away from
(time) – from, since
u – by, at, near
at somebody's place
uprostřed – in the middle of
vedle – next to, besides
z, ze – of, off,from

4. *after some verbs:*

ptát se – to ask questions
bát se, mít strach z – to be afraid or scared of
účastnit se – to take part in...

5. *with dates and time:*

a) With dates you use the genitive sg. of ordinal numerals + the genitive sg. of adjectives
Je **prvního ledna**. It is January 1st.
b) Time
Je půl **dvanácté**. It is half past twelve.

the genitive Ma, Mi, F, N singular

the question (interrogative pronouns)

the nominative	*the genitive*
kdo? co?	**koho? čeho?**

ten, ta, to (demonstrative pronouns) and adjectives

Ma Mi N	**toho moderního českého**	(*coll.* **toho moderního českýho**)
F	**té moderní české**	(*coll.* **tý moderní český**)

nouns

main rules		*other rules*
Ma		
hard and ambiguous	**-a** (studenta)	1. Mobile -e- (pes – psa) 2. Stem changes (kůň – koně) 3. Nouns ending in -a have -y ending (policista – policisty)
soft (ž,š,č,ř,č,ď,ť,ň,c,j,-tel + s,z,c)	**-e** (muže)	
Mi	**-u** (hradu)	1. Mobile -e- (zámek – zámku) 2. Stem changes (dům – domu) 3. Several Mi words + names of months have -a ending (oběda, Londýna, chleba, lesa,kostela, večera, sýra, jazyka, čtvrtka...)
soft (ž,š,č,ř,ď,ť,ň,c,j)	**-e** (čaje)	
F		1. Mobile -e- (broskev – broskve) 2. Stem changes (sůl – soli)
-a ending	**-y** (kávy)	
-e/ě ending	**-e** (židle)	
cons. ending	**-e/-i** (skříně/kosti)	
N		1. The irregular N have special endings: kuře – kuřete, zvíře – zvířete, dítě – dítěte... 2. The Latin N nouns drop the –um ending: centrum – centra, muzeum – muzea...
-o ending	**-a** (piva)	
- e ending	**-e** (moře)	
- í ending	**-í** (nádraží)	

- ❑ *Ma names ending in pronounced* -i/-í /-y *are declined like adjectives:* (Jiřího, Sampleyho).
- ❑ *F names ending in pronounced* -i/-y *or a consonant do not change* (Lori, Judy, Carmen, *but also* paní).
- ❑ *The word "*chleba*" doesn't change – it is a "frozen" genitive!*
- ❑ *For the mobile -e- and stem changes, see A Trip back through History, p. 265.*

personal pronouns

the nominative — ***the genitive***

	short forms	*long forms*	*forms after prepositions (j ⇨ n)*
já	**mě**	**mě**	**mě**
ty	**tě**	**tebe**	**tebe**
on	**ho**	**jeho**	**něho, něj**
ona	**jí**	**jí**	**ní**
ono	**ho**	**jeho**	**něho**
my	**nás**	**nás**	**nás**
vy	**vás**	**vás**	**vás**
oni	**jich**	**jich**	**nich**

Notes:

- ❑ *Short forms of personal pronouns are members of "The Second Position Club" (see lesson 8, p. 93).*
- ❑ *Long forms are only used if you stress the pronoun (e. g.:* Vážím si tě. *BUT* Vážím si tebe, a ne jeho*!)*

possessive pronouns singular

the nominative sg. — ***the genitive***

	Mi ,Ma ,N	**F**
můj, moje/má, moje	**mého**	**mojí/mé**
tvůj, tvoje/tvá, tvoje	**tvého**	**tvojí/tvé**
jeho	**jeho**	**jeho**
její	**jejího**	**její**
náš,naše, naše	**našeho**	**naší**
váš, vaše, vaše	**vašeho**	**vaší**
jejich	**jejich**	**jejich**

possessive pronouns plural

the nominative pl. — ***the genitive pl.***

Mi ,Ma ,F , N	
moji, moje, moje	**mých**
tvoji, tvoje, tvoje	**tvých**
jeho	**jeho**
její	**jejích**
naši, naše, naše	**našich**
vaši, vaše, vaše	**vašich**
jejich	**jejich**

Notes:

- ❑ *You will hear forms* **mýho, tvýho, mý, tvý, mejch, tvejch** *in colloquial Czech.*
- ❑ *The genitive plural = locative plural.*

- ❑ *For declension of possessive adjectives, see Grammatical Tables, p. 270.*
- ❑ *For declension of numerals, see Grammatical Tables, p. 270.*

the possessive meaning of the genitive

❑ *The possessive meaning can be expressed by*
1. *the genitive:* To je slovník Johna. It is the dictionary of John. ***See here.***
2. *possessive adjectives:* To je **Johnův** slovník. It's John's dictionary. *See lesson 3, p. 41.*

1. Ask and answer.
Example: Čí je ten slovník? – kamarád: Ten slovník je kamaráda.
1. Čí je ta čokoláda? – dcera
2. Čí je ta tužka? – manželka
3. Čí je ta taška? – Irena
4. Čí je ten krásný moderní kabát? – maminka
5. Čí je ten lístek? – manžel
6. Čí je ten kufr? – tatínek
7. Čí je ta briliantová koruna? – britská královna
8. počítač – šikovný manažer
9. křeslo – důležitý šéf
10. víno – francouzský expert
11. kočka – malá holčička
12. chřestýš – mladý zoolog
13. mercedes – známý milionář
14. vila – bohatý ředitel

2. Review the possessive adjectives in lesson 3, p. 41. Use them in exercise 1.

REMEMBER:
tatínkův kabát = kabát **tatínka**
maminčina kniha = kniha **maminky**

3. Change the following expressions according to this example:
Example: To je Karlův pes. – To je pes Karla.

učitelova kniha
profesorův student
milionářův mercedes
prezidentův bodyguard
premiérova strategie
architektův projekt
dědečkova kočka
bratrovo pivo
kamarádčina židle
profesorčin slovník
maminčina kabelka
tetino rádio
sousedčin manžel
studentčin domácí úkol
premiérčina iniciativa
dceřin syn

4. Say the words in the brackets in the genitive.
1. slovník (můj hodný dědeček)
2. dům (tvůj starší bratr)
3. práce (můj energický šéf)
4. auto (moje bohatá partnerka)
5. svetr (tvoje chudá kamarádka)
6. koláč (naše hodná maminka)
7. starosti (vaše dobrá sousedka)
8. strategie (její asertivní šéfka)
9. recepty (jeho mladší sestra)

5. What is whose in the picture?

the qualifying meaning of the genitive

1. Use the genitive case.
Example: drama - Václav Havel: Drama Václava Havla.

1. kniha – autor
2. kosmetika – modelka
3. program – Národní divadlo
4. román – Milan Kundera
5. hudba – Bedřich Smetana
6. symfonie – Antonín Dvořák
7. politika – Bill Clinton
8. koncert – Česká filharmonie
9. román – známý spisovatel
10. fotografie – slavný fotograf
11. koncert – Pražské jaro
12. program – Státní opera
13. plán – nový Napoleon
14. portrét – anglická princezna
15. domácí úkol – dobrý student

2. Make sentences.
Example: To je fotografie Prahy.
Jaká je to fotografie? To je fotografie (rodina, krásné divadlo, maminka, sestra, populární herečka, nějaká krásná modelka, Malá Strana, kamarádka, tatínek, bratr, kamarád, Staré město, Český Krumlov
To je obraz (Václavské náměstí, Staroměstské náměstí, Bratislava, Jihlava, Ostrava, Znojmo, Brno)
To je socha (prezident Masaryk, Jan Hus, Josef Jungmann, Panna Marie, svatý Václav, svatá Ludmila)

3. Znáte hlavní města?
Example: Praha je hlavní město České republiky.

Londýn	Německo
Budapešť	Itálie
Varšava	Velká Británie
Moskva	Polsko
Ottawa	Kanada
Bratislava	Španělsko
Paříž	Maďarsko
Washington	Rusko
Řím	Ukrajina
Madrid	USA (ú es á)
Berlín	Slovensko
Kyjev	Francie

4. Znáte literaturu?
Example: Hamlet je drama Williama Shakespeara.

Tom Sawyer	drama (Anton Čechov)
Mistr a Markétka	román (Daniel Defoe)
Jana Eyrová	román (Charlota Bronteová)
Robinson Crusoe	muzikál (Miloš Forman)
Tři sestry	tragédie (William Shakespeare)
Vlasy	román (Mark Twain)
Romeo a Julie	román (Charles Dickens)
David Copperfield	román (Michail Bulgakov)

5. Znáte české peníze?
Example: Portrét XY znám z bankovky ...

Portrét (prezident T. G. Masaryk)	500 Kč
Portrét (historik František Palacký)	20 Kč
Portrét (spisovatelka Božena Němcová)	1000 Kč
Fiktivní portrét (svatá Anežka Česká)	100 Kč
Portrét (Jan Amos Komenský)	2000 Kč
Portrét (král a císař Karel)	5000 Kč
Fiktivní portrét (král Přemysl Otakar I.)	50 Kč
Potrét (zpěvačka Ema Destinová)	200 Kč

6. Znáte českou kulturu?
...pohádky Karla Čapka, Josefa Čapka nebo Ondřeje Sekory?
...prózy Karla Čapka, Jaroslava Haška, Milana Kundery, Bohumila Hrabala nebo Ludvíka Vaculíka?
...básně Jaroslava Seiferta, Františka Halase nebo Vladimíra Holana?
...filmy Miloše Formana nebo Jiřího Menzla?
...divadelní hry a eseje Václava Havla?
Say the names of these Czech authors in the nominative.

7. Topics for conversation.
Čí hudbu, poezii, knihy, seriály, filmy, hry, obrazy, komedie, tragédie, detektivky, horory … máte rádi?
Example: Mám rád hudbu Johanna Sebastiana Bacha.

other functions of the genitive

a) *the partitive genitive (parts, containers, weights and measures):*

dekagram, *coll.* **deko**	decagram
část	part
čtvrt, čtvrtka	quarter
hrnek	cup, mug
kilogram, *coll.* **kilo**	kilogram
krabice	box, packet
kus, kousek	piece
litr	liter
láhev	bottle
lžíce; lžička	tablespoon; teaspoon
metr	meter
půl, půlka, polovina	half
sáček	packet, bag

1. Say the words in the brackets in the genitive.

1. Dáte si čtvrt (litr) (bílé víno)?
2. Chcete půl (kilo) (hovězí maso)?
3. Hledáte metr (pruhovaná látka)?
4. Dáte si kousek (ten čokoládový dort)?
5. Nepotřebujete půlku (chleba)?
6. Když dělám guláš, potřebuju kilo (maso).
7. Když vařím puding, potřebuju 2 hrnky (mléko).
8. Když dělám guláš, potřebuju půl kila (cibule).
9. Když organizuju party, kupuju asi 4 litry (víno).
10. Když dělám krém, dávám tam 2 lžičky (cukr).

b) *"quantifiers":*

dost	enough
hodně, moc	much/many/plenty of
spousta *(coll.)*	a lot, lots, loads
kolik/několik	how much/many
málo	little/few
trochu	a bit/a little
tolik	so/that much/many
více, víc	more
méně, míň	less
většina	the majority of

2. Say the words in the brackets in the genitive.

1. Kolik (salám) chcete?
2. Mám tady spoustu (džus) a (čaj).
3. Tady je moc málo (voda)!
4. Máš dost (černá káva)?
5. Mám dovolenou a mám spoustu (čas)!
6. Potřebuješ víc (pití) a (jídlo)?
7. Mám dneska málo (práce).
8. Chcete víc nebo míň (guláš)?

c) *other expressions + adjectives in the genitive*

co
nic
něco

3. Read and answer.

1. Víte, co je nového?
2. Máte chuť na něco dobrého?
3. Chcete něco podobného jako mám já?
4. Máte pro mě něco důležitého?
5. Chcete něco jiného?
7. Nemáte chuť na něco malého?
8. Hledáte něco originálního?
9. Nechcete nic komplikovaného?

4. You can practise the partitive genitive using the vocabulary from lessons 1, 6 and 13.

1. **Work with a dictionary. Look up the meanings of the following words.**
kelímek, krabice, krabička, láhev, sáček, sklenice, sud, konzerva, kbelík, koš, džbán

2. **Jdete na nákup. Co kupujete? Use the containers.**
Example: Kupuju sáček mouky, krabici cukru, sklenici medu, láhev piva...

3. **Complete the sentences.**
Example: Mám rád omáčku. Chtěl bych ještě trochu omáčky.
1. Už nemám cukr. Musím kupovat asi kilo ....
2. Máte doma kávu? Potřebuju asi lžičku ....
3. Mám ráda silný anglický čaj. Každé ráno piju dva hrnky ....
4. Ta učebnice má ještě jednu část. Hledám tu část ....
5. Tady máte váš lék. V lékárně se zeptáte, kolik .... musíte brát.
6. Kde je ten čaj? Mám chuť na trošku ....
7. To je moje teplé mléko. Když jdu spát, vždycky piju hrnek ....
8. Máte rádi med? Tady je pro vás láhev ....

4. **Use the correct forms of adjectives:**
1. Čteš něco (zajímavý)?
2. Mám chuť na něco (dobrý).
3. Mám chuť na něco (sladký).
4. Karel nikdy neříká nic (smutný).
5. Máš pro mě něco (důležitý)?
6. Co je (nový)?
7. Nikdy nejím nic (kyselý).
8. Potřebuju něco (nový).
9. Chci slyšet něco (veselý).
10. Těším se na něco (dobrý).
11. Nechci říkat nic (špatný).
12. Co tak (důležitý) čteš?
13. Máš pro mě něco (hezký)?
14. Co (zajímavý) jste viděli?
15. Nekupuju nic (ostrý).

Dobrou chuť!

5. **Use the dictionary. Say the meanings of the following words.**
měkký, tvrdý, hrubý, hladký, vařící, vařený, syrový, mražený, smažený, pečený, hustý, řídký, hotový

6. **Learn the expressions on the following page. Read.**
You can only use 2, 3 and 4 when counting! For numbers higher than 5 see lesson 15, p. 159.

rychlé špagety

Vaříte rádi? Teď, když znáte genitiv, můžete používat české recepty! Na tohle jídlo potřebujete špagety, trochu oleje, 2 pórky, čtvrt litru šlehačky, trochu soli a pepře a kousek sýra (Eidamu nebo parmazánu). Vaříte špagety. Krájíte pórek. Dusíte pórek, pak přidáte šlehačku a ještě trochu dusíte. Potom tam dáte trochu soli, trochu pepře a vařené špagety. Pak strouháte sýr a sypete nahoru sýr. To je všechno.

čočkový salát

Potřebujete asi půl kila nebo kilo čočky, 1 majonézu, trochu soli a jeden nebo dva pórky (+ tofu, salám, cibuli, slaninu, vajíčka…). Vaříte čočku a když je měkká, lijete vodu pryč. Když je čočka studená, přidáte tam majonézu (nejlepší je dietní majonéza Hellman´s light) a sůl. Pak krájíte pórek a dáte tam taky pórek. Když máte rádi tofu, používáte taky tofu nebo salám, slaninu, cibuli, vajíčka... Pak všechno mícháte. A salát je hotový. Nejlepší je studený.

vídeňské knedlíky

Potřebujete housky nebo rohlíky (asi 8), 2 lžíce másla, 1 hrnek mléka, 2 vejce, 4 lžíce hrubé mouky, půl lžičky soli. Housky krájíte. Pak přidáte sůl, (rozpuštěné – melted) máslo, mléko a vejce. Pak těsto necháte asi jednu hodinu odpočívat. Pak tam dáte mouku, mícháte a asi 10 minut čekáte. Formujete knedlíky. Pak dáváte knedlíky do vařící vody a vaříte asi 13 minut.

7. **Topic for conversation:** Jaký lehký a dobrý recept znáte? (Ale nic komplikovaného, prosím!)

1. **dusit/udusit**	to stew, to steam
2. **forma (na pečení)**	(baking) form
3. **grilovat**	to grill
4. **kapat/kápnout***	to drip
5. **konvice**	(tea, coffee) pot, kettle
6. **krájet/nakrájet**	to cut, to slice (with a knife)
7. **kynout*/vykynout**	rise (dough)
8. **láhev**	bottle
9. **lít*/nalít**	pour (a liquid)
10. **lžíce, lžička**	tablespoon, teaspoon
11. **hrnec**	pot, saucepan
12. **měřit/naměřit, změřit**	to measure
13. **míchat/zamíchat**	to mix
14. **mísa**	bowl
15. **mixovat/umixovat**	to mix using a mixer
16. **mýt*/umýt nádobí**	to wash the dishes
17. **nechat/ponechat**	to leave, to let
18. **nůž**	knife
19. **obalovat/obalit**	to bread; to wrap
20. **odpočívat/odpočinout**	to rest, to have a rest
21. **pánev**	frying pan
22. **péct*/upéct**	to bake
23. **poklice**	lid (of a pot)
24. **přidávat/přidat**	to add
25. **sáček**	bag
26. **smažit/usmažit**	to fry
27. **sporák (plynový, elektrický)**	cooker (gas, electric)
28. **strouhat/nastrouhat, ustrouhat**	to grate
29. **sypat*/nasypat, posypat**	to pour (sugar, flour...), sprinkle
30. **talíř**	plate
31. **těsto**	dough
32. **trouba**	oven
33. **uklízet/uklidit**	to tidy
34. **vařit/uvařit**	to boil; to cook
35. **vážit/zvážit**	to weigh
36. **vidlička**	fork

❑ *Typical endings of non-coloured nouns are:* **consonant** *for* Ma/Mi, **-a** *for* F *and* **-o** for N.
❑ *The underlined -e- denotes the mobile -e- that disappears in declined forms.*

What can you see in the kitchen?

LESSON 14

- Prepositions + the genitive.
- Adverbs expressing direction vs. location II.
- Direction in Czech.
- Vocabulary: Immigration and emigration.

prepositions + the genitive

bez/beze – **without**
Chci čaj bez cukru. Dám si kolu bez ledu. Hledám byt bez nábytku. Jdu na výlet bez psa.

během – during
Během jara chci dělat všechny zkoušky.

blízko – near by
Kavárna je blízko cukrárny. Bufet je blízko divadla. Děti mají školu blízko domu.

do
1. *place* – to, into
   Jdu do školy. Jdeme do kina. Jedu do práce. Ideš taky do restaurace? Vezu děti do školky.
2. *time* – to, up to, till, until
   Pracuju do večera. Studoval jsem do rána. Máš čas do oběda? Budu tady do roku 2000.

kolem, okolo – around, round, past, by; about
Děti běhají kolem domu. Chodím do školy okolo sochy Jana Husa. Je tam kolem 20 (dvaceti) lidí.

kromě – except
Kromě Ivy půjdeme na výlet všichni. Na diskotéce byli všichni kromě Marie.

místo, místo toho – instead of
Místo sestry půjde do kina kamarádka. Nešel jsem do kina a místo toho jsem pracoval.

od/ode
1. *time* – from, since
   Od minulého víkendu mám pořád dobrou náladu.
2. *person* – from, by
   Ten krásný svetr mám od tatínka. To je román od Charlese Dickense.
3. *from a place* – from outside a place or from a person *(compare the preposition* **z***)*
   Česká republika je na východ od Německa. Jdu od kamaráda. Jedu od doktora.

podle – according to
Podle mého názoru je ten film dobrý. Podle babičky a dědečka je náš kluk malý génius.

u
1. *by, at, near*
   Dům je u nádraží. U hospody je velký strom. U divadla je dobrá restaurace. U moře je to fajn.
2. *at somebody's place*
   Byla jsem u doktora. O víkendu u nás bude návštěva. U vás je to tak hezké! Byla jsem u matky.

vedle – next to, beside
Vedle divadla je kavárna. Vedle našeho domu je zastávka autobusu. Obchodní dům je vedle banky.

uprostřed, vprostředku – in the middle of
Uprostřed Staroměstského náměstí stojí socha Jana Husa. Děti si nemůžou hrát uprostřed ulice.

z/ze
1. *from inside a place or from the surface* – from, off *(compare with the preposition* **od***)*
   Jedu z Prahy do Brna. Včera jsem letěl z Londýna do Bukurešti. Beru knihu ze stolu.
2. *to be from/of (also a material), to come from* – of, from
   Prsten je ze zlata. Hračka je ze dřeva. Čaj je z Číny. Šampaňské pochází (comes from) z Francie.
3. *time* – from
   Ta stará fotografie je z roku 1914. Film je z roku 1996.

1. Practise the prepositions: bez, během, blízko, kolem, kromě, místo, podle, u, uprostřed, vedle + the genitive sg.

Jednou salát bez (majonéza).
Třikrát whisky bez (soda)!
Jdeme na výlet bez (dcera).
Pojedeme na Slovensko bez (dědeček).
Šli jsme na koncert bez (tatínek).
Nechci kávu bez (cukr).
Prosím jeden gin bez (tonik).
Koncert bez (klavír)? To není ono!
Půjdeme na návštěvu bez (syn).
Šla jsem na operu bez (kamarád).

Kromě (babička) byli všichni spokojení.
Na hory jeli všichni kromě (Ivana).
Kromě (teta) jela na návštěvu celá rodina.

Chodím do školy kolem (kavárna a cukrárna).
Kolem (dům) jsou stromy.
Včera jsem šla kolem (pošta).
Kolem (chata) je les.
Půjdeš kolem (banka)?
Kolem (učitelka) sedí děti.

Podle (já) je to nesmysl.
Podle (maminka) jsou tyhle šaty moderní!
Podle (babička) je náš syn malý Einstein.

Uprostřed (náměstí) je socha.
Děti sedí uprostřed (místnost).
Uprostřed (park) je krásná fontána.

Blízko (stanice metra) je obchodní dům.
Sedím blízko (kamarád).
Banka je blízko (nádraží).

Vedle (obchodní dům) je kavárna.
Sedím vedle (nejlepší kamarádka).
Bydlím vedle (dobrá sousedka).

U (knihovna) je dobrá restaurace.
Sejdeme se u (Národní divadlo).
Bydlím u (paní Korošová a pan Slavík).

Místo (sestra) pojedu na výlet já.
Půjdu na konferenci místo (šéf).
Musím jít na nákup místo (manželka).

Během (léto) budu tady v Praze.
Někdy během (zima) plánuju dva výlety.
Během (školní rok) budu studovat každý den!

2. Describe the picture.
Example: Fontána je uprostřed náměstí.

adverbs expressing direction vs. location II.

❑ *See the general scheme of Direction versus Location in Grammatical Tables, p. 271.*

❑ *Note that there is a special set of adverbs in Czech expressing the motion "from somewhere".*

from where?	*where to?*	*where?*
odkud	**kam**	**kde**
odtamtud	**tam**	**tam**
z domu, z domova	**domů**	**doma**
odtud, odsud	**sem**	**tady**
shora	**nahoru**	**nahoře**
zdola	**dolů**	**dole**
zepředu	**dopředu**	**vpředu**
zezadu	**dozadu**	**vzadu**
zleva	**doleva, vlevo, nalevo**	**nalevo, vlevo**
zprava	**doprava, vpravo, napravo**	**napravo, vpravo**
zevnitř	**dovnitř**	**uvnitř, vevnitř**
zvenku	**ven**	**venku**
od/zprostředka	**doprostřed**	**uprostřed, vprostředku**
odjinud	**jinam**	**jinde**

❑ *You can also review what you know about the verbs of motion (lesson 11):*
1. They have determined and indetermined forms.
2. The determined ones have a special future tense with the prefixes **pů-** *and* **po-**.
3. You can use all of them in the construction: verb of motion + na + *the accusative.*
4. The verb jít *has an irregular past participle* (šel, šla, šlo, šli).

1. Practise. Make similar sentences.
Odkud jdete? Kam jdete? Kde jste?
Jedeme odtud. Jedeme tam. Jsme tam.

2. Read and compare.
1. **Odkud** neseš ten salát?
2. **Kam** jedete příští týden?
3. **Kde** budete o víkendu?
4. Letadlo letí **shora**.
5. Letadlo letí **nahoru**.
6. **Nahoře** letí letadlo.
7. Nečteme knihu **zprostředka**.
8. Chceš jít **doprostřed**?
9. Vidíš? Tady jsem **uprostřed**.
10. Jdu **zevnitř**.
11. Jdeme **dovnitř**?
12. Jsme **uvnitř**.
13. Ten dort mám **z domova**.
14. Ve čtvrtek pojedu **domů**.
15. V pátek budu **doma**.
16. Jdete zdola nebo **shora**?
17. Jdete dolů nebo **nahoru**?
18. Jste dole nebo **nahoře**?

3. Use the map. Practise the adverbs expressing direction in simple dialogues.
Example: Prosím vás, kde je banka? – Jděte (go) doprava, rovně a pak doleva.

the direction in Czech

❑ *Compare the general scheme of Direction versus Location in Grammatical Tables, p. 271.*

1. *z – do*

❑ *The meaning is from inside a place or from a surface to inside.*

1. Make sentences.
***Example:* Jdu do školy a ze školy.**
hospoda, kavárna, vinárna, cukrárna, banka, restaurace, galerie, divadlo, kino, hotel, bazén, škola, továrna, školka, práce, kancelář, park, obchod, obchodní dům, bar, supermarket, les;
Jihlava, Znojmo, Brno, Bratislava, Český Krumlov, Telč, Kutná Hora, Tábor, Olomouc, Ostrava;
Londýn,Varšava, Moskva, Ottawa, Bratislava, Ženeva, Barcelona, Washington, New York, Tokio,

2. *z - na (+ acc.)*

❑ *The meaning is from inside a place/from a surface on/at ... For* "na" *see lesson 11, p. 120.*

2. Complete the sentences.
Example: Jdu na oběd a pak půjdu z oběda.

1. V neděli jdu na dlouhý výlet a pak...
2. Jdu na zajímavou výstavu a pak...
3. V neděli jdeme na procházku a pak ...
4. Pan Brown a pan Kubka jdou na schůzi a pak...
5. Dneska večer jdu na recepci a pak ...
6. V pondělí jdu na koncert a pak ...
7. Jdete dneska odpoledne na návštěvu a pak ...
8. Odpoledne jedu na letiště a pak ...

3. *od – k (+ dative)*

❑ *The meaning is from outside a place/person to outside a place/person. For the dative, see lesson 22.*

3. Read.

1. Jdu od doktora.
2. Jdu od holičky.
3. Na Šumavu musíte jet od Prahy na jih.
4. Jedeme od moře.

> ***COMPARE*** *the use of the prepositions* **do**, **na** *and* **k**:
> jdu na hrad *(as a place)* – jdu do hradu *(to inside the building)* – jdu k hradu *(to outside the building)*
> jdu na vlak *(as a station)* – jdu do vlaku *(to inside)* – jdu k vlaku *(to outside)*
> jdu na školu *(an institution)* – jdu do školy *(to inside the building)* – jdu ke škole *(to outside the bilding)*

4. Read. Set up the similar simple dialogues. Use the map.

1. Jak se jde na Smetanovo náměstí? – Tady nahoru a pak doleva a jste tam.
2. Jak se dostanu na Karlův most? – Musíte jít doleva, u kavárny Slavie doprava a pak rovně.
3. Prosím vás, jak se jde do obchodního domu? – To je blízko. Tady doprava, asi pět minut.
4. Nevíte, kde je Hlavní nádraží? – Musíte jet přes tenhle most a pak doleva.
5. Promiňte, jak se jde do Národní galerie? – Musíte jít nahoru na náměstí a pak doprava.

> ***REMEMBER:*** **Jak se dostanu do/na/k...** How shall I get...
> **Jak se jde do/na/k...** How to go...

5. You can practise the direction using the vocabulary from lessons 4, 8 and 16.

1. **Fill in the prepositions** na, do, z, od **and** u:
1. Zítra jedu ... Jihlavy. 2. Kdy jedeš ... Moravu? 3. Příští týden vezu děti ... školy. 4. Katka nemá čas, běží ... autobus. 5. Vedu psa ... procházku. 6. Jdu ... doktora. 7. Když jsem včera večer šla ... holiče, viděla jsem Adama. 8. Letos chceme jet ... perfektní dovolenou ... Itálie. 9. Kamila jela na rok ... Ameriky jako au-pair. 10. Studovala jsem ... dobrého profesora. 11. Letadlo... Berlína letí v 19 hodin. 12. Honza a Radka poletí zítra ... Moskvy... služební cestu. 13. Chtěla bych jet na týden ... hory. 14. Ztratila jsem pas, a tak musím jet ... ambasádu ... Prahy. 15. Když jsme neměli byt, bydleli jsme ... maminky. 16. Karel půjde příští týden ... policii. 17. Nemám čas, spěchám ... nádraží! Jedu ... kina! 18. Manžel byl ... doktora, protože měl migrénu. 19. Nemáš hlad? Nechceš jít ... restaurace ... oběd nebo aspoň ... kávu? 20. Pozítří budu celý den ... kamarádky, protože se budu starat o její děti. 21. Plánujeme cestu ... Slovensko. 22. Jedeš taky zítra ... Brna? 23. To je smůla! Dneska večer máme jít ... divadla, ale bolí mě v krku a hlava. 24. Jdu .... poštu ... Václavské náměstí a pak ... divadla ... Strnadovy ulice. 25. Nechceš jít zítra ... koncert? 26. Promiň, ale musím si odskočit ... toaletu. 27. Vlak ... Budapešti jede v 5.58 ... Hlavního nádraží. 28. Pojedeš příští rok ... Irska nebo ... Skotska? 29. Zítra pojedeme ... Prahy domů. 30. Těším se na Vánoce – budu ... babičky a dědečka! 31. Každý rok létám ... návštěvu ... Francie. 32. Za rok jedu ... Londýna. 33. Za týden chceme jet ...výstavu ... Bruselu. 34. Spěchám ... letiště. 35.To je film ... roku 1968. 36. Jsem tady ... března ... dubna.

2. **Say where your friends, classmates and the famous people you know are or come from.**
Example: Můj kamarád Bill je z Ohia. Madelaine Albrightová pochází z Československa.
Odkud je váš partner nebo vaše partnerka/vaši rodiče/váš dobrý kamarád nebo kamarádka?

3. **Work with a dictionary. Say what the following things are and according to whom they are named after.**
Example: Sendvič je jídlo podle anglického lorda Sandwiche.

sendvič	látka	podle francouzského lékaře Guillotina
žiletka	dort	podle belgického chemika Baekelanda
morseovka	speciální hrnec	podle amerického milionáře Gilletta
bakelit	speciální abeceda	podle slavného rakouského cukráře Sachera
papiňák	umělá hmota	podle francouzského vynálezce Papina
gilotina	zbraň	podle anglického města Manchester
sachr	nástroj na popravy	podle anglického lorda Sandwiche
kolt	nástroj na holení	podle amerického malíře Samuela Morsea
manšestr	jídlo	podle amerického výrobce zbraní Colta

4. **Work with a dictionary. Idioms, proverbs, catch phrases**

Pracuju od rána do večera.	Z bláta do louže.	Mít něco ze života.
Bez peněz do hospody nelez.	Bez práce nejsou koláče.	Nic si z toho nedělat.

5. **Read the names of Czech pubs. Do you know some more?**

U zlatého hada *U malého Glena*
U zlatého tygra ***U červeného orla*** **U veselé kozy**
U SUDU U zelené žáby *U Černého vola*

6. **Read. Ask about underlined words.**
Example: Jdu ven bez syna. – Bez koho?
Jím všechno kromě špenátu. – Kromě čeho?

1. Kouřím cigarety bez nikotinu.	6. Jdu na procházku bez psa.	11. Během léta budu tady.
2. Čekám vedle kasina.	7. Beru svetr ze skříně.	12. Taška je u stolu.
3. Chcete jít do kavárny?	8. Chodím kolem obchodu.	13. Jdu do práce.
4. Včera jsem byla u kamaráda.	9. Pracuju blízko parlamentu.	14. Eva půjde místo Jany.
5. Znáte ten román od Hrabala?	10. Uprostřed lesa je malý dům.	15. Znáš operu od Dvořáka?

1. Read and retell in Czech.

Cesta kolem světa za 80 dní

dobrodružství – adventure
hrdina, hrdinka – hero
jízdní řád – time-table, schedule
rychlý – fast
svět; světový – world
úspěch – success

Znáte literárního hrdinu Philease Fogga? Asi ano. Je to hrdina známého románu francouzského autora Julese Verna, který se jmenuje Cesta kolem světa za 80 dní. Možná jste jeho dobrodružství četli, když jste byli malí, nebo tu knihu teď čtou vaše děti. Když autor v roce 1872 román psal, cesta kolem celého světa za 80 dní už opravdu nebyla utopie. Existovaly rychlé vlaky a lodě a moderní technika prosperovala. Román měl senzační úspěch. A víte, co populárního autora inspirovalo? Malá turistická brožurka - jízdní řád cestovní kanceláře Thomas Cook & Son! Nebyl to samozřejmě obyčejný jízdní řád, ale první světový jízdní řád. Když Verne nový jízdní řád četl, měl nápad: cesta kolem světa bude výborný motiv románu! A tak začínalo dobrodružství britského džentlmena Philease Fogga. Víte, jak pan Fogg kolem světa cestoval?

2. **Work with the map of the world on page 172. From where to where did Mr. Phileas Fogg go?**
Londýn, Paříž, Brindisi, Suez, Bombaj, Kalkata, Singapur, Hongkong, Jokohama, San Francisco, New York, Liverpool, Londýn
Now put the countries into the correct order:
Egypt, USA, Itálie, Japonsko, Velká Británie, Indie, Francie, Čína, Indonésie
Jak mohl Phileas Fogg jet? Jaké dopravní prostředky používali lidé kolem roku 1872?
vlakem, lodí, autobusem, letadlem, balónem, raketou, na kole, autem

3. **Topics for conversation:**
Znáte nějakého slavného cestovatele (traveller)? Odkud a kam jel ?
Taky chcete jet na nějakou velkou cestu kolem světa jako Phileas Fogg? (How would you go?)
Kde jste už byli a odkud kam jste jeli? (Describe your longest cruise or journey!)

4. **Work with the dictionary. Read the following story.**
Jednou jsem letěl na dlouhou a důležitou služební cestu do Evropy. Když jsem chtěl letět z Turecka do Německa, měl jsem smůlu: řekli mi, že moje letadlo do Bonnu má zpoždění celý den! Měl jsem opravdu velkou zlost, protože na cestu jsem měl přesný program. Běžel jsem do pokladny a volal jsem: „To je skandál!" – „Všechno bude v pořádku, pane," uklidňoval mě úředník. „Můžete letět včerejším letadlem. Ještě je tady."
Podle časopisu Reader's Digest Výběr. Adaptováno.

5. **Learn the words from the following page. Answer the questions:**
1. Cestovali jste někdy někam opravdu daleko?
2. Posíláte často dopisy? A kam?
3. Stěhovali jste se někdy někam? Kolikrát za život?
4. Víte, kdy, proč a kam se stěhovali čeští emigranti?
5. Jak často musíte chodit na cizineckou policii?
6. Když cestujete, používáte cestovní šeky?
7. Jaké doklady potřebujete tady v České republice?
8. Jaké doklady potřebujete doma?
9. Které země jsou sousedi České republiky?
10. Jak starý je váš pas?
11. Kdy budete muset žádat o nový pas?
12. Jak často jezdíte domů?
13. Telefonujete domů? Kolik to stojí?
14. Do jaké země chcete jet na dovolenou?
15. Do jaké země potřebujete vízum?
16. Jak často chodíte na velvyslanectví?
17. Za co platíte clo?
18. Vyplňujete rádi dotazníky?
19. Znáte nějaký český hraniční přechod?
20. Jsou ve vaší zemi imigranti?
21. Máte řidičský průkaz? Od kdy?
22. Spěcháte často? Kam a proč?

1. **azyl**	political asylum
2. **cesta; cestovat**	journey, way, road, trip; to travel
3. **cizina**	places/countries "abroad"/"overseas"
4. **cizinecká policie**	foreigner's police
5. **clo; celní prohlídka**	customs; customs check
6. **doklad, dokument**	paper, document
7. **dotazník**	form, questionnaire (in public inquiry)
8. **emigrant, vystěhovalec**	emigrant
9. **formulář**	form/blank
10. **hranice**	border
11. **hraniční přechod**	border crossing
12. **nastupovat/nastoupit**	to get on
13. **imigrant, přistěhovalec**	immigrant
14. **občan, občanka**	citizen/national/subject
15. **pas**	passport
16. **platnost, platný**	validity, valid
17. **posílat/poslat**	to send
18. **povolení k pobytu**	residence permit
19. **pracovní povolení**	work permit
20. **průkaz**	certificate/identification card
21. **přestup; přestupovat/přestoupit**	change; to change
22. **razítko**	stamp
23. **stěhovat/přestěhovat**	to move
24. **spěchat/přispěchat**	to hurry
25. **úřad**	office/bureau
26. **úředník, úřednice**	clerk
27. **vízum**, *pl.* **víza**	visa
28. **velvyslanec, velvyslankyně**	ambassador
29. **velvyslanectví, ambasáda**	embassy
30. **vracet se/vrátit se**	to return
31. **vyplňovat/vyplnit**	to fill in
32. **vystupovat/vystoupit**	to get off
33. **zákon, předpis, pravidlo**	law, instruction, rule
34. **zavazadlo**	luggage
35. **žádost**	application
36. **žádat/požádat (o)** *(+ accus.)*	to apply for st.

❑ *Typical endings of non-coloured nouns are:* **consonant** *for* Ma/Mi, **-a** *for* F *and* **-o** for N.
❑ *The underlined -e- denotes the mobile -e- that disappears in declined forms.*

LESSON 15

- Ordinal numerals.
- Time and date.
- Verbs + (preposition) + the genitive.
- Pronouns in the genitive.
- The genitive plural.
- The second step to Czech counting.
- Vocabulary: Money, weights, measures.

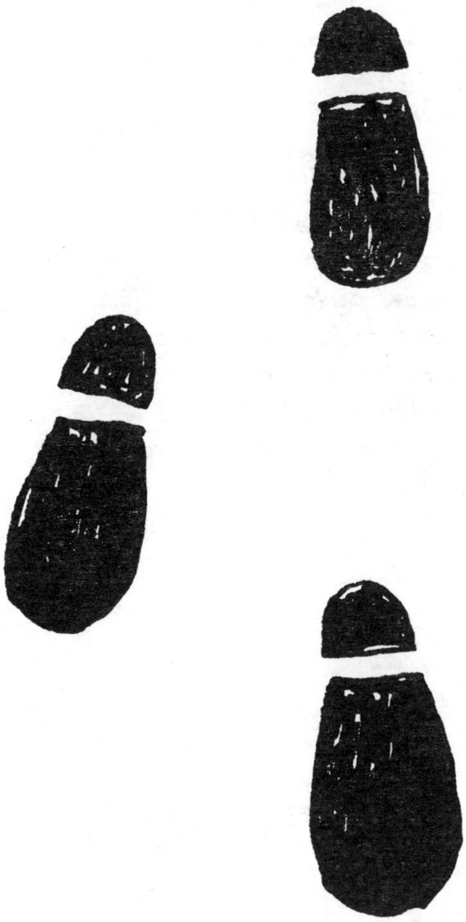

ordinal numerals

❑ *Look at the endings of the following ordinal numerals. How do you think they will be declined?*

kolikátý?
0. nultý
1. první
2. druhý
3. třetí
4. čtvrtý
5. pátý
6. šestý
7. sedmý
8. osmý
9. devátý
10. desátý
11. jedenáctý
12. dvanáctý
13. třináctý
14. čtrnáctý
15. patnáctý
16. šestnáctý
17. sedmnáctý
18. osmnáctý
19. devatenáctý
20. dvacátý
21. dvacátý první…
100. stý
1 000. tisící
100 000. stotisící
1 000 000. milióntý
poslední

1. Work with a dictionary. Read.

4. patro/poschodí
20. století
6. stránka
1. dáma USA
2. den
2. ulice
3. televizní kanál
7. lekce
5. díl seriálu
6. třída
3. manžel
9. symfonie Beethovena
1. pokus
1. láska
2. semestr
4. den
5. stanice
3. zastávka
1. program
moje 1. auto
1 000 000. návštěvník
2. kategorie
1. výročí
poslední šance

REMEMBER:
padesátá (*coll.* **padesátý**), **šedesátá, sedmdesátá, osmdesátá, devadesátá léta**

2. Read with a dictionary.

Budete slavit výročí svatby?

1. výročí svatby je papírové a vhodný dárek jsou květiny.
7. výročí je měděné a dárek je z kovu.
10. výročí je růžové a dárek je kytice růží.
12. výročí je niklové a dárek jsou příbory nebo nádobí.
15. výročí je skleněné a dárek je ze skla.
20. výročí je porcelánové a dárek je z porcelánu.
25. výročí je stříbrné a dárek je ze stříbra.
30. výročí je perlové a dárek je pravá perla.
35. výročí je lněné a jako dárek můžete kupovat něco praktického do domácnosti.
40. výročí je rubínové a dárek je rubínový prsten.
50. výročí je zlaté a dárek je ze zlata.
60. výročí je briliantové a dárek je samozřejmě briliantový šperk.

3. Say who is first, second… in the picture.
Example: Jakub je první, Eva je…

time and date - čas a datum

1. *Hours. The question: Kolik je hodin? What's the time?*

❑ *Czechs divide the hour into quarters. Except for the exact hour they always refer to the following hour (from one to twelve).*

čtvrt | **tři čtvrtě** | **půl**

čtvrt/tři čtvrtě + *na* + *the accusative*
čtvrt na jednu *(hodinu)*
čtvrt na dvě, tři, čtyři... *(hodiny),*

půl + *fem. genitive of ordinal numerals*
půl jedné *(hodiny)*
půl druhé třetí, čtvrté... *(hodiny),*

1. Practise:
7. 15; 9. 30; 7. 45; 5. 30; 2. 30; 8. 30; 6. 15; 11. 45; 12. 45; 22.30; 23.15; 00.45; 20.15

2. Describe your program using "Czech time". You can use the vocabulary from lesson 19.
V kolik hodin obvykle vstáváte, chodíte do práce, jíte, chodíte spát?

2. *Dates. The question: Kolikátého je dneska? What's the date today?*

ordinal numbers in the genitive (prvního, druhého, třetího...)	+	*months in the genitive* (ledna, února, března... prosince)

3. Read dates using your diary or a calendar.

4. Topics for conversation.
Kolikátého je dneska? Kolikátého bylo včera? Kolikátého bude zítra? Kolikátého máte narozeniny? Kolikátého mají narozeniny vaši příbuzní a kamarádi? Kolikátého má vaše země nějaký významný svátek? Znáte české svátky? Kolikátého je Štědrý den a Silvestr? Kolikátého je Mikuláš?

5. Work with a dictionary. Choose the correct date from Czech history.

1. Kdy byla nacistická okupace Československa?	a)6. 7. 1415
2. Kdy byla sovětská okupace Československa?	b)15. 3. 1939
3. Kdy byla „sametová" revoluce?	c)28. 10. 1918
4. Kdy umřel Jan Hus?	d)25. 2. 1948
5. Kdy byl „Velký Únor" (komunistická revoluce)?	e)17. 11. 1989
6. Kdy vzniklo samostatné Československo?	g)21. 8. 1968

3. *from/since – to (time): od – do*

1, 2, 3, 4 – jedné, dvou, tří, čtyř	BUT	**5 – 99** *take* -i *in all the cases* – **pěti, šesti**...

6. Practise:
1. Konference trvá od 8 do 10.
2. Schůze bude trvat od 11 do 12.
3. Trénink mám od 7 do 11.
4. Festival bude trvat od 10 do 16.
5. Film trvá od 7 asi do 9.
6. Fotbal trval od 10 do 12.

verbs + (preposition) + the genitive

ptát se/zeptat se – to ask questions
(+ *gen.* + na + *acc.)*
Ptám se Hany, jestli má peníze.
Ptám se sekretářky, jestli připravila dokumenty.
Nikdy se nikoho na nic neptám.

bát se* – to be afraid/scared
Alena se bojí velkého pavouka.
Milan se bojí zlého psa.
Babička se bojí malé myši.

dělat si legraci z – to make fun of
Dělali jsme si legraci z kamaráda.
Celá třída si dělala legraci z učitelky.
Myslíte to vážně? Neděláte si ze mě legraci?

dosahovat/dosáhnout – to reach
Dosáhli jsme úspěchu.
Nedosáhli jsme toho, co jsme plánovali.
Sportovec dosáhl dobrého výsledku.

mít strach z – to be afraid/scared
Mám strach ze špatného šéfa.
Mám strach z inflace.
Mám strach ze špatných lidí *(pl.)*.

účastnit se/zúčastnit se – to take part in
Ředitel se účastní konference.
Politici se účastní mezinárodního kongresu.
Všichni naši sportovci se účastní olympiády.
Prezident se účastní schůze parlamentu.

vážit si – to respect, to think highly of
Vážím si našeho prezidenta.
Vážím si kamarádky.
Nevážím si nikoho.

týkat se – to concern, to refer/relate to st.
To se tě netýká.
Ten problém se netýká naší práce.
Diskuse se týkala problému rasové diskriminace.

všímat si/všimnout si* – to notice
Musíme si všímat každého detailu.
Nevšímám si každého nesmyslu.
Petr si nevšímá ničeho a jenom pracuje.

zamilovávat se/zamilovat se do – to fall in love with
Romeo se zamiloval do Julie.
Alice se zamilovala do Petra.
Jan a Eva se do sebe zamilovali.

1. Practise the interrogative pronouns. Answer the questions.

Koho si vážíte?	Koho si všímáte?	Čeho se bojíte?	Čeho se účastníte?
Čeho si vážíte?	Čeho si všímáte?	Z čeho máte strach?	Čeho se týká diskuse?
Koho se ptáte na radu?	Koho se bojíte?	Z koho máte strach?	Čeho se týká konference?

2. Fill in "který".
1. Filip je člověk, ... si vážím.
2. Včera jsem viděla v zoo lva, z .... jsem měla strach.
3. Zítra je ta důležitá konference, ... se taky účastní jeden slavný ekolog.
4. To je ta zlá profesorka, ... se bojím.
5. Prezident je politik, ... si opravdu vážím.

3. Look at the picture.

Koho/čeho se bojíte?

pronouns in the genitive

❑ *Learn the pronouns in Lesson 13, p. 138.*

1. Practise the interrogative pronouns.

1. .... (kdo) si vážíte?
2. ....(co) si účastníte?
3. ....(kdo) se ptáte?
4. ....(co) se bojíte?
5. .... (co) se účastníte?

2. Practise the short forms of personal pronouns.

1. Vážím si .... (ty).
2. Bojím se .... (vy).
3. Pavel se ptal .... (já).
4. Ptám se .... (vy).
5. Ptám se .... (on).
6. Vážím si .... (ona).
7. To se .... (vy) netýká.
8. Neptala jsem se .... (on).
9. Nemusíte se .... (my) bát.
10. Nevšímali si .... (já).

3. Practise the forms of personal pronouns used after prepositions.

1. Půjdeme na procházku bez .... (ty).
2. Pojedeme na výlet bez .... (vy).
3. Viděla jsem Ivu. Seděla jsem blízko .... (ona).
4. To je Karel. Irena je blízko .... (on).
5. Tady je maminka a kolem .... (ona) jsou děti.
6. Kromě .... (já) byli na konferenci všichni.
7. Petr byl nemocný. Kromě .... (on) šli všichni.
8. To jsem od .... (ty) nečekala.
9. Byla tady teta. Máte tady od .... (ona) dárek.
10. Děláme si legraci z .... (vy).
11. Ivan viděl zlého psa. Měl z .... (on) strach.
12. Tenhle dárek máte od .... (my).

REMEMBER:
❑ *Personal pronouns are members of "The Second Position Club". See Lesson 8, p. 93.*

4. Practise the possessive pronouns singular.

1. Vážím si .... (můj/svůj starý otec).
2. Nevážím si .... (náš arogantní premiér).
3. Nechceme jít bez .... (vaše hodná manželka).
4. Bydlím u .... (můj/svůj mladší bratr).
5. Kromě .... (náš energický ředitel) jedeme na konferenci všichni.
6. Sejdeme se u .... (váš žlutý dům)?
7. Bojím se .... (její agresivní bratr).
8. Jedu od .... (moje dobrá kamarádka).
9. Zamilovala jsem se do .... (můj český učitele).
10. Mám strach z .... (tvůj velký pes).

5. Learn the plural forms. Practise the possessive pronouns plural.

1. Sedím u .... (vaši veselí kamarádi).
2. Stál jsem blízko .... (naši dobří kolegové).
3. Kromě .... (mé krásní koně) nemůže být nikdo první!
4. Ptala jsem se .... (tvé sympatické sestry).
5. Vážit si .... (jeho moudří rodiče).
6. Dosahujeme .... (samé dobré výsledky).
7. Dělám si legraci z .... (její hloupé nápady).
8. Účastníme se .... (vaše zajímavé plány).
9. Chodím do školy bez .... (mé velké tašky).
10. Konference se týká .... (jejich nové kontrakty).

the genitive Ma, Mi, F, N plural

ten, ta, to (demonstrative pronouns) and adjectives

Ma Mi N F těch moderních českých *(coll.* těch moderních českejch)

nouns

main rules		*other rules*
Ma	**-ů** (studentů)	1. Mobile -e- (pes – psů) 2. Stem changes (kůň – koňů) 3. Nouns ending in -a have -ů ending (policista – policistů)
soft (ž,š,č,ř,č,ď,ť,ň,c,j,-tel + s,z,c)	**-ů** (mužů)	

Mi	**-ů** (hradů)	1. Mobile -e- (zámek – zámků) 2. Stem changes (dům – domů)
soft (ž,š,č,ř,d,t,ň,c,j)	**-ů** (čajů)	

F **-a ending** **-ice ending**	 **-** (káv, žen...) **-** (vesnic)	1. Stem changes (sůl – solí) 2. Nouns ending in **-a** drop their vowel endings. If there are two consonants in the ending, the vowel **-e-** is inserted. (učitelek, sester, studentek, firem...)
-e/ě ending **cons. ending**	**-í** (židlí) **-í** (skříní,kostí...)	

N **-o ending**	 **-** (piv, měst...)	1. The irreg. N have special endings: kuře – kuřat, rajče – rajčat, zvíře – zvířat... 2. Nouns ending in **-o** drop their vowel endings If there are two consonants in the ending, the vowel **-e-** is inserted. (divadel, oken, triček....)
- e ending **- í ending**	**-í** (moří) **-í** (nádraží)	

❑ *Exceptions:* lidí, dětí, přátel, peněz, let = roků, dní = dnů
❑ *For the mobile -e- and stem changes see A Trip back through History, p. 265.*
❑ *For possesive pronouns in the genitive plural, see p. 138.*

"the second step" to Czech counting

❑ *Review the first two steps to Czech counting. Now you'll take the last – the second one:*

0. *"The zero step": 1x (once),2x (twice), 3x (three times), 5x, 6x...+ the accusative sg.*
   this is not "real counting"! It is only used for buying and ordering things. See lesson 6, p. 70.
1. *The first step: 2,3,4 + the nominative plural. See lesson 9, p. 102.*
2. ***The second step: 5 – infinity + the genitive plural. See here.***
   Note: The numerals from 5 to infinity take (neuter) singular verb. **Bylo** tam **pět** studentů.

1. **Practise:**
   Example: 1 student - 2, 3, 4 studenti - 5 studentů

manažer	dům	okurka	máslo	auto
učitel	rohlík	káva	pivo	náměstí
politik	čaj	tiskárna	okno	povolení

2. **Use the quantifiers from Lesson 13, page 141. Practise.**
   Example: Je tady několik studentů. Znám tady většinu studentek. Chtěl bych víc lekcí češtiny.

3. **You have won 10 000 Kč! The only condition is that you have to spend it in a supermarket. What will you buy?**
   Example: Kupuju 10 čokolád za 200 korun, 5 bonboniér za 1000 korun...

4. **Complete the sentences using numerals from 5 to infinity.**
   Na víkend kupuju...
   Na dovolenou připravuju...
   Na Vánoce kupuju...
   Japonský Sumo jí a pije...

5. **Answer the questions. Use the vocabulary from lesson ...**
   1. Kolik máte sester, bratrů, tet, strýčků, kamarádů, známých...? (***Lesson 3***).
   2. Kolik máte doma místností, stolů, židlí, křesel, knih, obrazů...? ***(Lesson 7)***
   3. Kolik znáte Japonců, Číňanů, Němců...? (***Lesson 8***)
   4. Kolik jste měli nebo máte psů, koček, křečků...? (***Lesson 9***)
   5. Kolik máte kalhot, šatů, sukní, košilí, obleků, kravat...? (***Lesson 12***)

6. **Complete the sentences. Practise the verbs and prepositions with the genitive plural:**
   Example: Účastním se mítinků...
   Účastním se (mítink, schůze, konference, porada, lekce, oslava, návštěva)
   Bojím se (pes, kočka, pavouk, had, krokodýl, lev, zkouška, bouřka, hloupý člověk)
   Chodím do (restaurace, kavárna, hospoda, divadlo, kino, obchod, obchodní dům, vinárna)
   Dělám si legraci z (kamarád, děti, spolužák, kolega, rodiče)
   Znám několik (Angličan, Američan, Čech, Francouz, Rus, Ital, Němec, Slovák, Rumun, Bulhar, Brazilec)
   V Praze je moc/málo (bazén, park, parkoviště, hřiště, strom, květina, kostel, hotel, obchod, restaurace)
   Jdu do školy bez (učebnice, kniha, tužka, pero, sešit)
   Vážím si (statečný člověk, moudrý kamarád, hodná žena, inteligentní spisovatel, rozumný politik)
   Všímám si (krásný dům, romantické místo, starý člověk, hezká holka, hezký kluk)
   Na procházku jdu kolem (velké divadlo, luxusní kavárna, starý most, velký strom, hezké místo)
   Rádi jezdíme do (velké město, malá vesnice, přírodní rezervace, neznámá nebezpečná oblast, tichý les)

7. **Topic for conversation: Discuss your wedding experiences or dreams!**
   Měli jste (nebo chcete mít) velkou nebo malou svatbu? Kolik jste zvali (budete zvát) lidí? Kolik jste měli (budete mít) aut? Kolik jste měli (budete mít) dortů? Kolik jste dostali (asi dostanete) svatebních darů?

1. Work with a dictionary. Read.

Letadlo snů

Letadlo snů je letadlo prezidenta USA. Může převážet 70 cestujících a 23 členů posádky. Má rychlost až 900 kilometrů za hodinu. Letadlo má dokonalé vybavení: operační sál, 19 televizí a 87 přímých telefonů. Stroj může letět celý týden bez přistání.

Víte, kolik lidí slavilo milénium?

Víte, kolik lidí z celého světa slavilo den 31. prosince 1999? Na světě je asi 6 miliard lidí, z toho skoro 2 miliardy křesťanů. Nový rok 2000 slavili ale taky Číňané, 1 200 000 000 lidí. To je dohromady asi 3 miliardy lidí. Pro zbytek světa to ale byl den jako každý jiný. Islám měl mít rok 1421, Židi rok 5761. Indové - 866 000 000 lidí - měli rok 1922. To znamená, že rok 2000 slavila asi polovina světa. Paradox ale je, že nové milénium začíná až v roce 2001...

Víte, z čeho byla největší palačinka světa?

Největší palačinku světa pekli v roce 1987 tři Angličani z Cheltenhamu. Byla z 5 274 vajíček, 418 litrů mléka, 75 kilogramů kukuřičné mouky a 636 litrů oleje!

Podle časopisu 100+1. Adaptováno

2. Work with a dictionary. Join up the authors and their books (with genitives in their titles).

Kvíz pro knihomoly

Pán prstenů	William Golding
Sága rodu Forsytů	Kurt Vonnegut
Snídaně šampiónů	Agatha Christie
Deset malých černoušků	John Galsworthy
Pán much	J. R. Tolkien

3. Work with a dictionary. Read the song. Find the genitive plural forms and say their nominatives.

Kolik je na světě

Kolik je na světě očí, kolik je na světě snů,
kolik se koleček točí, kolik je nocí a dnů?
Kolik je na světě moří, kolik je na světě řek
kolik je smutků a hoří, kolik je rozlitých mlék?

Refrén:
Toho i toho je mnoho, lidí a věcí a jmen.
Jediné slunce je jedno, a to když vyjde, je den.

4. Read the inscriptions you can see on the street.

Sleva banánů a pomerančů **Akademie věd** Výroba klíčů

Ráj počítačů Prodej jízdenek **Opravy televizí**

Sklad knih **Příjem a výdej listovních zásilek**

money, weights, measures

1 oz (unce) = 28 gramů	**1 lb (libra) = 500 gramů**
1 ft (stopa) = 30 centimetrů	**1 in (palec) = 2,5 centimetrů**
1 yd (yard) = 90 centimetrů	**(stupně F x 1,8) + 32 = stupně Celsia**

1. Read and answer.

1. Víte, jaký je teď kurz? Kolik korun je za dolar/libru?
2. Kolik korun (dolarů, centů, liber, pencí) je průměrný plat tady a u vás doma?
3. Kolik stojí průměrný byt nebo dům v tady a u vás doma?
4. Kolik stojí průměrný oběd nebo večeře v restauraci?
5. Kolik stojí pivo nebo kola?
6. Kolik stojí lístek na metro, do divadla, do kina, na koncert nebo na operu?
7. Kolik stojí jeden den v hotelu?
8. Kolik peněz teď máte v peněžence?

10. Jak daleko jezdíte do práce? Kolik kilometrů to je?
11. Jak daleko jezdíte domů? Kolik kilometrů to je?
12. Jak je velký váš pokoj? Kolik metrů měří?
13. Jak je vysoký váš dům? Kolik metrů měří?
14. Kolik centimetrů měříte?

15. Kolik minut nebo hodin trvá vaše cesta do práce?
16. Kolik hodin každý den spíte?
17. Kolik dnů a měsíců má rok?
18. Kolik dnů za rok máte dovolenou?
19. Kolik dnů za týden relaxujete?

20. Kolik kilogramů (kilo) vážíte?
21. Kolik stupňů Celsia/Fahrenheita je u vás v létě a v zimě?
22. Kolik litrů vody musí člověk pít za den?
23. Kolik maximálně jíte knedlíků?
25. Kolik je vám let?

REMEMBER:
Kolik je ti/vám roků/let? – Je mi ... roků/let.
For more about this construction, see lesson 23, p. 224.

2. Work with a dictionary. Read.

Kuriozity a anomálie

- Nejvyšší žijící muž současnosti je Hadži Mohammad Alam Channa z Pákistánu, který měří 232 cm.
- Nejvyšší žijící žena současnosti je Sandy Allenová z USA, která taky měří 232 cm.
- Nejmenší žijící známý dospělý člověk je Gul Mohammad z Indie. Měří 57 cm a váží 17 kg.
- Nejtěžší člověk světa byl asi Jon Brower Minnoch z USA. Jeho rekordní váha prý byla 635 kg!
- Nejdelší krk mají ženy z Barmy. Jeho délka je 30 až 40 centimetrů.
- Nejdelší knír má Kalyan Ramji Sain z Indie. Celý knír měří 339 cm.
- Nejdelší nehty má Shridhara Chillala z Indie. V roce 1996 byl nehet na jeho palci dlouhý 135 cm. Shridhara si naposled stříhal nehty v roce 1952.

Podle Guinessovy knihy rekordů z roku 1997.

dolar	dollar
euro	euro
frank	franc
koruna	crown
libra	pound
marka	mark
rubl	rubl
milimetr	millimetre
centimetr	centimetre
decimetr	decimetre
metr	meter
kilometr	kilometre
metr, kilometr čtvereční	square meter, kilometre
palec	inch
stopa	foot
mililitr	millilitre
centilitr	centilitre
decilitr	decilitre
litr	litre
miligram	milligram
centigram	centigram
dekagram	decagram
kilogram	kilogram
metrický cent *(coll.* metrák*)*	*coll.* quintal (= 100 kg)
tuna	ton
dlouhý, délka	long; length (**delší** – longer, **nejdelší** – the longest)
hluboký; hloubka	deep; depth (**hlubší, nejhlubší**)
měřit; míra	to measure; measure
široký; šířka	wide; width (**širší, nejširší**)
vážit; váha/ hmotnost	to weight; weight
vysoký; výška	high, tall; height (**vyšší, nejvyšší**)

LESSON 16

- Verbal aspect: imperfective and perfective verbs
  1. What does aspect mean?
  2. The forming of aspect
  3. The future tense of perfective verbs.
- Verbs of motion with prefixes.
- Vocabulary: Geographical terms.

verbal aspect: imperfective/perfective verbs

1. *What does aspect mean?*

Languages are different – they can be compared to people with their different points of view. English views actions and activities in a very complex system of tenses: you can describe a simple act of walking saying that you walked, was walking, have walked, have been walking, had walked, had been walking *etc. Slavonic languages "don't need" this complexity, they only use three tenses: future, past and present. However, it's very important for them whether the act or activity is limited (perfective) or unlimited/repeated (imperfective). This point of view is expressed by the aspect. Verbal aspect reflects the way in which the speaker views the particular act or action. Almost all Czech verbs have both imperfective and perfective forms (in previous lessons we used imperfective ones). The only exceptions are modal verbs and some simple verbs denoting states (e.g.* být, moct, ležet*) that are only imperfective.*

A) *The imperfective aspect is unmarked. It expresses:*

1. *The action by itself or someone's ability to perform it.*
   Tančíte?
   Kouříte?
   Náš Petr už čte.

2. *Unlimited action.*
   David dělá domácí úkoly. David dělá domácí úkoly celý den.
   Irena čeká na Pavla. Irena čeká na Pavla celý den.

3. *Repeated action.*
   David dělá domácí úkoly. David dělá domácí úkoly každý den.
   Irena čeká na Pavla. Irena čeká na Pavla každý den.

B) *The perfective aspect expresses a limited action or state.*

Perfective verbs see acts and actions as a limited, single completed unit reflecting its end or beginning.
Zatančili jsme si.
Zakouřili jsme si.
Petr udělal domácí úkol.
Irena počkala na Pavla.

REMEMBER *this teaching aid:*

You usually use the imperfective aspect if you speak about:
- ❑ *an action by itself*
- ❑ *an action performed for some unlimited time*
- ❑ *an long-lasting action (*celý den, týden, měsíc, rok...*)*
- ❑ *an action performed repeatedly (*každý den, týden, měsíc, rok...*)*
- ❑ *an action performed "just now" (only in the present tense)*

You use the perfective aspect if you speak about:
- ❑ *the beginning or end of an action*
- ❑ *an action performed "once"*

However, VERY OFTEN IT'S YOU WHO DECIDES WHICH ASPECT TO USE, i. e. how to view the activity you describe! You can say:
Včera jsem kupoval slovník *(if you want to say that you spent some time buying it).*
OR: Včera jsem koupil slovník *(if you want describe it as a single act of buying).*

2. *The forming of aspect*

❑ *The forming of aspect is not fully predictable. Therefore, all verbs should be learned with their aspectual counterparts. However, you should know that there are three basic ways of forming them:*

A) *prefixation*

❑ *Czech prefixes are numerous (***do-, na-, nad-, o-, od-, ob-, po-, pod-, pro-, pře-, před-, při-, s-, u-, v-, vy-, z-, za- ...***). Some of them don't bear any meaning and simply change the aspect of the verb. Some of them bear a whole number of different meanings or shades of meanings (compare English* ex-tract, con-tract, abs-tract, sub-tract, *but also phrasal verbs, e. g.* make up, make up with, make up for*...). For more about meanings of prefixes see this lesson on page 168.*

❑ *Some imperfective verbs only have one perfective aspectual counterpart (formed by a certain prefix). Observe:*

imperfective verb	*perfective verb*
vidět	**u**vidět

❑ *However, some imperfective verbs can form one basic perfective verb (e. g.* dělat/**u**dělat*) plus many perfective compounds formed by various prefixes. The verbs with prefixes have gained new meanings. Consequently, these verbs "need" new imperfective counterparts and they form the secondary imperfective forms. Observe:*

I. primary imperfective		*new meaning!*	
		perfective	*II. secondary imperfective*
dělat		**do**dělat (to finish doing)	**dodělávat**
		nadělat (to make a lot of st.)	**nadělávat**
	➩	**pro**dělat (to go through)	**prodělávat**
		předělat (to redo)	**předělávat**
		vydělat (to earn)	**vydělávat**
		zadělat (to mix dough)	**zadělávat**

B) *suffixation*

Some the common endings are:

-nout zapomínat/zapome**nout** – to forget
-ovat kup**ovat** /koupit – to buy
-ávat d**ávat**/dát – to give

With these verbs, you can also use prefixes. They change the meaning, but the aspect remains the same. Observe:

perfective		*new meaning!*	
		imperfective	*imperfective*
dát	➩	**dávat**	**roz**dávat (to distribute)

C) *irregular pairs with stem changes*

In a few cases both members of the pair are completely different:

brát/**vzít, vezme** – to take
jíst/**sníst, sní** – to eat
překládat/**přeložit** – to translate

NOTES:

❑ *Due to the changes in the stem B) and C) verbs often change their conjugation.*
❑ *Some verbs can become reflexive (e. g.* jíst – **na**jíst **se**, odpočívat - **odpočinout si**)

REMEMBER: *Aspectual pairs should be memorized!*

3. *The future tense of perfective verbs*

❑ *The complete system of the future tense in Czech consists of three parts:*

1. a) The verb být: budu, budeš, bude… *See lesson 8, p. 96.*
b) The imperf. verbs except for the determ. verbs of motion: budu + the infinitive. *See lesson 8, p. 96.*

2. The determined verbs of motion: půjdu, pojedu, poběžím, poletím… *See lesson 11, p. 123.*

3. The perfective verbs. ***See here.***
The perfective verbs are "handicapped" - they do not have present forms. The forms of these verbs that look like present forms (= use the endings you know from present tense conjugation) can only express future meanings.

REMEMBER: *Perfective verbs CAN NOT USE the future auxiliaries* budu, budeš, bude....

Observe the following scheme describing the entire system of Czech verbs.
(*The* I-*form, the masculine gender and the verbs* jít, jet *and* dělat *are used as models here.*)

	verbs of motion	***the verb "být"***	***imperfective verbs***	***perfective verbs***
the infinitive	**jít, jet**	**být**	**dělat**	**udělat**
the future tense	**půjdu, pojedu**	**budu**	**budu dělat**	**udělám**
the present tense	**jdu, jedu**	**jsem**	**dělám**	–
the past tense	**šel jsem, jel jsem**	**byl jsem**	**dělal jsem**	**udělal jsem**

REMEMBER: *Almost all Czech verbs are "twins"!*

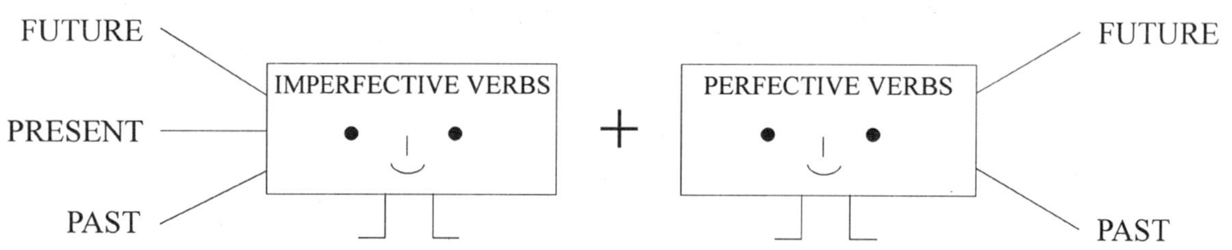

1. Learn and practise the perfective counterparts of the verbs you know (pages 182, 127, 128, 143 and 156).

2. Use the verbs in the future tense.

1. Zítra (koupit) ....auto.
2. Na Vánoce (dostat) ....hezký dárek.
3. Příští rok .... (dát) auto do servisu.
4. (Napsat) ....dopis pozítří.
5. (Zavřít) .... obchod.
6. (Uvidět) .... večer.
7. (Umýt) .... okna.
8. (Koupit) .... byt.
9. (Zaplatit) .... účty.
10. (Uvařit) .... oběd.
11. (Udělat) .... snídani.
12. (Otevřít) .... šampaňské, ano?
14. Za hodinu (skončit) .... detektivka.
15. (Vypít) ....víno.
16. (Zaplatit) ....a (jít) ....domů.
17. (Zorganizovat) ....konferenci.
18. (Dočíst) ....knihu a (jít) ....spát.
19. (Zatelefonovat) ....na ambasádu.
20. (Objednat si) ....šaty.
21. (Zvyknout si) ....tady!
22. (Uklidit) ....celý byt.
23. (Vydělat) ....peníze na auto.
24. (Ušetřit) ....něco na dovolenou.
25. (Prodat) ....náš starý dům.
26. (Zúčastnit se) ....demonstrace.
27. (Podívat se) .... na to ráno.

1. **Read the sentences and observe the changes in meaning. For the conjugation of some perfective verbs, see the list in the Grammatical Tables, p. 273.**

čekat/počkat	Zítra budu celý den čekat na mechanika. Počkám na tebe pět minut, ale pak už musím jet domů.
dávat/dát	Každý rok dávám dárky na Vánoce. Včera jsem dala slovník na stůl a dneska už tam není.
dostávat/dostat*	Na narozeniny vždycky dostávám od manžela květiny. Zítra budu mít narozeniny. Asi dostanu dort, svetr a cédéčka.
hrát/zahrát	Zítra máme čas! Budeme hrát celý den karty. Zahrajeme si karty a pak půjdeme spát.
jíst/sníst*	Nejím maso. Jsem vegetarián. Sníme večeři a půjdeme spát.
končit/skončit	Den pomalu (slowly) končí. Až zítra skončíme, můžeme jít na nákup.
nacházet/najít*	V létě každý den nacházím v lese maliny a jahody. Už jsi našla ten slovník? – Ne, najdu ho zítra.
navštěvovat/navštívit	Každý rok navštěvuju Itálii. Zítra navštívím Alenu.
objednávat/objednat	Teď si objednávám zboží na příští měsíc. Objednám si letní šaty z katalogu.
opravovat/opravit	Teď nemám čas, nemůžu opravovat kolo. Až opravím kolo, půjdu jezdit ven.
platit/zaplatit	Každý měsíc platím 3000 za byt. Musím zaplatit nájem (rent) za celý měsíc.
posílat/poslat*	Nemáme chleba a mléko. Pošlu děti na nákup. Posílám děti na nákup každý den.
prát*/vyprat	Až vyperu prádlo, půjdu na procházku. Když děti přijely z tábora, celý víkend jsem prala.
snídat/nasnídat se	Až se nasnídám, zatelefonuju na ambasádu. Ráno vždycky snídám housku, vajíčka, džem a bílou kávu.
telefonovat/zatelefonovat	Až najdu ten klíč, zatelefonuju do kanceláře . Když telefonuju domů, vždycky se ptám, co dělá náš pes.
vařit/uvařit	Uvařila jsem oběd a pak jsem uklidila byt. Když vařím, používám zajímavé druhy koření.
vidět/uvidět	Zítra uvidím, jestli jsi mluvil pravdu. Včera v divadle jsem viděla kamarádku ze školy.
vracet se/vrátit se	Když jsme se vraceli domů, našli jsme krásné houby. Vrátili jsme se domů a hned jsme šli spát.
vstávat/vstát*	Zítra vstanu a hned půjdu na nákup. Když vstávám, vždycky jsem ještě ospalá.
začínat/začnout*	Děti začínají být nějak divoké. Musíme končit. Včera začal divadelní festival.
zkoušet/zkusit	Eva si včera asi hodinu zkoušela nové šaty. Musíš to konečně (at last) jednou zkusit!
zvykat si/zvyknout si*	Pomalu si zvykám na české knedlíky. Člověk si musí zvyknout na všechno!
ztrácet/ztratit	Ztrácím tady čas. Ztratil jsem klíče!

***REMEMBER** a useful conjunction:* **až**
1. as late as, as early as, not before
2. when
3. as far as, to

verbs of motion with prefixes

- *The basic meanings of prefixes can be illustrated on verbs of motion. However, the newly created verbs can be compared to English phrasal verbs: they also carry a basic meaning + a bunch of idiomatic meanings. These meanings must be looked up in a dictionary.*
- *Note that -e- faciliates the pronunciation in the following scheme (*"nadjet" *BUT* "nadejít"*).*

prefix	*meaning of prefix*
do-	1. to reach a place/a limit 2. to finish –ing
nad-/nade-	above, up
ob-/obe-	round, around
od-/ode-	motion away from
pod-/pode-	down, below
pro-	through
pře-	across, cross, over
před-/přede-	in front
při-	1. motion to, towards, into 2. addition
roz/roze-	1. the beginning of activity 2. motion to different places
s/se-	1. down 2. to one place
v/ve-	in, into, inside
vy-	1. out, outside 2. up, upwards 3. beginning of an activity
za-	1. behind 2. in, into, inside

stems of imperfective/perfective verbs with new meanings
-cházet/-jít **-jíždět/-jet** **-létat/-letět** **-bíhat/-běhnout (!)** **-nášet/-nést** **-vážet/-vézt** **-vádět/-vést**

- *Observe the following complete scheme of verbs of motion (it has two primary imperfective forms!)*
- *In the scheme, the prefix* "při-" *is used as an example.*

	⇨	*new meaning!*	
I. primary imperfective determined – indeterminate		*perfective*	*II. secondary imperfective*
jít – chodit		přijít	přicházet
jet – jezdit		přijet	přijíždět
běžet – běhat		přiběhnout	přibíhat
letět – létat		přiletět	přilétat
nést – nosit		přinést	přinášet
vézt – vozit		přivézt	přivážet
vést – vodit		přivést	přivádět

1. Learn and use.

-cházet/-jít
přicházet/přijít – to come
odcházet/odejít – to go away, leave
vycházet/vyjít – to go out
scházet/sejít – to go down
scházet se/sejít se – to meet
procházet/projít – to go through
procházet se/projít se – to take a walk

-jíždět/-jet
přijíždět/přijet – to come, arrive (by a vehicle)
odjíždět/odjet – to go away, leave (by a vehicle)
vyjíždět/vyjet – to go out
sjíždět/sjet – to go down
projíždět/projet – to go through
objíždět/objet – to go around
předjíždět/předjet – to overcome

-nášet/-nést
přinášet/přinést – to carry to somewhere
odnášet/odnést – to carry away

-vážet/-vézt
přivážet/přivézt – to drive sb./st. to somewhere
odvážet/odvézt – to drive sb./st. from somewhere

-létat/letět
přilétat/přiletět – to come, to arrive (by a plane)
odlétat/odletět – to leave (by a plane)

-vádět/-vést
přivádět/přivést – to lead sb. to somewhere
odvádět/odvést – to lead sb. from somewhere

2. Compare the imperfective/perfective verbs.

1. Každý den **jsem přicházel** do práce v 7. – Včera **jsem přišel** už v 6.
2. Z domova **jsem odcházel** v 7.30. – Předevčírem **jsem odešel** už v 7.
3. Otec často **přijížděl** domů pozdě. – Včera **přijel** brzo.
4. Auto **odjíždělo** pomalu. – Auto už **odjelo**.
5. Ptáci **přilétali** každý večer. – Kdy **přiletěl** ten pták?
6. Letadlo **odlétalo** vždycky v 9.00. – Kdy **odletělo** letadlo dneska?
7. Manžel **přiváděl** každý den babičku na oběd. – Jste doma? **Přivedl** jsem hosty!
8. Matka často **odváděla** děti do školy. – Kdo **odvedl** děti do školy?
9. Taxíky **přivážely** hosty na recepci. – Vlak přijel, ale **přivezl** jen jednoho člověka.
10. Autokar **odvážel** turisty z letiště. – **Odvezl** jsem tetu do nemocnice.

3. Read. Observe the meanings of prefixes. Make new sentences with imperfective verbs.

Example: Vešli jsme do obchodu. Vcházeli jsme do obchodu.

Obešli jsme dům. ....
Rozešli jsme se domů. ....
Prošli jsme město. ....
Přešli jsme přes most. ....
Odešli jsme domů. ....
Sešli jsme se u divadla. ....
Vlak vjel do tunelu. ....
Autobus vyjel z tunelu. ....
Vyjeli jsme v 7 ráno. ....
Vešla jsem do domu. ....
Ford předjel mercedes. ....
Vlak vyjel z nádraží. ....
Autobus podjel most. ....
Dojeli jsme domů. ....
Řidič přejel králíka. ....
Vlak se rozjel. ....
Přijeli jsme vlakem. ....
Auto rozvezlo zboží. ....
Letadlo odletělo. ....
Turisti přiletěli letadlem. ....
Přinesli jsme cukr. ....
Odnesla jsem hrnky. ....
Dovezli jsme nákup. ....
Donesla jsem lék pro maminku. ....

4. Practise the verbs with prefixes in all tenses.

5. Match the correct pairs of stems.

-cházet **-bíhat** **-nášet** **-vážet** **-jíždět** **-létat** **-vádět**	**-nést** **-jet** **-letět** **-vézt** **-vést** **-jít** **-běhnout**

1. Learn the words on the following page.

2. Work with a dictionary. Use the plan in the picture.

Poklad

Chcete hledat poklad? Jestli ano, máte fantastickou šanci: tady je plán! Budete potřebovat nějakou loď, mapu, kompas a pistoli, protože pojedete na dlouhou a nebezpečnou cestu. Musíte hledat jeden malý ostrov v Pacifiku. Až ho najdete, několikrát ho objedete, protože tam můžou být domorodci nebo piráti. Když tam nikdo není, můžete jít hledat poklad. Nejdřív vyjdete na vysoký Suchý kopec a sejdete dolů. Kopec nemůžete obejít, protože kolem jsou bažiny. Pak půjdete na východ. Tam je Dlouhá poušť, ve které žijí škorpióni. Jestli tuhle poušť přejdete zdraví a živí, uvidíte Černé hory. A tam vás čeká překvapení: můžete hory podejít! Vidíte na mapě ten starý tunel? Kdysi ho dělali domorodci pro nějaké rituály. Projdete tunel, vyjdete ven a jdete dál. Za chvíli přijdete na místo, kde se otvírá hluboká propast. Propast přejdete přes starý most. Potom musíte projít Hadí džungli. Příroda je tady krásná jako ráj, ale musíte dávat velký pozor - když zajdete moc daleko do džungle, můžete ztratit cestu. Vyjdete z džungle a pak musíte přeplavat Žlutou řeku. Řeka je divoká, a samozřejmě, že jsou tam taky krokodýli! Když přeplavete řeku, uvidíte vysokou horu. Je to sopka, která má hluboký kráter. Podle starých legend tam začíná peklo. Nikdy nevíte, kdy můžete čekat výbuch. A jeskyně u téhle ďábelské sopky je místo, kde čeká váš poklad! Teď jenom sejdete dolů a poklad je váš... Tak šťastnou cestu!

3. Choose the correct verb.

1. Bažinu musíme (objet – vyjet – zajet).
2. (Vyšli – prošli – našli) jsme na vysokou horu.
3. Může člověk (zaletět – přeletět – přiletět) vesmír?
4. Jak chcete (přejít – vyjít – rozejít) tuhle řeku?
5. (Prošli – došli – vyšli) jsme džungli.
6. Cestovatel (vyjel – přejel) z hor.
7. (Prošli – rozešli – vyšli) jsme tunel.
8. (Podejel – objel – zajel) jsem celý svět.

4. Víte, kdo první...

1. ...přeletěl Atlantický oceán?
2. ...objel lodí svět?
3. ...vyletěl do vesmíru?
4. ...přešel pěšky Grónsko?
5. ...vyšel na Mount Everest?
6. ...přistál na Měsíci?

a) Edmund Hillary a Tenzing Norgay
b) Neil Armstrong
c) Fridtjof Nansen
d) Jurij Gagarin
e) Fernao de Magalhaes
f) Charles Lindbergh

1. **bažina**	marsh
2. **cestovatel**	traveller
3. **domorodec**	native
4. **jeskyně**	cave
5. **kámen; skála**	stone; rock
6. **kontinent, světadíl**	continent
7. **kopec**	hill
8. **ledovec**	glacier, iceberg
9. **močál**	dead water, swamp
10. **moře**	sea
11. **nebezpečí**	danger
12. **nížina**	lowlands
13. **oceán**	ocean
14. **ostrov, poloostrov**	island, peninsula
15. **písek**	sand
16. **pláž**	beach
17. **poušť**	desert
18. **pól (jižní a severní)**	pole
19. **prales**	primeval/virgin forest
20. **propast**	chasm, gorge, abyss; gap
21. **přístav**	port
22. **ráj; peklo**	paradise; hell
23. **rovina**	flat, plain
24. **skála**	rock
25. **sopka, vulkán**	volcano
26. **stát**	state
27. **step, prérie**	steppe, prairie
28. **svět**	world
29. **téct*/zatéct, vytéct, stéct**	to flow
30. **tunel**	tunnel
31. **údolí**	valley
32. **vesmír**	cosmos, universe
33. **vysočina**	highlands
34. **Země; země**	the Earth; country; ground
35. **zemětřesení**	earthquake
36. **záplava, potopa**	flood, deluge

❑ *Typical endings of non-coloured nouns are:* **consonant** *for* Ma /Mi, **-a** *for* F *and* **-o** for N.
❑ *The underlined -e- denotes the mobile -e- that disappears in declined forms.*

You can use the map in lesson 8, 14, 16, 17 and 18.

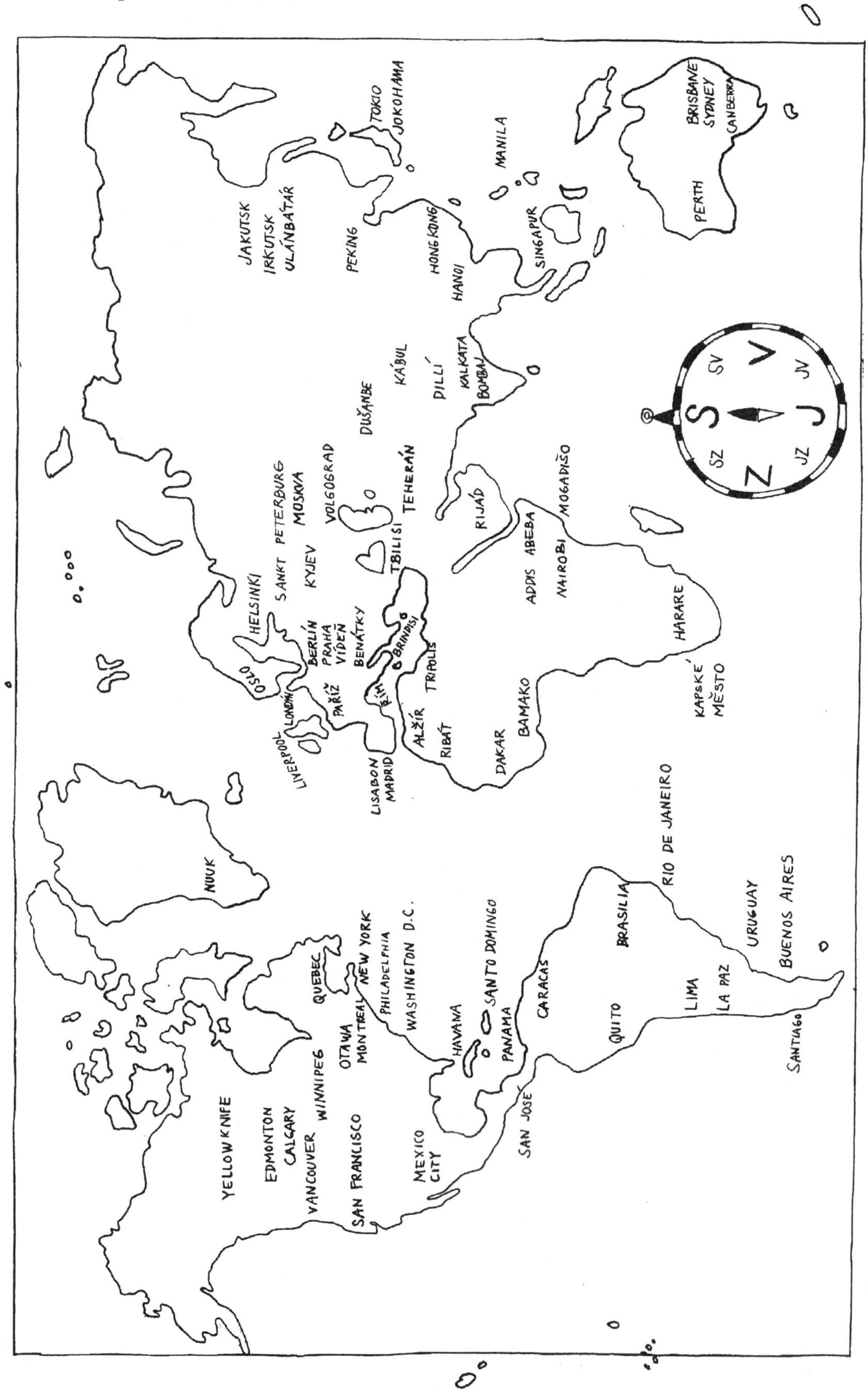

LESSON 17

- Use of the locative .
- The locative singular.
- Location in Czech.
- Vocabulary: Biography.

use of the locative

❑ *The locative is <u>always</u> used after prepositions. It is used:*

1. *to express location (answering the question "where?") after the prepositions* v/ve, na *and* po

❑ *Compare the general scheme of Direction versus Location in Grammatical Tables, p. 271.*

❑ *The preposition* "**v/ve**" *literally means in English "*in*". It is very common with the locative. It usually denotes "closed" units (countries, towns, villages) or being inside.*
Pracuju **v kanceláři**.
Včera jsem byl **v restauraci**.
Příští týden jsem **v Anglii**.
Tady **v Praze** je krásné počasí.

❑ *The preposition "***na***" literally means English "on", but it is widespread in many expressions where English uses "at" (compare lesson 11, p. 120). It is usually used with:*
1. open space or surface (bridge, street, island, table, floor…)
2. actions and activities (concert, opera, exhibition, lunch, dinner…)
3. some public institutions (embassy, post office…)
4. exceptions (Morava, Slovensko)

❑ *The preposition* "**po**" *+ the locative combines the idea of direction with the state of rest. It expresses "being somewhere" and "moving there" at the same time.*
Petr **v** létě cestoval **po Francii**.
Chodíme **po ulici.**
Běhám **po parku**.

2. *to express the object after some verbs and prepositions (*o *and* na*):*

bavit se o – to chat about
číst/přečíst o – to read about
mluvit o – to speak about
povídat/popovídat si o – to say– to write about, to speak, to chat about
přemýšlet o – to think about
psát/napsat o
říct/říkat o – to say about
slyšet/uslyšet o – to hear about
vypravovat, vyprávět o – to narrate, to tell story about
záležet na – to depend on

3. *with time answering the question "when?"*

v
Přijela jsem v červenci.
po
Po obědě půjdeme ven.
při
Při práci potřebuju klid.
o
Co děláš o víkendu

the locative Ma, Mi, F, N singular

the question (interrogative pronouns)

nominative	*the locative*
kdo? co?	**kom? čem?**

ten, ta, to (demonstrative pronouns) and adjectives

Ma Mi N	**tom moderním českém**	(*coll.* tom moderním českým)
F	**té moderní české**	(*coll.* tý moderní český)

nouns

main rules		*other rules*
Ma	**-u/ovi** (studentovi)	1. Mobile -e- (pes – psovi) 2. Stem changes (kůň – koni) 3. Nouns ending in -a have regular -ovi ending
soft (ž,š,č,ř,č,ď,ť,ň,c,j, -tel)	**-i/ovi** (muži)	
Mi (after b, p, f, v, m, d, t, n)	**-u/ -e** (hradu) **-ě** (hradě)	1. Mobile -e- (pes - psovi) 2. After h,ch,k,r, and in words of foreign origin -u ending
soft (ž,š,č,ř,d,t,ň,c,j)	**-i** (čaji)	
F **-a ending** after b,p,f,v,m,d,t,n	**-e** **-ě** (kávě)	1. Mobile -e- (broskev- broskvi) 2. After -ha,-ga, -cha,-ka,-ra – softening -ha -ze (Praha - v Praze) -ka -ce (banka - v bance) -ra - ře (opera - na opeře) -cha -še (sprcha - ve sprše)
-e ending **consonant ending**	**-i** (Paříži) **-i** (věci)	
N **-o ending** (after b,p,f,v,m,d,t,n)	**-u/-e/-ě** (pivu/pivě)	POZOR: After h, g, ch, k, r there is -u ending
- e ending -í ending doesn't change	**-i** (moři) **-í** (nádraží)	

- ❑ *With Mi and N nouns you can hear and use both* -u *nad* -e/-ě *endings.*
- ❑ *Ma names ending in pronounced* -i/-í /-y *are declined like adjectives:* (Jiřím, Sampleym).
- ❑ *F names ending in pronounced* -i/-y *or a consonant do not change* (Lori, Judy, Carmen, *but also* paní).
- ❑ *Names of many Czech cities and villages have plural forms (for the locative plural see lesson 18, p. 185).*
- ❑ *For the mobile -e- and stem changes, see A Trip back through History.*

personal pronouns

the nominative	***the locative***
já	**mně**
ty	**tobě**
on, ono	**něm**
ona	**ní**
my	**nás**
vy	**vás**
oni	**nich**

possessive pronouns singular

the nominative sg.	***the locative sg.***
Mi, Ma, N	
můj, moje	**mém**
tvůj, tvoje	**tvém**
jeho	**jeho**
její	**jejím**
náš,naše	**našem**
váš, vaše	**vašem**
jejich	**jejich**

F	
moje, má	**mojí, mé**
tvoje, tvá	**tvojí/tvé**
jeho	**jeho**
její	**její**
naše	**naší**
vaše	**vaší**
jejich	**jejich**

possessive pronouns plural

the nominative pl.	***the locative pl.***
moji, moje, moje, moje/mí, mé, má	**mých**
tvoji, tvoje, tvoje, tvoje/tví, tvé, tvý	**tvých**
její	**jejích**
jeho	**jeho**
jeho	**jeho**
naši, naše, naše, naše	**našich**
vaši, vaše, vaše, vaše	**vašich**
jejich	**jejich**

Notes:

❑ *You will hear forms* **mým, tvým, mý, tvý, mejch, tvejch** *in colloquial Czech.*

❑ *For declension of possessive adjectives, see Grammatical Tables, p. 270.*
❑ *For declension of numerals, see Grammatical Tables, p. 270.*

location in Czech

- *Compare the general scheme of Direction versus Location in Grammatical Tables, p. 271.*
- *When expressing the location you usually use the static verbs implying „being somewhere":* být, bydlet, žít, ležet, sedět, stát, pracovat, studovat, zastavit se, sejít se...
- *Observe the difference between the verbs* **žít** *and* **bydlet**: **Bydlíme** (we stay, reside) v Praze. **Žijeme** (we live permanently) v České republice.

1. *v + the locative*

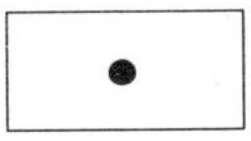

1. Practise the locative.
Británie, Francie, Itálie, Anglie, Skotsko, Německo, Finsko, Polsko, Portugalsko, Chorvatsko, Španělsko, Maďarsko, Švédsko, Švýcarsko, Česko, Kanada, USA, Amerika, Česká republika;
byt, dům, koupelna, cukrárna, hospoda, obchod, obchodní dům, pekárna, kavárna, kino, lékárna, město, Brno, Znojmo, Ostrava, Opava, Jihlava, Bratislava, Český Krumlov, Londýn, Bukurešť, Ankara, San Francisco, Toledo, Montreal, Mnichov, Řím, Barcelona, New York, Johannesburg

2. Kde bydlí vaši kamarádi a příbuzní?

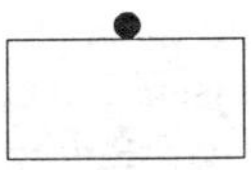

2. *na + the locative*

3. Practise the locative.
pošta, zahrada, služební cesta, výlet, koncert, oběd, hrad, univerzita, výstava, úřad, ambasáda, návštěva, venkov, chata, ostrov, poloostrov, diskotéka, procházka, schůzka, stůl, dovolená;
večeře, letiště, recepce, lekce, snídaně, konference, policie, židle, postel, ulice, hokej, náměstí, nádraží;
festival, mítink, zámek, nákup, trh, veletrh; Slovensko, Morava, Florida, Mallorca, Aljaška, Island

3. *po + the locative*

4. Read.

Chodím po parku.
Letadlo letí po nebi.
Šla jsem po náměstí.

Jezdíme po celém světě.
Cestovali jsme po Evropě.
Celý den běhám po městě.

Jdu po nádraží.
Cestoval jsem po Americe.
Chodili jsme po lese.

5. You can also practise the locative using use the vocabulary from lessons 4, 5, 7, 8 and 16.

COMPARE: u moře – na moři – v moři – po moři
u metra – na metru – v metru – po metru
u stolu – na stole – ve stole – po stole

6. Observe the picture:
Hotel je u moře. Ryby jsou v moři. Loď je na moři. Motorový člun jezdí po moři.

1. **Use the vocabulary from lesson 4, pp. 48–49. Say where you will be/were in the morning, on Monday, in January...**

2. **Answer. Set up similar dialogues using the prepositions „v“, „na“ and „u“ (see the scheme on page 271).**
   1. Kde se sejdeme? Na náměstí nebo u metra?
   2. Sejdeme se u Hlavního nádraží?
   3. Sejdeme se raději v divadle nebo u vchodu?
   4. Sejdeme se u vlaku nebo ve vlaku?
   5. Sejdeme se u metra nebo dole v metru?
   6. Uvidíme se příští týden na konferenci?
   7. Budete večer čekat u vlaku na kamaráda?
   8. Byli jste u moře?
   9. Studujete na univerzitě?
   10. Kde jste byli včera odpoledne?

3. **Work with a dictionary. Read and retell in Czech.**

Na dovolené

Šárka: Tak co, Jano, jaká byla dovolená? Kdy jsi přijela?
Jana: Krásná! Prostě fantastická! Do Prahy jsem přijela včera večer, a tak jsem strašně unavená a ospalá. Potřebuju silnou kávu!
Šárka: Jakto? Měla jsi dovolenou celé dva týdny, ne? Ty jsi neodpočívala?
Jana: Moc ne. Cestovala jsem! Víš, kde jsem všude byla? Za dva týdny jsme viděla půlku Evropy!
Šárka: Jak jste jeli? A kde jste všude byli?
Jana: Jeli jsme lodí a začínali jsme v Turecku. Istanbul je tak exotický! Ty trhy, bazary a šperky! Na bazaru jsem viděla krásné kožichy, ale byly moc drahé, a proto jsem nic nekupovala. Pak jsme byli v Řecku. Viděla jsem Athény a Akropolis, ale na nic jiného jsme neměli čas. Potom jsme byli na Maltě. V La Valletě jsme byli v kostele a viděli jsme krásné obrazy slavných malířů.
Šárka: Já jsem byla na Maltě loni. Malta nemá moc turistických atrakcí, ale má zajímavou atmosféru.
Jana: No, a pak jsme byli v Tunisu. Je tam krásné moře, plavali jsme tam a surfovali. V Tunisu je všude hodně koček. Já kočky miluju, a tak mám spoustu fotografií. Pak jsme se zastavovali na Mallorce. V Palma da Mallorca jsem si koupila sluneční brýle, protože ty staré jsem ztratila. Z Mallorky jsme jeli do Španělska. Ve Španělsku jsou fantastické pláže! A ti Španělé! Jsou tak temperamentní... Chtěla bych tam ještě někdy jet. Byli jsme v Barceloně, koupila jsem si tam perfektní džíny. Jo, a taky jsem viděla ten kostel španělského architekta Gaudího. Je krásný – víš, já tenhle originální a bizarní styl miluju!
Šárka: Hm... Já moc ne. Mám raději staré kostely a zámky. Ale co pak? Pak jste už jeli domů?
Jana: Ne, nejeli. Ze Španělska jsme jeli do Francie. Ve Francii jsem viděla Riviéru – palmy, moře, vítr... Byla jsem jako v nějakém romantickém filmu! Do Francie určitě pojedu ještě jednou.
Šárka: Všichni už ve Francii byli, jenom já ne! Budu šetřit a příští rok pojedu taky!
Jana: Francii musíš určitě vidět. A taky se musíš zastavit v Itálii. Naše cesta končila v Itálii v Neapoli. Z Neapole jsme jeli domů autobusem přes Rakousko a zastavovali jsme se v Salzburgu a ve Vídni. Byla to krása! Ale teď mám dojem, že potřebuju ještě jednu dovolenou...
Šárka: Aha. Vidím, že jsi měla dovolenou ve stylu toho filmu... Jak se ten film jmenuje? Něco jako „Dneska je úterý, musíme být v Belgii“, že? Tak už se nedivím, že jsi unavená!

4. **Answer the questions:**
   1. Kde Janina cesta začínala?
   2. Co Jana viděla v Řecku?
   3. Kde Jana viděla obrazy?
   4. Kde Jana fotografovala kočky?
   5. Kde si Jana kupovala brýle?
   6. Kde si Jana kupovala džíny?
   7. Kde Jana viděla nějakou originální budovu?
   8. Kde Jana obdivovala pláže?
   9. Kde končila Janina cesta lodí?
   10. Kde se Jana zastavovala, když jela domů?

5. **Topics for conversation:**
   Kde jste se narodili?
   Kde jste bydleli nebo bydlíte?
   Kolikrát jste se stěhovali a kam?
   Kde jste studovali?
   Kde jste měli svatbu?
   Kde bydlí vaši příbuzní a kamarádi?

biography/CV - životopis

Work with a dictionary:

Božena Němcová – spisovatelka (1820? - 1862)
Boženu Němcovou určitě všichni znáte. Odkud? Z bankovky 500 Kč, kde vidíte její portrét. Tato slavná a krásná žena měla velmi těžký život. Její původ je tajemný. Literární vědci neví, kdy se narodila ani kdo byla její matka. Je možné, že to byla svobodná mladá aristokratka, která nechtěla riskovat skandál, a proto dala dítě do jiné rodiny. Malá Božena žila na venkově blízko vesnice Ratibořice. Jako dítě velmi ráda četla. V roce 1837 si vzala finančního úředníka Josefa Němce. Měli čtyři děti, tři syny a dceru. Její manžel byl o 10 let starší a měl jinou povahu než ona, a proto spolu nebyli šťastní. Rodina byla velmi chudá a často se stěhovala. Když Němcová žila v Praze, poznala českou kulturní a literární elitu a začala sama psát. Psala básně a později taky povídky a romány. V roce 1855, po smrti talentovaného syna Hynka, napsala slavný román *Babička*, ve kterém popisuje svoje idylické dětství na českém venkově. Její román znají všichni Češi a znal ho taky Franz Kafka, který její melodickou prózu velmi obdivoval. Němcová zemřela v roce 1862.

Václav Havel – dramatik a prezident (1936 -)
Václav Havel se narodil 5. října 1936 v Praze. Pochází z bohaté a kulturní podnikatelské rodiny. Jako „buržoazní syn“ nemohl po únoru 1948 normálně studovat ani publikovat (vystudoval divadelní fakultu v roce 1966 jako externí student). První hru mohl publikovat až později, kdy už nebyla tak silná cenzura. Psal divadelní hry, které byly populární doma i v zahraničí. Pracoval v Divadle Na zábradlí v Praze. V roce 1964 si vzal Olgu Šplíchalovou (zemřela v roce 1995). Od roku 1968 Havel nemohl publikovat a divadla nemohla z politických důvodů hrát jeho hry. Havel se účastnil ilegálních literárních aktivit, psal politické a filozofické reflexe a eseje, které publikoval v samizdatu, a pracoval v občanském opozičním hnutí Charta 77. Byl několikrát ve vězení – v roce 1977, 1978, 1979 až 1983 a 1989. Stál v čele demokratické „sametové revoluce“ v listopadu 89. Od prosince 1989 byl prezident Československa a od roku 1993 je prezident České republiky. V roce 1996 si vzal herečku Dagmar Veškrnovou.

Jan Kabát (1960 –) *fiktivní životopis*
Narodil jsem se 15. srpna 1960. Jsem ženatý, mám dceru a syna. Od roku 1966 do roku 1975 jsem chodil do základní školy v Jihlavě, od roku 1975 jsem studoval střední školu (gymnázium) v Telči. Maturoval jsem v roce 1979 a po maturitě jsem šel na vysokou školu do Prahy. Na Karlově univerzitě jsem studoval jazyky. Vystudoval jsem angličtinu a francouzštinu a psal jsem diplomovou práci o anglickém kondicionálu. Promoval jsem v roce 1984. Od roku 1984 do roku 1990 jsem překládal z angličtiny technické a obchodní materiály a dokumenty pro českou továrnu na motory Proton Praha a pro různé podniky a organizace. V roce 1987 jsem vstoupil do Komunistické strany Československa, protože jsem chtěl jezdit do ciziny na služební cesty a dělat bez problémů svoji práci. Dneska myslím, že to byla chyba. Po revoluci jsem ze strany vystoupil.V červenci roku 1990 jsem založil vlastní soukromou firmu, která se specializuje na překlady. Mám 9 zaměstnanců a moje firma dobře prosperuje.

.... *(váš životopis)*

1. **absolvent / -ka**	graduate
2. **brát si/vzít si** *(+ acc.)*	to marry (men and women)
3. **civilní služba,** *coll.* **civilka**	civil service instead of mil. service
4. **chodit do školy/na školu**	to attend a school
5. **končit/dokončit školu, kurz...**	to finish school, to graduate *(coll.* **dělat/dodělat/ školu, kurz ...***)*
6. **důchod: jít do důchodu, být v důchodu**	retirement: to retire, to be retired
7. **katedra**	university department/institute
8. **maturita, maturovat**	exam for high school leaving certificate, to take/pass...
9. **mrtvý**	dead
10. **narodit se**	to be born
11. **nastupovat/nastoupit do práce**	enter a job
12. **odejít/odcházet**	to leave
13. **promoce, promovat**	graduation ceremony, to graduate
15. **propouštět/propustit**	to fire
16. **příbuzný**	relative
17. **přihláška**	application
18. **smrt**	death
19. **soukromý**	private
20. **sourozenec**	sibling
21. **stěhovat/přestěhovat**	to move
22. **studovat/vystudovat**	to study
23. **škola: základní/střední/vysoká**	school: elementary/high/university
24. **vdávat se/vdát se** *(+* **za** *+ acc.)*	to marry (used by a woman)
25. **vězení**	prison, jail
26. **vlastní**	own
27. **vojenská služba,** *coll.* **vojna**	military service
28. *coll.* **vyhazovat/vyhodit (z práce...)**	to throw out/to kick out/to sack/to fire
29. **vstupovat/vstoupit**	to enter; to join (a party)
30. **vystupovat/vystoupit**	to get off; to leave a party
31. **zakládat/založit**	to found
32. **zaměstnanec /zaměstnankyně**	employee
33. **zaměstnání/práce**	profession, job
34. **zaměstnavatel /zaměstnavatelka**	employer
34. **zamilovat se** *(***do** *+ gen.)*	to fall in love with someone
35. **umírat/umřít, zemřít**	to die
36. **ženit se/oženit se** *(+* **s** *+ instr.)*	to marry (used by a man)

❑ *Typical endings of non-coloured nouns are:* **consonant** *for* Ma /Mi, **-a** *for* F *and* **-o** for N.
❑ *The underlined -e- denotes the mobile -e- that disappears in declined forms.*

LESSON 18

- The verb + preposition + the locative.
- Pronouns in the locative.
- The locative expressing time.
- The locative plural.
- Vocabulary: Hobbies and activities.

the verb + preposition + the locative

bavit se (o) – *coll.* to talk/chat
(BUT ALSO: Baví mě chemie. *See lesson 12)*
Bavíme se o módě.
Bavili jsme se o novém románu.

číst/přečíst (o) – to read (about)
Čtu o Martinu Lutheru Kingovi a o Americe.
Četl jsi o tom novém skandálu?
Budu si číst o tom, co je pro mě důležité.

domlouvat/domluvit (o/na)
– to agree on, to decide (about)
Domluvili jsme schůzku.
Domluvili jsme se na schůzce.
Domluvili jsme se o termínu.

hádat/pohádat se (o) – to argue (about)
(BUT ALSO: hádat něco – to guess st.)
Já a šéf jsme se hádali o práci.
Hádáte se často o politice?
Nikdy se nehádáme o literatuře.

mít sen/snít (o) – to have a dream/dream (about)
Měl jsem sen o Monice.
Měla jsem sen o krásné princezně.
Lidi často sní o lepším světě.

mluvit/promluvit (o) – to speak (about)
Mluvíme o Petrovi.
Včera večer jsme mluvili o babičce.
O čem mluvíte? – O ničem.

myslet/pomyslet si (o) – to think (of, about)
(BUT ALSO: Myslet na něco. *See lesson 12)*
Co si myslíš o Ivě?
Co si myslíte o panu šéfovi?

říkat/říct (o) – to say (about)
Co říkal Karel o mamince? Je už zdravá?
Říkal šéf něco o naší nové práci?
Adéla říkala něco o rozvodu.

pochybovat/zapochybovat (o) – to doubt (about, of)
Pochybuju, že máte pravdu.
Pochybujeme o vašem názoru.
Nikdy nepochybujeme o naší politice.

přemýšlet (o) – to think (about)
Nepřemýšlím o ničem, jenom sedím a relaxuju.
Karel přemýšlí o holce, kterou má rád.
Přemýšlím o filmu, který jsem viděla.

psát/napsat (o) – to write (about)
Píšu o Faulknerovi.
Píšu o zajímavém zážitku.
Autor píše originální román o lásce.

povídat/popovídat si (o) –to talk/chat; to say
Pili jsme víno a povídali jsme si o literatuře.
Zítra si popovídáme!
Honza povídal *(coll.)*, že nemá žádnou práci.
Sestra povídala, že u nás byla návštěva.

slyšet/uslyšet o –to hear (about)
Slyšel jsi o Aleně?
Slyšeli jste o tom novém filmu?
Slyšeli jste o Janě a Leovi? To je skandál, že?

vypravovat, vyprávět o – to tell (tells), to narrate
Tatínek vyprávěl pohádku o princezně.
Učitel vypravoval o historii české země.
Babička vyprávěla o svém dětství.

záležet na – to depend on
Je české jídlo dobré? – Jak kde. To záleží na restauraci.
Pojedete na výlet? – To záleží na počasí.

být závislý na, záviset na
– to be dependent on, to be addicted to
Nechci být závislý na alkoholu.
Narkoman je závislý na droze.

REMEMBER:
How to translate the English expression "It depends."*? Never say:* "To záleží."! *It´s wrong!*
1. Jak kdo, kdy, kde... (Piješ čaj nebo kávu? – Jak kdy. Někdy čaj, někdy kávu.)
2. To záleží na + locative (To záleží na počasí. To záleží na mamince. To záleží na šéfovi.)
3. To záleží na tom, kdo, kdy, kde, jestli...

1. Finish the sentences.
1. Četl/a jsem o (prezident Václav Havel, spisovatel Franz Kafka, hobit Bilbo, upír Drákula).
2. Viděl/a jsem film o ...
3. Povídali jsme si o ...
4. Slyšel/a jsem o ...
5. Psal/a jsem dopis ...
6. Přemýšlela/a jsem o ...

pronouns in the locative

❑ *Learn the pronouns in lesson 17, p. 176.*

1. Practise the interrogative pronouns.

1. O .... (co) píšeš? O Praze nebo o Brně?
2. O .... (co) čteš? O královně nebo o princezně?
3. O .... (kdo) mluvíte? O Ireně nebo o Monice?
4. O .... (kdo) píšou noviny?
5. O .... (co) jste se bavili včera?
6. Po .... (kdo) jsi přišla?
7. Při .... (co) posloucháš hudbu?

2. Practise the personal pronouns.

1. Mluvili jste o tom klukovi? – Ano, mluvili jsme o .... (on).
2. Četl jsi o té letecké katastrofě? – Ano, četli jsme o .... (ona).
3. Mluvili jste o Martinovi a Petrovi? – Ne, nemluvili jsme o .... (oni).
4. Mluvila Alena o mně a o tobě? – Ano, mluvila o .... (my).
5. To záleží na .... (vy).
6. To záleží na .... (ty).
7. Co o .... (já) říkali rodiče?
8. Četli jste o .... (my) v novinách?
9. Dobrý den, pane Krátký. Znám vás a hodně jsem o .... (vy) slyšela.
10. To je Monika. Včera jsme se .... (ona) bavili.
11. Při práci nikdy nemluvím. Musím se při .... (ona) koncentrovat.
12. Nejdřív si dáme oběd a po .... (on) půjdeme na procházku.

3. Practise the singular possessive pronouns.

1. Mluvíme o .... (můj dobrý projekt).
2. Píšu dopis o .... (tvůj chytrý plán).
3. Bavili jsme se o .... (její hodný syn).
4. Povídali jsme si o .... (naše staré auto).
5. Četla jsem o .... (váš nový stát).
6. Slyšela jsem o .... (jeho nový mercedes).
7. To záleží na .... (jejich názor).
8. Pochybuju o .... (naše politická strategie).
9. Napsal jsem knihu o .... (vaše zajímavá země).
10. Nevím nic o .... (jejich cizí kultura).
11. Přemýšlela jsem o .... (tvoje divná kamarádka).
12. Slyšela jsem něco zajímavého o .... (naše velká rodina).

4. Learn the plural forms. Practise the plural possessive pronouns.

1. Sním o .... (naše fantastické nápady).
2. Přemýšlím o .... (tvoje užitečné plány).
3. Bavíme se .... (vaše nové projekty).
4. Četla jsem o .... (jeho nebezpečné aktivity).
5. Nemluvili pravdu o ....(jejich staré dokumenty).
6. Nechci být závislý na .... (tvoje špinavé peníze).
7. Nechci nic slyšet o .... (vaše riskantní dobrodružství).
8. Viděla jsem film o .... (naše krásné modelky).
9. Četla jsem v dopise o .... (moje staří kamarádi).
10. Nikdy jsem nic neslyšela o .... (ty vaše nudné konference).
11. Nikdo mi neřekl pravdu o .... (ty jejich politické strategie).
12. Vždycky jsem pochybovala o .... (vaši divní partneři).

the locative expressing time

❑ *The locative can also answer the question* **KDY?***It is used with:*

1. *months*

leden v ....
únor v ....
březen v ....
duben v ....
květen v ....
červen v ....
červenec v ....
srpen v..............
září v..............
říjen v ....
listopad v ....
prosinec v ....
Kde jste byli letos v (na) .... ?

2. *years*

Review:

v roce 1997 **1. tisíc devět set devadesát sedm**
2. *(since 11..)* **devatenáct set devadesát sedm**

3. *prepositions*

po – after
Po snídani musím pracovat.
Po obědě budu spát.
Po večeři chci jít na procházku.

při
Při jídle nemyslím na práci. = Když jím, nemyslím na práci.
Při práci potřebuju klid. = Když pracuju, potřebuju klid.

o
Note that na + the accusative is also common here.
o víkendu
o prázdninách *(pl.)*
o dovolené /na dovolené
o Vánocích *(pl.)*/na Vánoce
o Velikonocích *(pl.)*/na Velikonoce

1. **Read:**
v roce 863, 926, 1085, 1306, 1348, 1415, 1526, 1621, 1781, 1918, 1939, 1945, 1948, 1968, 1989, 2000, 2010 ...

2. **Topics for conversation. Use the words from the vocabulary in this lesson.**
Co obvykle děláte o víkendu?
Co obvykle děláte o Vánocích?
Co obvykle děláte o dovolené?
Co děláte na jaře, v létě, na podzim a v zimě?
Co jste dělali o prázdninách, když jste byli malí?
Co dělají o prázdninách vaše děti?

the locative Ma, Mi, F, N plural

ten, ta, to (demonstrative pronouns) and adjectives

Ma Mi F N **těch moderních českých** *(coll.* těch moderních českejch*)*

❑ *Note that the locative forms of demonstrative pronouns, numerals and adjectives are the same as the genitive plural.*

nouns

main rules		*other rules*
Ma	**-ech** (studentech)	1. Mobile -e- (pes – psech) 2. Stem changes (kůň – koních) 3. Softening -hy - zích (*coll.* -hách) -ky - cích (*coll.* -kách) -chy -ších (*coll.* -chách)
soft (ž,š,č,ř,č,ď,ť,ň,c,j, -tel)	**-ích** (mužích)	
Mi	**-ech** (hradech)	1. Mobile -e- 2. Stem changes (dům – domech) 3. Softening -hy - zích (*coll.* -hách) -ky - cích (*coll.* -kách) -chy - ších (*coll.* -chách)
soft (**ž**,**š**,**č**,**ř**,**d**,**t**,**ň**,**c**,**j**)	**-ích** (čajích)	
F **-a ending**	**-ách** (ženách)	
-e ending **consonant ending**	**-ích** (židlích) **-ích** (skříních)	
N **-o ending**	**-ech** (městech)	1. The irregular N nouns: kuře – kuřata
soft (**ž**,**š**,**č**,**ř**,**d**,**t**,**ň**,**c**,**j**) **-í ending**	**-ích** (mořích) **-ích** (nádražích)	

❑ *For the mobile -e- and stem changes, see A Trip back through History, p. 265.*
❑ *Note that names of many Czech cities, villages and districts have plural forms. (E.g.* Dejvice, Teplice, Karlovy Vary*).*
❑ *For possessive pronouns in the locative plural, see p. 176.*

1. Make sentences. Use the locative plural.

1. Slyšel jsi o... (ten člověk, novinka, dobrá zpráva, katastrofa, nehoda, aféra, skandál, tragédie)
2. Mluvili jsme o... (politik, spisovatel, spisovatelka, malíř, malířka, kamarád, kamarádka)
3. Sním o... (luxusní jachta, zlatý zámek, tropický ostrov, zelená palma, čisté moře, horká noc)
4. Bavíme se o... (nové šaty, krásný model, drahý svetr, kamarádi, příbuzní, známí, lidi)
5. Přemýšlím o... (víra, náboženství, dobrá kniha, dramatický film)
6. Co si myslíte o... (politik, nový seriál, včerejší detektivka, poslední bestseller)
7. Bydlím v ... (Boskovice, Dačice, Radlice, Milovice, Řevnice, Horoměřice, Lipany, Poděbrady, Břežany)
8. Pracuju v... (Dejvice, Černošice, Strašnice, Mariánské Lázně, Karlovy Vary, České Budějovice)
9. Byli jsme v... (Teplice, Moravské Budějovice, Uhlířské Janovice, Jaroměřice, Pardubice, Napajedla)
10. Hádáme se o ... (šéf, ředitelka, děti, peníze, nákupy, dárky, povinnosti)

2. Use the map of the Czech Republic. Focus on the plural place names.
Example: Byli jste v Mariánských Lázních? – Ano, byli jsme v Mariánských Lázních.

3. Say, where people do the activities listed in the vocabulary on p. 187. Use the pictures in the end of this lesson.
Example: Bruslím na stadionu. Pěstuju květiny na zahradě. Plavu v moři, v řece a v bazénu.

4. Fill in the prepositions. Use the nouns in brackets in their correct forms.

1. V zimě rádi bruslíme venku .... (led), ale v létě máme trénink .... (stadion).
2. Nejraději cestuju .... (svět) .... (léto) a .... (podzim).
3. Nebyli jsme .... (výlet), protože byla moc velká zima.
4. .... (červenec) a .... (srpen) sbíráme .... (les) maliny.
5. Rád chodím na dlouhé výlety .... (příroda).
6. Bratr rád chytá ryby. Sedí .... (řeka), dívá se na vodu a relaxuje.
7. Moje sestřenice Monika pracuje .... (firma).
8. Nejraději jezdím na hory .... (leden).
9. .... (víkend) vždycky čteme, spíme a hrajeme karty.
10. Vždycky .... (Vánoce) sáňkujeme venku na kopci. Baví nás to.
11. Loni jsme sáňkovali a lyžovali .... (Velikonoce)!
12. Když jsem .... (moře), nejraději se opaluju.
13. Kluci jezdí .... (prázdniny) na skejtu.
14. .... (Itálie) budeme jezdit na jachtě.
15. .... (léto) pojedu skákat bungee jumping.
16. Nesnáším sporty! Nikdy .... (život) jsem nesportovala a nebudu sportovat!
17. Když jsme byli malí, pouštěli jsme .... (podzim) .... (zahrada) draka.
18. Ještě nikdy jsem neraftoval, ale .... (dovolená) pojedu raftovat!
19. Ráda se opaluju .... (pláž) u moře.
20. Rád se potápím. Trénuju .... (řeka), ale nejraději se potápím .... (moře).
21. Babička v zimě sedí .... (pokoj) .... (krb) a plete rukavice a ponožky.
22. Maminka je .... (obývák) a vyšívá.
23. Kde nejraději plavete? .... (bazén) nebo .... (moře)?
24. Když jsem .... (nějaká cizí země), prohlížím si památky.
25. Zahradník pracuje .... (park), sází květiny a stromy a stará se o ně.
26. Celý rok posiluju .... (fitness centrum Tyran). Manželka cvičí jógu .... (les).

5. Topics for conversation:
Jste agent cestovní kanceláře a prodáváte cesty, rekreace a pobyty. Kdy a kam jedete? Jaká je doprava? Jaká je cena? Co všechno tam můžou vaši klienti dělat?

6. Work with a dictionary. Match the authors and their books (with locatives in their titles).

Kvíz pro knihomoly:

Graham Greene	Vražda v Orient Expresu
Jack Kerouac	O myších a lidech
John Steinbeck	Na cestě
Agatha Christie	Náš člověk v Havaně

1. **bruslit/zabruslit si**	to skate
2. **cvičit/zacvičit si aerobic, gymnastiku, strečink...**	to exercise...
3. **chovat psy, kočky, holuby, rybičky...**	to breed/raise dogs, cats...
4. **chytat/chytit ryby; rybařit**	to catch fish
5. **jezdit, jet na kole**	to go biking
6. **jezdit, jet na skatebordu (na skejtu)**	to go skateboarding
7. **jezdit, jet na jachtě**	to go yachting
8. **jezdit, jet na lodi**	to go boating
9. **jezdit, jet na kolečkových bruslích**	to go roller skating
10. **chodit, jít na výlety**	to hike
11. **háčkovat/uháčkovat**	to crochet
12. **hrát* karty, šachy...**	to play cards, chess...
13. **koupat se/vykoupat se**	to bathe
14. **krasobruslení, krasobruslit**	to figure-skate
15. **kreslit/nakreslit**	to draw
16. **lézt/vylézt na skálu, na horu**	to climb a rock...
17. **luštit/vyluštit křížovku**	to do a crossword puzzle
18. **lyžovat/zalyžovat si**	to ski
19. **malovat/namalovat**	to paint
20. **opalovat se/opálit se**	to sunbathe, to lay out
21. **organizovat/zorganizovat akce**	to organize events
22. **pěstovat/vypěstovat květiny**	to raise flowers
23. **plavat*/zaplavat si**	to swim
24. **plést*/uplést**	to knit
25. **posilovat**	to strengthen, to work out
26. **pouštět/pustit draka**	to fly a kite
27. **raftovat**	to raft
28. **potápět/potopit (se)**	to dive
29. **prohlížet/prohlédnout* (si) památky**	to go sightseeing
30. **sáňkovat/zasáňkovat si**	to sled/toboggan
31. **sázet/zasadit květiny a stromy**	to plant flowers and trees
32. **sbírat/sebrat houby, maliny, borůvky**	to pick mushroom...
33. **sbírat/sebrat známky, starožitnosti...**	to collect stamps, antiques...
34. **skládat skládačku, puzzle**	to do a puzzle
35. **skákat/skočit do vody**	to jump into water
36. **vyšívat/vyšít**	to embroider

❑ *Typical endings of non-coloured nouns are:* **consonant** *for* Ma/Mi, **-a** *for* F *and* **-o** for N.
❑ *The underlined -e- denotes the mobile -e- that disappears in declined forms.*

Say, when and where people do these things.

LESSON 19

- Modal verbs.

1. To have to, must.
2. To be able, can.
3. To be allowed, may.
4. To be to, to be supposed to, shall/should.

- General statements in Czech.
- Vocabulary: Daily programme. Chores.

modal verbs - modální slovesa

Review the modal verbs you know from lesson 7, p. 82.
Chci být zdravý!
Dneska **můžu** spát.
Musím pracovat.
Umíš vařit?

❑ *Modal verbs help to express the speaker's attitude or opinion. They are concerned with ability, possibility, necessity, desirability, certainty or obligation. They don't mean much on their own and they require further explanation by another verb.*

REMEMBER:: The modal verbs are followed by the infinitive.

1. *chtít* – to want.

See lesson 6, p. 71.

2. *umět* – to know how to, can

See lesson 8, p. 97.

3. *muset* – must, have to

It is used to express:

1. *obligation*
   Musím celý den pracovat. I must work all the day.
2. *emphatic advice or exclamation*
   To musíš vidět! You must see it! To musí být krásné. It must be beautiful.

❑ **Nemuset** *expresses absence of obligation:*
Když nechceš, nemusíš dneska pracovat. If you don´t want to, you don´t have to work today.

REMEMBER: **nemusíš** – you don´t have to, you need not

4. *moct* (can, to be able, to be allowed)

It is used to express:

1. *ability*
   Bolí mě koleno. Nemůžu chodit. My knee hurts. I cannot walk.
2. *possibility*
   Ten film může být moc zajímavý. The film can be very interesting.

5. *smět* – may, to be allowed

The negative forms (nesmím, nesmíš, nesmíte...) *express a strict prohibition.*

REMEMBER: **nesmíš** – you mustn´t

❑ *Note:* may/might *are often translated by Czech adverb* **možná.**

6. *mít*

In its modal meaning it expresses English constructions:
to be to, to be supposed to, shall

to have to - muset

1. Read and answer.

1. Když je zima, musíte nosit kabát?
2. Musíte pracovat každý den?
3. Musíte jít na policii pro povolení k pobytu?
4. Musíte dneska něco psát?
5. Musíte jet na letiště?
6. Musíte každý měsíc platit za byt?
7. Musíte chodit každý den na procházku?
8. Musíte jet na ambasádu?
9. Musíte uklízet byt?
10. Musí se každá vdaná žena jmenovat jako její manžel?
13. Musíte chodit do školy?
14. Když je člověk bohatý, nemusí pracovat.
15. Když nemáte chuť na tu polévku, nemusíšte ji jíst.
16. Nemusíte se bát.

can, to be able - moct

2. Read and answer.

1. Můžete si půjčit knihy od kamaráda?
2. Můžete dělat, co chcete?
3. Můžete utrácet peníze?
4. Kdy můžou holky nosit mini a bikini?
5. Kdy můžeme plavat v bazénu?
6. Kdy můžeme jezdit na hory?
7. Kdy na mě můžete počkat?
8. Kde můžete jíst?
9. Kde můžete spát v cizím městě?
10. Kde nemůžete kouřit?
11. Kdo může jet na letiště pro hosty?
12. To je škoda, že jsem včera nemohla přijít! Mohlo to být moc hezké.
13. Mohla jsem se vdát, ale nechtěla jsem.

3. Co musíte/nemůžete dělat, když jste nemocní?

4. When would you react like this? Set up the situations.

Example: Víš, že zítra jedeme na výlet na Karlštejn? – To může být fajn.
To může být nebezpečné!
To může být zajímavé.
To může být nuda.
To může být senzace!
To může být katastrofa!
To může být legrace.

5. Fill in the correct verb:

1. Děti .... chodit do školy.
2. Dospělí .... chodit do školy, ale .... chodit do práce.
3. Nemocní lidé .... pracovat.
4. Studenti se .... připravovat na zkoušky.
5. V Evropě řidiči .... jezdit vlevo.
6. V Anglii a v Japonsku řidiči .... jezdit vlevo.
7. Vojáci .... nosit uniformy.

may, to be allowed - smět

smím	**smíme**
smíš	**smíte**
smí	**smí (smějí)**

REMEMBER: You mustn´ t – **nesmíš!**
Nesmíš, nesmíte *expresses a strict prohibition!*

1. Fill in the verb "smět".

1. .... jít ven, když jsi nemocný!
2. .... používat make-up, když jsi ještě malá!
3. . ... tady mluvit! Tady musí být klid.
4. Každý den .... utrácet peníze jako Rotschild!
5. Když je někdo moc silný, ... jíst sladké.
6. .... pít alkohol, když řídíš.
7. .... křičet, když tě bolí v krku.
8. .... jíst ten dort! Je pro hosty.
9. Pane, tady . ... kouřit!
10. .... mít psa, když mám alergie?

2. Topics for conversation:
Co musí a nesmí dělat děti? Co musí a nesmí dělat dospělí?

REMEMBER:
may/might *are often translated by the adverb* **možná** (maybe)

3. Read. Use the verb "moct" instead of "možná".
Example: Monika možná bude mít hlad. – Monika může mít hlad.

1. Možná to bude zajímavé.
2. Zítra možná budu mít peníze.
3. Možná někde prší.
4. Možná tady zítra budu.

4. Work with a dictionary. Read and retell in Czech.

V restauraci

Číšník: Dobrý den! Prosím, co si dáte?
Karel: Tak co, Irenko, nedáme si aperitiv?
Irena: Ale Karle! Ty nevíš, že aperitiv nesmíš? Když chceš být štíhlý, nesmíš vůbec pít alkohol!
Karel: No dobře.... Tak já si dám jenom sodu. A co polévku? Mají bramboračku, tu já mám rád.
Irena: Ne, ne žádnou bramboračku. Nesmíš jíst takové husté polévky. Dáme si hovězí bujón. Ale nesmí tam být vajíčka ani nudle! Já nejsem zvyklá večer moc jíst a ty musíš myslet na postavu!
Karel: Aha. No, a co chceš jako hlavní jídlo? Nedáme si biftek Stroganov?
Irena: Ale Karle, ty jsi opravdu blázen! Nesmíš objednávat takové drahé jídlo!
Karel: No a co? Když vydělávám, tak utrácím! Můžu nakupovat a platit, co chci!
Irena: Ano, můžeš, ale žádný Stroganov si nedáš. Je tam smetana a tu ty nesmíš. Dáme si kuře a rýži. A taky salát.
Karel: Proč salát? Nejsem králík!
Číšník: Tak prosím, co to bude?
Irena: Chtěli bychom dvakrát hovězí bujón, ale nesmí tam být vajíčka ani nudle. Pak dvakrát kuře a rýži, ale nesmí to být moc tučné. My tučná jídla nesnášíme. Že, Karle?
Karel: Samozřejmě, miláčku... A prosím vás, smí se tady kouřit?
Číšník: Tady? Ne! Nesmí!!!

to be to, to be supposed to, shall/should

❑ *Besides its basic meaning* "to have", *the verb* **"mít"** *can be used in its modal meaning expressing* to be to, to be supposed to, shall/should. *Compare:*
Mám kávu. I have coffee.
Mám udělat kávu? Shall I make some coffee?
Měl jsem udělat kávu. I should have made some coffee.

❑ *For more about English* should, *see lesson 20, p. 203.*

1. Fill in the verb "mít" (modal meaning!).
1. .... kupovat na večer šampaňské?
2. Tak nevím: .... tenhle dům prodávat nebo ne?
3. .... jít na diskotéku?
4. .... to vysvětlit ještě jednou?
5. .... otevřít okno?
6. .... uvařit kávu?
7. .... jít pro pivo?
8. .... studovat ruštinu?

2. Imagine that you are a very indecisive person and you have to ask someone about all your decisions. Do you know someone who is really like that? What does he or she say?
Example: Jet na hory. Mám jet na hory nebo ne?
1. Vařit oběd.
2. Pracovat v zahraničí.
3. Koupit si nový kabát.
4. Jít spát.
5. Jít do kina.
6. Učit se na zítra.
7. Psát domácí úkol.
8. Přinést snídani.
9. Rezervovat dovolenou.

3. Read. Instead of the verb "mít" use the verb "být".
Example: Zítra má pršet. – Zítra asi bude pršet.
1. Zítra má být ještě hezky, ale pozítří už má být zataženo.
2. Příští týden má být vedro.
3. Předpověď na příští týden je mizerná: celý týden má být zima a má pršet.
4. V televizi říkali, že v létě má být hezké počasí.
5. Slyšela jsem, že o víkendu má sněžit.

4. Plan your week using the diary.
Example: V pondělí v devět ráno mám jít k doktorovi.

REMEMBER:
Měl jsem to udělat jinak/naopak. – I should have done it differently/the other way round.

5. Read.
1. Měla jsem si koupit modrý kabát.
2. Měl jsem si objednat rýži, a ne knedlíky.
3. Měli jsme jet na výlet, a ne sedět doma.
4. Měla jsem koupit máslo, a ne margarin.
5. Neměla jsi kupovat tak drahé dárky!
6. Neměli jsme tolik utrácet!
7. Neměli jsme tam chodit!
8. Neměl jsem studovat tu strašnou češtinu!

6. React.
Example: Koupila jsem modrý kabát. – Neměla jsi kupovat ten modrý kabát! Byl moc drahý!
Note that the imperfective aspect is often used in negative reactions.
1. Koupil jsem koňak.
2. Šel jsem do nemocnice.
3. Jeli jsme na výlet.
4. Studovala jsem chemii.
5. Šla jsem na rande.
6. Trénoval jsem dneska celý den.
7. Jeli do kina.

1. Complete the sentences with modal verbs.

1. Daniel má zítra zkoušku, a tak .... dneska studovat.
2. .... si číst časopis nebo detektivku?
3. Lenka je ještě malá, ... pít víno ani pivo!
4. Moniko, ... jít dneska večer na diskotéku.
5. Když budeme mít dovolenou, ... celý den spát!
6. Jaro .... být hezké a teplé.
7. V zimě .... nosit teplý kabát.
8. V neděli .... jít do školy.
9. Děti .... zlobit!
10. .... dělat biftek nebo řízky?

2. Match up the sentences.

1. Když řídíš auto
2. Když chceš být zdravý
3. Když vás bolí břicho
4. V divadle
5. Nemůžu jít na výlet,
6. Když pojedu o víkendu na výlet,

a) můžu si půjčit tvoje auto?
b) musíš sportovat a plavat!
c) nesmíš pít alkohol.
d) musíte jít k doktorovi.
e) protože mám moc práce.
f) nesmíte kouřit!

3. Co jste museli/nemusel, mohli/nemohli a směli/nesměli dělat, když jste byli malí?

Example: Když jsem byl malý, musel jsem každý den uklízet!

jíst špenát a zeleninu
používat make-up
číst večer detektivky a horory
psát domácí úkoly
pracovat celý den a vydělávat peníze
chodit na diskotéky
psát memoranda, dokumenty a zprávy
hrát na klavír nebo na housle
řídit auto
jíst čokoládu, zmrzlinu a bonbóny
dívat se večer na televizi
chodit na opery a koncerty
chodit brzy spát
být každý večer doma do 8 hodin

4. Put the forms in brackets into the infinitive.

1. Když chceš (jsi) .... zdravý, nesmíš tolik (jíš) .... a musíš (sportuješ) ....
2. To nemůžete (víte) .... !
3. Smíme (jdeme) .... ven, když je hezký den?
4. Marie nechce (vaří) ....
5. Už musím (jedu) .... domů.
6. Vím, že každý den nesmím (utrácím) .... peníze!
7. Takovou věc nemůžeme (chceme) .... !
8. Tady určitě nesmíte (kouříte) .... !
9. Musím (koupím) .... jídlo a pití, protože o víkendu máme návštěvu.
10. Umíš (plaveš) .... a (hraješ) .... fotbal?
11. Zítra je neděle, a tak nemusíme (jdeme) .... do práce.
12. Děti, teď musíte (pracujete) ...., (čtete) .... a (píšete) .... !
13. Teď se nesmíme (bavíme) ....
14. Mám (vysvětluju) .... gramatiku ještě jednou?
15. Mám tady na tebe (čekám) .... ?
16. Musím (se připravuju) .... na lekci.
17. Můžeš (zveš) .... na večírek taky Daniela?

5. Fill in the verbs "muset", "moct", "smět" and "umět".

1. .... tady kouřit!
2. .... francouzsky nebo italsky?
3. .... jít ven?
4. .... jít domů, je moc pozdě.
5. .... vařit nějaké exotické jídlo?
6. Teď .... řídit! Pil jsi alkohol!
7. .... tady kouřit?
8. Včera jsem .... spát.
9. .... čekat na pana Browna?
10. .... hrát fotbal, bolí mě noha.
11. Když chcete být zdravý, ... ovoce a zeleninu!
12. .... se bát.

general statements in Czech

1. *ty/vy*

1. Read.

1. Když jsi unavený, musíš odpočívat.
2. Musíš mít někdy nějakou legraci.
3. Když nemáte peníze, nemůžete cestovat.
4. Když jste agresivní, lidé vás nemají rádi.

2. *člověk, lidé/lidi, každý*

2. Read.

1. Člověk nikdy neví.
2. Člověk nemá dělat to, co ho nebaví.
3. Každý (člověk) má dělat to, co umí.
4. Člověk nesmí brát všechno vážně.
5. Člověk musí mít smysl pro humor.
6. Když lidi nemají peníze, je to špatné.
7. Každý (člověk) dělá chyby.
8. Lidi jsou různí.

3. *the reflexive passive forms*

Review the reflexive passive forms in lesson 12, p. 126.

1. Fill in the reflexive passive forms.

1. Tenhle text .... (číst) špatně.
2. Tahle písnička .... (zpívat) na svatbě.
3. (Říkat) .... různé věci.
4. Polévka .... (vařit).
5. Jak .... (dělat) svíčková omáčka?
6. Jak .... (psát) tohle slovo?
7. .... (Číst) málo.
8. Dneska .... (pracovat), je svátek.
9. Hodně .... (mluvit) o novém filmu.
10. .... (Psát) o válce v Kosovu.
11. U nás .... (večeřet) v 7 hodin.
12. .... (Říkat), že budou demonstrace.

4. Change the sentences using the reflexive passive forms.

Example: oběd – vařit: Oběd se vaří.

1. zelenina – jíst každý den
2. dům – prodávat
3. pokoj – uklízet
4. test – opravovat
5. dort – péct
6. nové slovo – psát
7. časopis – číst
8. hospoda – zavírat v 11 hodin
9. balíky – posílat
10. knihy a učebnice – studovat
11. bary – otvírat večer
12. ruce – mýt se často

5. Work with a dictionary. Read and retell in Czech.

Jak se žilo na začátku století...

Moje babička se narodila v roce 1890. Když byla malá, nebyla žádná auta, letadla nebo rakety a lidi ještě neznali telefon ani televizi. Babička ale říkala, že nikdy nevěděla, co je nuda. Její rodina měla obchod a tam se celý den pracovalo: prodávalo se ovoce, zelenina a květiny a jezdilo se na trh. Vždycky v sobotu se uklízel celý dům: pralo se prádlo, utírala se podlaha, myla se okna a pekly se koláče na neděli. Taky babička musela pomáhat. Její maminka vždycky říkala: „To víte, děti, práce se sama neudělá. Pracovat se musí.“. V neděli se ale nikdy nepracovalo. Celá rodina šla do kostela, a pak byl nějaký dobrý oběd, obvykle kuře, králík, nebo vepřové maso. Maso se samozřejmě jedlo jenom v neděli. Babiččin tatínek byl moc hodný. Říkal vždycky: „Člověk nemůže jenom pracovat, musí se taky bavit.“ A tak večer celá rodina odpočívala. Často přišli na návštěvu sousedi. Hrály se různé hry, zpívaly se písničky, vyprávěly se příběhy a pohádky, četly se noviny a knihy a nebo se jenom sedělo a povídalo o lidech a o životě. Babička si dobře pamatuje jednu písničku, ve které se zpívá: „Kde se dobře vaří, tam se dobře daří, kde se pivo pije, tam se dobře žije...“ Znáte tu písničku?

6. Topics for the conversation:

Co se musí dělat každý den a co jenom někdy?
Jaké domácí práce děláte/neděláte rádi?
Myslíte, že domácí práce musí dělat jenom ženy?
Kdo co dělá ve vaší rodině?

1. **čistit/vyčistit si zuby** — to clean one´s teeth
2. **čistit/vyčistit boty** — to clean the shoes
3. **dělat/udělat domácí úkoly** — to do homework
4. **fénovat vlasy** — to dry one´s hair (**fén** - hair dryer)
5. **holit/oholit** — to shave
6. **chodit/jít* na nákup** — to go shopping
7. **klepat/vyklepat koberce** — to beat the carpets
8. **luxovat/vyluxovat** — to vacuum
9. **malovat/vymalovat (pokoj, byt)** — to decorate
10. **mýt*/umýt** — to wash
11. **mýt*/umýt nádobí** — to wash the dishes (**myčka** - the dish-washer)
12. **oblékat/obléct*** — to dress
13. **opravovat/opravit** — to fix, mend, repair
14. **péct*/upéct** — to bake
15. **prát*/vyprat prádlo** — to wash laundry (**pračka** - the washing machine)
16. **plet*/vyplet záhon** — to weed the flower bed/patch
17. **používat přístroje a nástroje** — to use machines and tools
18. **rýt*/zrýt záhon** — to dig with spade
19. **sázet/zasadit květiny, stromy** — to plant flowers, trees
20. **sekat/posekat trávu** — to mow grass
21. **stěhovat/přestěhovat** — to move
22. **stlát*/ustlat** — to make (up) the bed
23. **šít*/zašít** — to sew
24. **tapetovat/vytapetovat** — to decorate using wall paper
25. **sušit/usušit prádlo** — to dry laundry (**sušička** - dryer)
26. **uklízet/uklidit** — to tidy
27. **vařit/uvařit jídlo** — to make the food
28. **vést*, vodit děti do školky/do školy** — to lead the children to the kindergarten, school
29. **věšet/pověsit prádlo, obraz...** — to hang (up) laundry, picture...
30. **venčit/vyvenčit psa** — to take the dog out, to walk the dog
31. **vstávat/vstát*** — to get up
32. **vynášet/vynést odpadky** — to take out garbage
33. **utírat/utřít podlahu, prach** — to wipe the floor, dust
34. **zalévat/zalít květiny** — to water the flowers
35. **zametat/zamést** — to sweep
36. **žehlit/vyžehlit** — to iron

❑ *Typical endings of non-coloured nouns are:* **consonant** *for* Ma/Mi, **-a** *for* F *and* **-o** for N.
❑ *The underlined -e- denotes the mobile -e- that disappears in declined forms.*

LESSON 20

- Outline of the conditional.

1. The simple conditional.
2. Conditional clauses.

3 + 4. Purpose and objective clauses.

- Polite questions, requests, suggestions.
- Other uses of the conditional.
- Vocabulary: Features of peopleïs character.

the outline of the conditional

Review the conditional forms you know from lesson 6, p. 72.
Chtěl bych dobrou kávu.
Chtěla bych čokoládový dezert.
Chtěli bychom guláš a pivo.

❑ *The conditional is used:*

1. *for the conditional itself (the simple conditional)*

Koupil bych si zámek. I would buy a castle.

2. *for conditional clauses*

Kdybych byl bohatý, koupil bych si zámek. If I were rich, I would buy a castle.

3. *for purpose clauses*

Musím těžce pracovat, abych si koupil zámek.
I have to work hard to buy a castle. I have to work hard so that I buy a castle.

4. *for objective clauses*

Kamarád chce, abych si koupil zámek. My friend wants me to buy a castle.

What do you need to form the conditional and conditional clauses?
(The -l *forms of the verb* "být" *are used as an example.)*

-l *form*		*the simple conditional*		*conditional clauses*		*purpose and obj. clauses*	
byl/byl	+	**bych**	**bychom**	**kdybych**	**kdybychom**	**abych**	**abychom**
byla		**bys**	**byste**	**kdybys**	**kdybyste**	**abys**	**abyste**
bylo		**by**	**by**	**kdyby**	**kdyby**	**aby**	**aby**
byli/y/y/a							

NOTES

❑ *In colloquial Czech use* bysme, kdybysme, abysme *in the we-form.*

❑ *The reflexive verbs undergo a small change (a contraction facilitating understanding in the spoken language) in the second person sg. form:*
Observe:
jmenoval/a **by ses** *instead of* "jmenoval/-a bys se"
dělal/a **by sis** *instead of* dělal/-a bys si

❑ *As far as* **by** *forms are concerned, the word order rules are exactly the same as those applied for auxiliaries in the past tense (see lesson 8, p. 93). However,* **Kdyby** *and* **aby** *forms can stand at the beginning of the sentence.*
Observe:
Byl **bych** doma. Já **bych** byl doma. Já, Adam a Irena **bychom** byli doma.

❑ *Review the irregular past participles. See lesson 8, p. 92.*

1. the simple conditional

-l form			
byl/byl	+	**bych**	**bychom (bysme)**
byla		**bys**	**byste**
bylo		**by**	**by**
byli/y/y/a			

1. Read and compare.

1. Byl jsem doma.
   Byl bych doma.
2. Měl jsem peníze.
   Měl bych peníze.
3. Chtěl jsem jít ven.
   Chtěl bych jít ven.
4. Mohl jsem jet domů.
   Mohl bych jet domů.

2. React according to the given model.

Example: Byl bych v kanceláři. – A co David? David by byl taky v kanceláři.

1. Byl bych v práci.
2. Byli bychom doma.
3. Alena by byla ráda.
4. To by bylo dobré.
5. To by bylo strašné!
6. Zítra bych byl doma, ale nemůžu.
7. Měl bych peníze.
8. Měli bychom hlad.
9. Chtěl bych nový mercedes.
10. Četl bych knihy, ale nemám čas.
11. Psala bych dopis, ale nemám pero.
12. Šel bych ven, ale raději budu doma.
13. Jedla bych a pila, ale nemám peníze.
14. Potřebovala bych nový kabát.
15. Potřebovali bychom peníze.
16. Kupovali bychom nové kolo.
17. Zajímali bychom se o politiku?
18. Šéf by organizoval konferenci, ale nemá čas.
19. Mohla byste jít domů.
20. Děti by mohly jít spát.

3. Use the vocabulary from lessons 18 and 19. Make sentences with excuses.

Example: Bruslil bych, ale nemám brusle. Plavala bych, ale není teplo. Uklízel bych, ale nemám čas.

4. Use a dictionary. Answer the questions. Speak about the advantages and disadvantages.

1. Chtěli byste bydlet na zámku nebo na hradě? Jaké jsou výhody a nevýhody?
2. Chtěli byste být velmi bohatí?
3. Chtěli byste bydlet v mrakodrapu?
4. Chtěli byste mít doma vlastní bazén?
5. Chtěli byste bydlet na samotě na venkově?
6. Chtěli byste mít doma nějaké exotické zvíře?
7. Chtěli byste někdy dělat něco jiného, než děláte teď?
8. Chtěli byste v budoucnosti studovat nějaký další jazyk?
9. Chtěli byste někdy letět do vesmíru?

5. Look at the jobs in lesson 24, p. 238. Which of them would/wouldn't you like to do? Why?

6. Use a dictionary. Imagine that...

1. Představte si, že by někdo vyprávěl vtip, který už znáte. Co byste dělali?
2. Představte si, že byste přišli ráno do práce. Měli byste staré kalhoty a svetr a taky mokré vlasy, protože ráno pršelo. Najednou by přišel kolega a řekl by, že vás chce vidět váš nový šéf, kterého ještě vůbec neznáte. Co byste dělali?
3. Představte si, že by u vás doma byli na večeři vaši kamarádi. Byl by tam taky manželský pár, který by se pohádal. Hádali by se a křičeli. Co byste dělali?
4. Představte si, že byste si pozvali na oběd kamarády. Připravili byste výborné jídlo, vaši specialitu, ale zapomněli byste, že jeden váš kamarád je vegetarián a nikdy nejí maso. Jenom vy byste věděli, že když jste jídlo vařili, dali jste tam maso. Co byste dělali?
5. Představte si, že byste pozvali kamarády na oběd. V restauraci byste viděli, že jste si zapomněli peníze. Co byste dělali?

2. conditional clauses

-l form	+		
byl /byl		**kdybych**	**kdybychom (bysme)**
byla		**kdybys**	**kdybyste**
bylo		**kdyby**	**kdyby**
byli/y/y/a			

1. Read and answer:

1. Kdyby bylo léto, jeli byste na dovolenou?
2. Kdyby byl sníh, jeli byste na hory?
3. Kdybyste mohli, spali byste celý den?
4. Kdybyste mohli cestovat, kam byste jeli?
5. Kdybyste se nudili, šli byste do kina?
6. Kdybyste nemuseli studovat, hráli byste fotbal?
7. Kdybyste jedli dorty, byli byste obézní?
8. Kdybyste měli čas, co byste dělali?
9. Kdyby byla zima, koupili byste si teplý kabát?
10. Myslíte, že by bylo fajn, kdybyste nepracovali?

2. Use the verbs from the vocabulary in lesson 18 and 19. What would you do if you had time?
Example: Kdybych měla čas, upletla bych si krásný svetr.

3. Match the sentences. Then, use your own words to complete the sentences in the left column.

1. Kdybych neuměl opravit auto
2. Kdybych se nebála stopovat,
3. Kdyby o víkendu pršelo,
4. Kdybych neměl peníze,
5. Kdybych neměl domácí úkoly,
6. Kdybychom ztratili pas v cizině,
7. Kdyby najednou přišla návštěva,
8. Kdybych byl nemocný,
9. Kdybych měl kvalitní lyže,
10. Kdybych už uměla perfektně česky,

a) cestovala bych stopem po světě.
b) museli bychom běžet pro víno a něco dobrého.
e) studovala bych nějaký jiný slovanský jazyk.
d) musel bych brát léky a jíst vitamíny.
f) jezdil bych každý víkend lyžovat na hory.
h) museli bychom jít na ambasádu.
i) nešel bych do školy!
j) nemohli bychom jet na výlet.
k) musel bych dát auto do servisu.
l) musel bych si půjčit peníze od kamaráda.

4. Read and answer:

1. Co byste dělali, kdybyste měli milión?
2. ...kdybyste měli celý rok volno?
3. ...kdybyste měli vilu na Floridě?
4. ...kdybyste měli deset dětí?
5. ...kdybyste ztratili všechny dokumenty?
6. ...kdybyste našli peněženku?
7. ...kdybyste ztratili klíče?
8. ...kdyby váš dům hořel?
9. ...kdybyste museli žít na pustém ostrově?
10. ...kdybyste mohli žít ještě jednou?

5. Make sentences adding the first part of the sentence.
Example: jet na hory: Kdybych měl čas, jel bych na hory.

1. ...jít na kávu nebo na pivo
2. ...hrát tenis
3. ...dívat se na televizi
4. ...večeřet v restauraci
5. ...poslouchat hudbu
6. ...plavat v bazénu
7. ...číst nějaký bestseller
8. ...být doma
9. ...jít na procházku
10. ...cestovat po světě

Do you understand the Czech saying: **kdyby – chyby?**

6. Practise with the expressions from lesson 5, p. 62.
Example: Kdybych měl žízeň, šel bych na pivo. Kdybych měla horečku, vzala bych si aspirin.

3. + 4. purpose and objective clauses

-l form		
byl/byl	+	**abych** / **abychom (bysme)**
byla		**abys** / **abyste**
bylo		**aby** / **aby**
byli/y/y/a		

3. ***Purpose clauses:*** *The most widespread function is to answer "why-questions", i. e. to express purposes. In English you have phrases such as* so that, in order to, in order that *or just* an infinitive *here.*

1. Read.

Nosím brýle, abych dobře viděl.
Chci být doma včas, abych viděla detektivku.
Učím se česky, abych rozuměl, mluvil a psal.
Jedu do Holandska, abych viděla tulipány.
Vzal jsem si prášek, abych dobře spal..
Trénuju každý den, abych byl silný.

2. Answer.

Co musíte dělat, abyste byli silní/zdraví/bohatí/spokojení?

3. Read and answer.

Proč se učíte česky?
Proč chodíte do práce?
Proč cestujete?
Proč jíte a pijete?

> ***REMEMBER:*** **Abych pravdu řekl/a...** To tell the truth...

4. ***Objective clauses:*** "Aby-clauses" *are also used for so called objective clauses, i. e. for advising, recommending, requesting, wanting, wishing and warning someone to or not to do something (or reporting on the advice, request etc. of others). Here are some verbs introducing these sentences:*

verbs + the accusative
chtít – to want
prosit/poprosit – to ask, to request
upozorňovat/upozornit – to advice, to warn
varovat – to warn
žádat/požádat – to ask

verbs + the dative
doporučovat/doporučit – to recommend
přát si – to wish
radit/poradit – to give advise
říkat/říct – to say

❑ *Verbs complemented by the dative will again be practised in lesson 22, pp. 217–218.*

> ***REMEMBER:*** **Chtěl bych/přál bych si, abys...** – I wish you would...

4. Read.

Doktor říkal, abych nekouřil.
Ředitelka chce, abych přišla do práce.
Žádala jsem manžela, aby šel pro děti do školy.
Alena prosila sousedku, aby se starala o děti.
Chtěl bych, aby bylo zítra krásné počasí.
Přál bych si, aby bylo jaro!
Varovala jsem tě, abys neutrácel peníze!
Manželka říkala, abych dával pozor na peníze.
Doktorka nedoporučuje, abych chodil ven.
Varovala jsem děti, aby si nehrály na ulici.
Babička mě prosila, abych zítra přišel.
Šéf všechny žádal, aby v práci nekouřili.

❑ *Note:* "aby-clauses" *follow the construction:* **je nutné/je třeba/je zapotřebí** – it´s necessary
Je nutné, abych zaplatil byt. Je nutné, abys šel domů. Je nutné, abychom dobře pracovali.

polite questions, requests and suggestions

OBSERVE:
Informal address: Chceš čaj? Nechceš čaj? Chtěl bys čaj? Nechtěl bys čaj?
Formal address: Chcete čaj? Nechcete čaj? Chtěl byste čaj? Nechtěl byste čaj?

1. Read.

Chtěl bych ještě jednu becherovku.
Chtěla bych vídeňskou kávu a desert, prosím.
Slečno, nechtěla byste jít na večeři?
Mohl bys zítra čekat v hotelu?
Staral by ses o bratra?
Nemohla bys jít pozítří na výlet?
Nemohli byste být zítra v práci celý den?
Nepotřeboval bys peníze?
Nešli byste na kávu?
Nechtěli byste jít zítra na výlet?
Nechtěla bys jít zítra večer na koncert?
Nechtěl bys jít na pivo?

REMEMBER *useful beginnings of sentences (the* we-*form is used as an example):*
Mohli bychom/bysme...
Co kdybychom/kdybysme...
Co abychom/abysme...
} Why don´t we.../How about.../I wonder, if...

2. Read. Make similar suggestions.

Co kdybys šel pro pivo a pro kafe?
Co kdybys šla na fotbal?
Co kdybys umyl nádobí?
Co kdybychom jeli o víkendu na hory?
Co kdybychom šli dneska večer na koncert?
Co kdybychom pozvali Alenu?
Co kdybysme nedělali nic a spali?
Co kdybysme nešli zítra do školy?
Co kdybysme šli na diskotéku?
Co kdybysme šli na pivo nebo na kafe?
Co kdybysme zítra nešli do školy?
Co kdybysme zítra jeli na výlet?

3. Imagine that your friend is very sad. Suggest the things that could make him/her happy.
***Example*:** Co kdybychom si dali něco dobrého?

4. Work with a dictionary. Read and retell.

Praha je turistický ráj!

Pan Smutný: Budu teď asi týden v Praze. Co myslíte, kam bych měl jít?
Pan Veselý: Tady v Praze? V Praze se prostě nemůžete nudit! To je úplný ráj pro turisty! Tak krásné město jste ještě nikdy neviděl. Ta architektura! Ty paláce! Výstavy, galerie, historické památky...
Pan Smutný: Ale v centru je hrozná doprava. Všude jsou auta, tramvaje, autobusy. A taky je tam spousta zlodějů! Manželka říkala, abych dával velký pozor na peníze!
Pan Veselý: A nechtěl byste jet na výlet parníkem?
Pan Smutný: Ne! Vodu nemám rád!
Pan Veselý: Aha. Nechtěl byste jít na procházku? V Praze nejsou špatné parky. Teď na jaře jsou krásné. Stromy, květiny, ptáci...
Pan Smutný: Bohužel, nesnáším slunce. Můj doktor nedoporučuje, abych často chodil na procházky...
Pan Veselý: A co kdybyste šel na nějaký koncert? Teď je Pražské jaro! Znáte Rudolfinum nebo Obecní dům? Člověk tam nejenom slyší krásnou hudbu, ale taky vidí nádherné exteriéry a interiéry!
Pan Smutný: Abych pravdu řekl, nemám rád klasiku. Můj otec vždycky chtěl, abych chodil na koncerty, ale já chodil raději na fotbal!
Pan Veselý: Ale to nevadí. V Praze jsou taky výborné rockové, heavy-metalové, jazzové a jiné koncerty!
Pan Smutný: Ne, tuhle hudbu nesnáším. Už když jsem byl malý, maminka říkala, abych ji nikdy neposlouchal!
Pan Veselý: A co galerie? Nebo výstavy? Ve Veletržním paláci je výstava abstraktního umění!
Pan Smutný: Můj dědeček vždycky říkal, abych si pamatoval, že tihle moderní malíři jsou blázni.
Pan Veselý: No, to je opravdu těžké. Tak co byste chtěl dělat vy sám?
Pan Smutný: Hm... Nejdřív bych chtěl jít na pivo. Neznáte tady blízko nějakou dobrou hospodu?

other uses of the conditional

❑ *Forms* **"rád, raději, nejraději"** *(see lesson 7, p. 86) can be used both in non-conditional sentences, and in conditional ones. It translates:* I'd like..., I'd prefer/I'd rather..., best of all I would...
Observe: **Rád bych** šel na fotbal. **Raději** bych jel do kina. **Nejraději** bych spal.

1. Practise.
Example: spát: Rád bych spal. Raději bych spal než ... Nejraději bych spal.

1. číst detektivku
2. jet na výlet
3. hrát karty
4. jít do restaurace
5. dívat se na televizi
6. hrát fotbal

❑ *The verb* **"mít"** *in its modal meaning (see lesson 19, p. 193) can be used in the conditional. It means* I/you/he... should. *Observe:* **Měla bych** koupit nějaké jídlo. **Měl bys** jít spát. **Měli bychom** se vrátit.

> ***POZOR:***
> **Neměl jsi/neměls to dělat!** You shouldn't have done it!

2. Listen to the following complaints and plans. Say what these people should/shouldn't do.
Example: Neumím žádný cizí jazyk. – Měl bys začít studovat!
Nemám vůbec žádné peníze.
Chci jet do Rakouska, ale mám starý pas.
Nevím, jaký vlak nebo autobus jede do Jihlavy.
Moc mě bolí břicho a hlava.
Zítra ponesu z banky 1 000 000 korun.
Jedu na měsíc do vaší země. Co bych měl vidět?

3. Learn the adjectives at the following page. Explain them in other words.
Example: Líný člověk je takový člověk, který nerad pracuje a moc rád spí.

4. Topics for conversation:
Jací jste a jací byste chtěli být? Jaká by měla být dobrá matka? Jaký by měl být dobrý otec?
Jaký by měl podle vašeho názoru být ideální partner/šéf/sekretářka/doktor/prezident/?
Jak by měla vypadat vaše ideální dovolená? Jak by měl vypadat dům vašich snů?

5. Work with a dictionary. Read.

Inzeráty

> *Hledám solidního partnera – nekuřáka, abstinenta, sportovce a turistu, nejraději advokáta nebo ředitele. Měl by být hezký, hodný, energický, optimistický, pracovitý, zodpovědný, obětavý a nesobecký. Měl by hodně vydělávat a taky by měl umět vařit. Hlavně by mě měl mít rád. Značka: Jsem skromná realistka.*

> ***Hledám dobrého kamaráda! Neměl by být moc temperamentní ani divoký, ale měl by být přátelský, věrný, veselý a optimistický. Nemusí být krásný, ale nesmí být zlý. Hlavně by měl být hodně chlupatý. Značka: Už se na to štěně těším!***

❑ *The word* **"raději"** *can be also used with the modal verb* "mít" *in the conditional. It means* "I'd better...".
Observe: Je pozdě, **měla bych raději** jít domů. **Měl bys raději** spát u nás. **Měli byste raději** pracovat.

6. Practise:
Example: Chci být tady. – Měl bys raději jít domů.

1. Chci si dát řízek.
2. Chci jít do hospody.
3. Chci si vzít žlutou kravatu.
4. Chci se podívat na horor.
5. Chceme studovat chemii.
6. Chceme jet na hory.

1. **ambiciózní, ctižádostivý**	ambitious
2. **bezohledný**	ruthless, inconsiderate
3. **divoký**	wild
4. **egoistický, sobecký**	selfish
5. **hodný**	nice, kind
6. **sprostý, hrubý, vulgární**	rude, crude, vulgar
7. **kamarádský, přátelský**	friendly
8. **klidný**	calm
9. **lehkomyslný**	careless, light-minded
10. **líný**	lazy
11. **moudrý**	wise
12. **nafoukaný**	conceited, swollen-headed
13. **náročný**	demanding
14. **obětavý**	self-sacrificing
15. **opatrný**	careful
16. **ostýchavý, stydlivý**	shy
17. **pečlivý, puntičkářský, pedantický**	careful; meticulous, pedantic
18. **povrchní**	superficial
19. **pracovitý**	hard-working, diligent
20. **protivný**	nasty; cross, peevish
21. **příjemný, milý, sympatický**	nice
22. **roztržitý**	absent-minded
23. **sebevědomý**	self-confident
24. **skromný**	modest
25. **spokojený**	satisfied
26. **spolehlivý**	reliable, dependable
27. **staromódní**	old-fashioned
28. **statečný**	brave
29. **tvrdohlavý, paličatý**	obstinate, stubborn
30. **upřímný**	sincere
31. **věrný, loajální**	faithful, loyal
32. **závistivý**	envious
33. **zdvořilý**	polite
34. **zlobivý**	naughty
35. **zlý**	evil
36. **zodpovědný**	responsible
37. **žárlivý**	jealous

❑ *Typical endings of non-coloured nouns are:* **consonant** *for* Ma/Mi, **-a** *for* F *and* **-o** for N.
❑ *The underlined -e- denotes the mobile -e- that disappears in declined forms.*

LESSON 21

- Comparison of adjectives.
- Forming of adverbs.
- Comparison of adverbs.
- Adjectives vs. adverbs.
- Speaking about the weather.
- Vocabulary: Weather.

comparison of adjectives

❑ *Note that sometimes consonant changes (softening) are required (*drahý – dražší, chytrý – chytřejší*). Compare A Trip back through History in the Grammatical Tables, p. 265, point 4.)*

1. *irregular comparison*

dobrý – lepší – nejlepší
špatný – horší – nejhorší
velký – větší – největší
malý – menší – nejmenší
vysoký – vyšší – nejvyšší
nízký – nižší – nejnižší
dlouhý – delší – nejdelší
krátký – kratší – nejkratší

2. *regular comparison:*

nej*-krásn-*ější/-ejší/-ší/-čí

krásn-*ější/-ejší/-ší/-čí*

krásn-*ý*

1. Read and answer. Then, use the superlatives.

Je Paříž krásnější než Vídeň?
Je Chicago modernější než Praha?
Je Havel slavnější než Klaus?
Je Kundera známější než Klíma?
Je broskev je sladší než rybíz?
Jsou pyramidy starší než sfinga?
Má být žena menší než muž?
Je Bill Gates bohatší než Onassis?
Je moře hezčí než hory?
Je čeština lehčí než čínština?
Je letadlo rychlejší než auto?
Je tygr nebezpečnější než lev?

2. Practise.

Example: Léto je lepší než zima. Léto je nejlepší.

Tomáš je (velký) než Jana.
Eva má (dlouhý) řasy než David.
Chleba je (dobrý) než rohlík.
Andrea má (krátký) vlasy.
Emil je (starý) než jeho žena.
Hana byla (chytrý) než Ilona.
Roman má (krátký) vlasy než Adam.
Naše situace je (špatná) než vaše.
Loni jsem byl (hubený) než teď.
Ach když jsem byla (mladý)…!
Iva je (šťastná) než Ema.
Jsem (bohatý) než ty.
Nejsme (chudý) než oni.
Chci být (zdravý).
Nechceš (čistý) triko?!

OBSERVE:
Rohlík je **stejně dobrý jako** chleba.
Rohlík je **o trochu lepší než** chleba.
Rohlík **není tak dobrý jako** chleba.

3. Compare.

Example: Česká republika je menší než Francie.

Rusko – velký – Ukrajina
New York – zajímavý – Praha
Naomi Campbellová – krásná – Claudia Schifferová
dort – drahý – rohlík
M. Jackson – slavný – jeho sestra
Tesco – levný – Kotva
Gorbačov – populární – Brežněv
salám – dobrý – šunka
hovězí – zdravý – kuřecí maso
Hemingway – zajímavý – Faulkner
ford – luxusní – mercedes
čokoláda – sladký – koláč
delfín – malý – velryba
španělština – těžký – němčina
čeština – lehký – angličtina
gramatika – užitečný – konverzace
kůň – velký – králík
svetr – teplý – tričko

1. Work with a dictionary. Read and answer.

1. Nejdelší řeka na světě je...
   a) Amazonka
   b) Mississippi
   c) Nil

2. Nejvyšší hora na světě je...
   a) Mount Everest
   b) Mount Blanc
   c) Kilimandžáro

3. Největší kontinent je...
   a) Afrika
   b) Asie
   c) Amerika

4. Nejmenší země na světě je...
   a) Vatikán
   b) Lucembursko
   c) Andorra

5. Největší zvíře na světě je...
   a) slon
   b) plejtvák (modrá velryba)
   c) žralok

6. Nejrychlejší zvíře je...
   a) lev
   b) pštros
   c) gepard

7. Největší město na světě je...
   a) Tokio
   b) New York
   c) Mexico City

8. Nejtěžší kov je...
   a) olovo
   b) zlato
   c) železo

9. Nejcitlivější část těla je...
   a) špička nosu
   b) špička jazyka
   c) špička prstu

2. Work with a dictionary. Compare men and women.

Ženy jsou citlivější než muži.
...mají horší abstraktní myšlení
...mají lepší intuici
...mají lepší paměť
...mají větší talent na jazyky
...mají menší talent na sport
...jsou systematičtější
...jsou emocionálnější
...jsou fyzicky slabší

3. Work with a dictionary. Read the fairy-tale.

Pohádka o dvou bratrech

Byl jednou dva bratři, jeden bohatý a jeden chudý. Hádali se o majetek. Šli do zámku a chtěli, aby jejich pán řekl, kdo má pravdu. Pán řekl: „Mám pro vás hádanku. Co je na světě nejbohatší, nejrychlejší a nejsladší? Kdo odpoví dobře, vyhraje." Bohatý bratr řekl: „Nejbohatší je moje velká pokladna, nejrychlejší můj lovecký pes a nejsladší můj sud medu." Chudý bratr ale řekl: „Myslím, pane, že můj bratr nemá pravdu. Nejbohatší je naše matka Země, ze které všechno pochází. Nejrychlejší je naše oko, které všechno vidí. A nejsladší je spánek, protože když člověk spí, zapomíná na všechno smutné." Pán řekl: „Ten chudý má pravdu a majetek bude jeho!"

Podle pohádky Boženy Němcové. Adaptováno.

4. Work with a dictionary. Read the song. Say the comparatives and superlatives of adjectives.

1. Krásný je vzduch, krásnější je moře.
   Co je nejkrásnější, co je nejkrásnější?
   Usměvavé tváře.

2. Pevný je stůl, pevnější je hora.
   Co je nejpevnější, co je nejpevnější?
   Ta člověčí víra.

© *Jaroslav Hutka*

5. You can practise the comparison of adjectives using the vocabulary from lessons 3, p. 38 and 39, and also from lesson 20, p. 204.

REMEMBER:
Some basic forms of adjectives and comparatives can produce verbs: dobrý, lepší – **zlepšit**

dobrý, lepší – **zlepšovat/zlepšit**
špatný, horší – **zhoršovat/zhoršit**
malý, menší – **zmenšovat/zmenšit**
velký, větší – **zvětšovat/zvětšit**
nemocný – **onemocnět**
dlouhý, delší – **prodlužovat/prodloužit**
krátký, kratší – **zkracovat/zkrátit**
tlustý, tlustší – **tloustnout/ztloustnout**
hubený, hubenější – **hubnout/zhubnout**
zdravý – **uzdravovat se/uzdravit se**

1. **Review or find out the meanings of the following adjectives. Say their comparatives.**
deštivý, dlouhý, hluboký, horký, chladný, krátký, lidnatý, mělký, mokrý, mrazivý, nízký, slunečný, studený, suchý, široký, úzký, vlhký, vysoký

2. **Work with a dictionary. Read.**

Zajímavosti a extrémy

Nejsušší místo na světě je poušť Atacama v Chile. Prší tady jenom 0,08 milimetrů (mm) za jeden rok.
Nejvlhčí místo je Mawsynram v Indii. Každý rok tady spadne 11 847 milimetrů vody.
Nejdelší řeka světa je Amazonka. Měří 7 025 kilometrů (km).
Největší ostrov světa je Grónsko. Měří 2,1 milionů kilometrů čtverečních (km^2).
Nejvyšší vodopád na světě je vodopád Angel ve Venezuele na řece Carrao. Je 979 metrů vysoký.
Největší jezero je Kaspické moře v Asii. Měří 371 000 kilometrů čtverečních.
Nejvyšší místo na světě je hora Mount Everest. Měří 8848 metrů (m).
Největší poušť je Sahara v Africe. Měří 7,8 milionů kilometrů čtverečních.
Největší ledovec je Grónský ledovec. Měří 1,8 milionů kilometrů čtverečních.
Nejhlubší jezero je jezero Bajkal v Rusku. Je 1637 metrů hluboké.
Nejhlubší místo v moři je Mariánský příkop v Tichém oceánu. Měří 10 911 metrů.
Nejaktivnější sopka na světě je sopka Kilanea na Havaji. Je aktivní od roku 1983.
Nejvyšší teplotu naměřili v Azizii v Libyji. Byla to teplota +58 stupňů Celsia (°C).
Nejnižší teplotu naměřili ve Vostoku v Antarktidě. Byla to teplota -89,2 °C.
Největší země na světě je Rusko. Měří 17,1 milionů kilometrů čtverečních.
Nejlidnatější země světa jsou Čína (1 243 miliónů obyvatel), Indie (989 mil.), USA (270 mil.)
Země s nejvyšší plodností na světě jsou Niger, Etiopie, Somálsko. Jedna žena má v průměru 7 dětí.
Nejdelší průměrnou délku života mají Japonci (80 let), Švédi a Švýcaři (79).
Nejkratší průměrnou délku života mají obyvatelé Sierra Leone (34 let), Malawi (36) a Zambie (37).
Největší města jsou Mexico City (asi 20 milionů obyvatel), New York (18 mil.), Sao Paulo (17,4 mil.).
Nejbohatší země světa jsou Lucembursko 45 360 dolarů hrubého domácího produktu na jednoho obyvatele), Švýcarsko 44 350 $, Japonsko 40 940 $
Nejchudší země světa jsou Mosambik 80 $, Etiopie 100 $, a (Zaire) 130 $
Nejčastější příjmení na světě je Li.
Nejkratší příjmení na světě je korejské příjmení O.

Tyto údaje pocházejí z Kapesního atlasu světa, Kartografie Praha, 1994 a z publikace 1998 World Population Data Sheet, Population Reference Bureau, Washington 1998.

3. **Compare the weather in Europe.**
Example: V Řecku, Itálii a Španělsku je teplejší počasí než v České republice.

4. **Compare different types of climat.**
Typy podnebí jsou: tropické, subtropické, mírné, subarktické, arktické

5. **Topics for conversation:**
Jaké počasí máte rádi?
Jaké počasí je příjemnější? Studené, teplé, vlhké nebo suché?
Jaké podnebí je tady a jaké je u vás doma?
Porovnávejte (compare) počasí a podnebí v České republice a doma.

forming of adverbs

The adverbs you already know:
Dobře. Výborně. Špatně. Krásně. Teplo. Horko. Chladno. Hezky. Anglicky. Česky.

- *Adverbs are formed from adjectives in one of three ways (in No 1 and No 2 adjectives drop their -ý nad -í endings).*
- *Sometimes, consonant changes (softening) are required (*dobrý – dobře, mokrý – mokře…). *Compare The Trip back through History in the Grammatical Tables, p. 265, point 4.)*

1. *-e/-ě (from the majority od adjectives)*

dobrý – dobře	**veselý – vesele**	**bohatý – bohatě**	**levný – levně**
rychlý – rychle	**asertivní – asertivně**	**elegantní – elegantně**	**nemocný – nemocně**

2. *-o/-e (from the adjectives ending in* -ký, -hý, -chý)
-o forms usually express literal meaning and –e forms figurative meaning.

blízký – blízko/-ce	**daleký – daleko/-ce**	**jasný – jasno/-ě**	**mokrý – mokro/-ře**
častý – často	**dlouhý – dlouho/-ze**	**suchý – sucho/-še**	**horký – horko/-ce**

3. *-sky, -zky, -cky (from the adjectives ending in* –ský, zký, cký)

anglický – anglicky	**český – česky**	**ruský – rusky**	**německý – německy**

comparison of adverbs

1. *irregular comparison*

Observe: The colloquial forms drop the final -e: **více** - *coll.* **víc, nejvíc**

dobře – lépe *(coll.* **líp***)* **– nejlépe**
špatně – hůře – nejhůře
moc – více – nejvíce
málo – méně *(coll.* **míň***)* **– nejméně**
dlouho – déle *(coll.* **dýl***)* **– nejdéle**
daleko – dále – nejdále
blízko – blíže – nejblíže
brzy – dříve – nejdříve

2. *regular comparison*

levn-*ě*

levn-*ěji/-eji*

nej-levn-*ěji*

Change the sentences using comparatives and superlatives.

1. Jedu rychle.
2. Jdu pomalu.
3. Bude teplo.
4. Včera bylo chladno.
5. Jezdím domů často.
6. Jdu pozdě.
7. Pracuju rád.
8. Nakupuju levně.

> ***REMEMBER:*** **čím ..., tím ...** – the... the... (*E.g.* Čím jsem starší, tím jsem moudřejší.)

adjectives vs. adverbs

- *The word **"adjective"** comes from Latin ad-iactum, "thrown to"(the noun). As follows, adjectives describe nouns. In Czech, adjectives answer the question* **jaký?** (what kind, what sort of, what...like?).

- *The word **"adverb"** comes from Latin ad-verbum, "to the verb". As follows, adverbs describe verbs. In Czech, adverbs answer the question* **jak?** (how?). *Note that Czech and English are rather different here:* How was the weekend? Jaký byl víkend? How was the flight? Jaký byl let?

1. Fill in the blanks.

Mám rád .... čaj. Mluvíte .... ?	(anglický, anglicky)
Banka je .... To je můj .... příbuzný.	(blízký, blízko/blízce)
To je .... případ. Chodím sem	(častý, často)
Mám velký .... slovník. Už mluvím	(český, česky)
Škola je .... Miluju .... země!	(daleký, daleko/dalece)
Monika se chová (behaves) nějak .... Je nějaká	(divný/divně)
Ten svetr je moc .... Pletu ten svetr	(dlouhý, dlouho)
To je .... člověk. Mám se	(dobrý, dobře)
V Praze je .... Pro koho jsi kupoval ten .... koňak?	(drahý, draho/draze)
Viděla jsem .... kostým. Vypadáš .... !	(elegantní, elegantně)
Slyšel jsem .... hudbu. Proč mluvíš tak .... ?	(hlasitý, hlasitě/nahlas)
Spím .... To je .... člověk!	(hodný, hodně)
Ve škole je .... Na kávu potřebuju .... vodu..	(horký, horko/horce)
Jsem ...., ale zdravá. To dítě vypadá tak .... !	(chudý, chudě)
Máš .... kabát. Venku je	(krásný, krásně)
Znáte nějaký .... cizí jazyk? Učím se	(lehký, lehko/lehce)
U nás můžete nakoupit .... Koupila jsem si .... byt.	(levný, levně)
Mám .... byt. .... piješ!	(malý, málo)
Mám .... svetr. Obléká se	(moderní, moderně)
Včera jsem byl .... Vypadáš	(nemocný, nemocně)
Petr vypadá .... Dneska je .... den.	(normální, normálně)
Mluví .... Je	(pomalý, pomalu)
Mám .... plat. Vaše dítě studuje .... !	(průměrný, průměrně)
Auto jede .... Potřebuju .... auto.	(rychlý, rychle)
Ty jsi dneska .... ? Díváš se	(smutný, smutně)
Děláme to .... To je .... člověk.	(správný, správně)
Dneska je .... počasí. Dneska je	(škaredý, škaredě)
Mám .... den. Mám se	(špatný, špatně)
Venku je .... Mám .... svetr.	(teplý, teplo/teple)
Ten text je moc .... Někdy .... rozumím.	(těžký, těžko/těžce)
Posloucháme .... hudbu. .... posloucháme.	(tichý, tiše/potichu)
Cítil jsem se (I felt) .... Měl jsem .... pocit.	(trapný, trapně)
Irena vypadá .... Irena je	(veselý, vesele)
Báli jste se .... Měli jste .... strach.	(zbytečný, zbytečně)

2. Use the comparative and superlative of adjectives and adverbs from the exercise above.
***Example*:** Pavel je asertivnější než Ota. Musíte pracovat asertivněji!

3. Answer.

1. Mluvíte tiše nebo hlasitě?
2. Jezdíte pomalu nebo rychle?
3. Máte se dobře nebo špatně?
4. Nakupujete levně nebo draze?
5. Oblékáte se rádi moderně?
6. Jíte rychle nebo pomalu?
7. Vypadáte vesele nebo smutně?
8. Pracujete lehce nebo těžce?
9. Bydlíte daleko nebo blízko?
10. Cítíte se dobře nebo špatně?
11. Spíte hodně nebo málo?
12. Nespěcháte někdy zbytečně?
13. Cítili jste se někdy trapně?
14. Učíte se už česky dlouho?
15. Telefonujete krátce?

speaking about the weather

1. **Learn the new words in the vocabulary on the following page.**

2. **Review "first aid in talking about the weather" in lesson 4, page 52. Say the subjectless sentences from that lesson in the past tense.**

3. **The following sentences have a subject. Read them and then say them in the past tense.**

Je bouřka.	Fouká vítr.	Slunce svítí.	Je mráz.	Padá sníh.
Je mlha.	Je vichřice.	Je modré nebe.	Je tma.	Taje sníh.
Je jinovatka.	Den je dlouhý.	Jsou přeháňky.	Je světlo.	Padají kroupy.

OBSERVE:

Bylo hezky, chladno, jasno...*(See the subjectless sentences in lesson 4, p. 52)*
Pršel**o**. Sněžil**o**. ...*(See the subjectless sentences in lesson 4, p. 52)*
Byla mlha. **Byl** mráz. **Byla** duha. *(These sentences have a subject.)*

4. **Fill in the blanks. Use the verb "být" in the past tense.**
   1. Dneska ráno .... zima.
   2. Včera .... krásný den.
   3. Včera ráno .... hezky, ale večer .... škaredě.
   4. Předevčírem .... vedro!
   5. V pátek ráno .... rosa.
   6. Ve čtvrtek dopoledne pršelo a pak .... duha.
   7. Minulý týden .... hezké počasí.
   8. Začíná zima. Dneska ráno .... jinovatka.
   9. Minulý týden .... mínus dvacet stupňů!
   10. Včera ráno .... silný mráz.
   11. Dneska ráno .... mlha, ale pak .... slunce.
   12. Ráno .... oblačno, ale pak .... jasno.

REMEMBER:

Kolik je stupňů?
Je 0.
Jsou 2, 3, 4 stupně.
Je 5 ... stupňů.
Je mínus 5 stupňů. Je 5 stupňů pod nulou.
Je plus 5 stupňů. Je 5 stupňů nad nulou.

5. **Kdy to bylo? (Guess for which month this type of weather is typical.)**
   1. Byl horký den, nebe bylo modré, svítilo slunce a dopoledne bylo ještě jasno. Bylo vedro, asi třicet stupňů, a velké sucho. V poledne už nebylo hezky, bylo zataženo a začínal foukat vítr. Nebe bylo černé a přišla bouřka. Po bouřce byla na nebi duha. Bylo mokro, ale teplo.
   2. Den byl velmi krátký. Byla zima a mrzlo. Bylo asi mínus pět stupňů. Ještě nesněžilo, ale často už byla jinovatka. Bylo zataženo a nebe bylo šedé Večer byla brzo tma, foukal silný vítr a začínal padat sníh.
   3. Nebylo už vedro, ale ještě bylo teplo a nebe bylo jasné. Den už nebyl tak dlouhý jako v létě. Někdy ráno byla mlha a foukal chladný vítr.
   4. Nebe bylo modré a bylo jasno. Slunce už hezky svítilo, ale ráno byla ještě zima. Někdy byla ráno ještě slabá jinovatka, ale někdy byla rosa. V poledne bylo teplo, asi dvanáct stupňů nad nulou.

6. **Work with a dictionary. Read and retell.**

Předpověď počasí na středu 21. a čtvrtek 22. května

Naše území bude stejně jako včera ovlivňovat výběžek vysokého tlaku vzduchu od severu. Dneska bude jasno až polojasno, na jihu území občas slabé přeháňky. Nejvyšší denní teploty 17 až 21 stupňů, na horách kolem 12 stupňů Celsia. Nejnižší noční teploty budou 10 až 6 stupňů Celsia. Vát bude jihovýchodní vítr (asi 7 metrů za sekundu). Zítra bude jasno až polojasno, během odpoledne od západu oblačno až zataženo. Večer můžeme čekat déšť a silný vítr.

1. **blesk**	lightning
2. **bouřka**	storm
3. **déšť**	rain
4. **duha**	rainbow
5. **foukat/zafoukat**	to blow
6. **hrom**	thunder
7. **jinovatka**	hoarfrost, white frost
8. **kroupa, kroupy**	hail
9. **mlha**	fog
10. **mrak**	cloud
11. **mráz**	frost
12. **mrznout**	to be freezing
13. **nebe, obloha**	sky
14. **oblak**	cloud
15. **oblačnost**	cloudiness, cloud cover
16. **padat/spadnout***	to fall (about snow, hail)
17. **počasí**	weather
18. **pršet/zapršet**	to rain
19. **předpověď počasí**	weather forecast
20. **přeháňka**	shower
21. **rosa**	dew
22. **slunce**	sun
23. **sněžit/nasněžit**	to snow
24. **sníh**	snow
25. **svítit/zasvítit**	to shine
26. **šířit/rozšířit se**	to spread
27. **tát*/roztát**	to melt, to thaw
28. **tlak: vysoký, nízký**	pressure: low, high
29. **tma**	darkness
30. **vichřice**	windstorm
31. **vítr**	wind
32. **vločka**	flake
33. **vycházet/vyjít**	*(about sun)* to rise
34. **vzduch**	air
35. **zapadat/zapadnout**	*(about sun)* to set
36. **zima**	winter; cold

❑ *Typical endings of non-coloured nouns are:* **consonant** *for* Ma / Mi, **-a** *for* F *and* **-o** for N.
❑ *The underlined -e- denotes the mobile -e- that disappears in declined forms.*

LESSON 22

- Use of the dative.
- The dative singular.
- Verbs and adjectives + the dative.
- Vocabulary: Telephone. Post office. Computer.

use of the dative

❑ *The dative is used:*

1. *to express the object after certain verbs and adjectives*

blahopřát, gratulovat (poblahopřát, pogratulovat (k + dative) – to congratulate
být věrný – to be faithful
děkovat/poděkovat (za + accusative) – to thank
divit se/podivit se – to wonder about
nadávat/vynadat (za + accusative) – to tell off, to abuse, to scold
odpovídat/odpovědět (na + accusative) – to answer, to reply
patřit (k) – to belong to
podobat se, být podobný – to
pomáhat/pomoct – to help
posmívat se – to laugh at, to ridicule
překážet – to be/stand/get in way, to obstruct
věřit/uvěřit (BUT: věřit v Boha – to believe in God) – to believe
radit/poradit – to advice
rozumět/porozumět – to understand
smát se/zasmát se – to laugh
vyhýbat se/vyhnout se – to avoid

2. *to express the indirect object after certain verbs* *(compare Lesson 12)*

dávat/dát (si) – to give
doporučovat/doporučit – to recommend
kupovat/koupit – to buy
krást/ukrást – to steal
psát/napsat – to write
půjčovat/půjčit – to lend
přát/popřát – to wish
předepisovat/předepsat – to prescribe
říkat/říct – to say
telefonovat/zatelefonovat = volat/zavolat – to telephone, to call
ukazovat/ukázat – to show
vracet/vrátit – to return
vyčítat/vyčíst – to reproach
vyřizovat/vyřídit – to pass a message
vysvětlovat/vysvětlit – to explain
závidět – to envy

3. *in the dative expressions (the verb + the dative+ the nominative)*

být: je mi + let, zima, teplo, dobře, špatně – to be … years old, to be cold, hot, well, bad
hodit se: hodí se mi – to fit in, to be good for
chutnat: chutná mi – to like *See Lesson 5, p. 63.*
chybět: chybí mi – to miss
líbit se: líbí se mi – to like *See Lesson 5, p. 63.*
slušet: sluší mi – to fit
vadit: vadí mi – to mind

4. *after the prepositions:*

díky
k/ke
kvůli
naproti
proti
vzhledem k

the dative Ma, Mi, F, N singular

the question (interrogative pronouns)

the nominative	*the dative*
kdo? co?	**komu? čemu?**

ten, ta, to (demonstrative pronouns) and adjectives

Ma Mi N	**tomu modernímu českému**	*(coll.* **tomu modernímu českýmu**)
F	**té moderní české**	*(coll.* **tý moderní český***)*

nouns

main rules		*other rules*
Ma **hard**	**-u/-ovi** (studentu)	1. Mobile -e- (pes – psovi) 2. Stem changes (kůň – koni) 3. Nouns ending in -a have -ovi ending (policista – policistovi)
soft (ž,š,č,ř, ď,ť,ň,c,j,-tel + s,z,c)	**-i/-ovi** (muži)	
Mi	**-u** (hradu)	1. Mobile -e- (zámek – zámku) 2. Stem changes (dům – domu)
soft (ž,š,č,ř,d,t,ň,c,j)	**-i** (čaji)	
F **-a ending** after b,p,f,v,m,d,t,n	**-e** **-ě** (kávě)	1. Mobile -e- (broskev – broskvi) 2. After -ha,-cha,-ka,-ra – softening -ha -ze (Praha – v Praze) -ka -ce (banka – v bance) -ra - ře (opera – na opeře) -cha -še (sprcha – ve sprše)
-e ending **consonant ending**	**-i** (Paříži) **-i** (věci)	
N **-o ending**	**-u** (pivu)	1. The irregular N nouns: kuře – kuřeti, dítě – dítěti
- e ending -í ending doesn´t change	**-i** **-í**	

❑ *Ma names ending in the pronounced -i/-í /-y are declined like adjectives:* (Jiřímu, Sampleymu).
❑ *F names ending in the pronounced -i/-y or a consonant do not change* (Lori, Judy, Carmen, *but also* paní).
❑ *For the mobile -e- and stem changes, see A Trip back through History, p. 265.*
❑ *Note that the forms of F nouns and adjectives and Ma nouns are the same in the locative!*

personal pronouns

the nominative	*the dative* short forms	long forms	forms after prepositions (j ⇨ n)
já	**mi**	**mně**	**mně**
ty	**ti**	**tobě**	**tobě**
on	**mu**	**jemu**	**němu**
ona	**jí**	**jí**	**ní**
ono	**mu**	**jemu**	**němu**
my	**nám**	**nám**	**nám**
vy	**vám**	**vám**	**vám**
oni	**jim**	**jim**	**nim**

Notes:

❑ *Short forms of personal pronouns are members of "The Second Position Club" (see lesson 8, p. 93).*

❑ *Long forms are only used if you stress the pronoun (e. g.:* Dám ti to. Dám mu to. *BUT* Dám to tobě, a ne jemu*!)*

possessive pronouns singular

the nominative sg.	***the dative sg.*** Ma, Mi N	F
můj, moje, moje	**mému,**	**mé, mojí**
tvůj, tvoje, tvoje	**tvému**	**tvé, tvojí**
jeho	**jeho**	**jeho**
její	**jejímu**	**její**
náš, naše, naše	**našemu**	**naší**
váš, vaše, vaše	**vašemu**	**vaší**
jejich	**jejich**	**jejich**

possessive pronouns plural

the nominative pl.	***the dative pl.***
moji, moje, moje, moje	**mým**
tvoji, tvoje, tvoje, tvoje	**tvým**
její	**jejím**
jeho	**jeho**
jeho	**jeho**
naši, naše, naše, naše	**našim**
vaši, vaše, vaše, vaše	**vašim**
jejich	**jejich**

Notes:

❑ *You will hear the forms* **mýmu, tvýmu, mý, tvý, mejm, tvejm** *in colloquial Czech.*

❑ *For declension of possessive adjectives see Grammatical Tables, p. 270.*

❑ *For declension of numerals, see Grammatical Tables, p. 270.*

verbs and adjectives + the dative

blahopřát, gratulovat – to congratulate
(+the dat. + k + *the dat.)*
Blahopřeju manželovi k narozeninám.
Blahopřeju manželce k svátku.
Blahopřejeme ti! Gratulujeme vám!

být věrný – to be faithful
Jsem věrný manželce.
Nikdy jsem nebyla nevěrná manželovi.
Zaměstnanci jsou věrní firmě.

dávat/dát – to give
Každý rok dávám na Vánoce tatínkovi kravatu.
Alena dává manželovi pusu.
Dal jsem bratrovi a sestře peníze.

děkovat/poděkovat – to thank
Děkuju mamince za všechno.
Děkuju kamarádovi za pomoc.
Ředitelka děkuje asistentovi za dobrou práci.

divit se/podivit se – to wonder about
Divím se manželovi.
Divili jsme se nezvyklé tradici.
Divím se, že děláš takové nesmysly.

doporučovat/doporučit – to recommend
Doktor doporučuje pacientce nový lék.
Učitel doporučil studentovi dobrý slovník.
Doporučujeme každému naše nové výrobky!

krást*/ukrást – to steal
Někdo mi ukradl auto.
Včera nám ukradli peněženku.
Kdo tady krade? Evě někdo ukradl banán!

kupovat/koupit – to buy
Každý týden kupuju psovi čerstvé maso.
Koupím rodině auto, ale já budu jezdit na kole.
Koupila jsem dítěti bonbon.

nadávat/vynadat – to call sb. names, to scold
(BUT ALSO nadávat na + *the accusative)*
Nadávám synovi, protože ztratil klíče.
Šéf vynadal sekretářce za špatnou práci.
Češi rádi nadávají na vládu.

odpovídat/odpovědět – to answer
(+ the dative + na + the accusative)
Musím odpovědět na dopis mamince.
Studenti píšou test a odpovídají na otázky.

patřit (k) – to belong to
Komu patří ten dům? – Ten dům patří panu Bláhovi.
Komu patří to nové auto? – Patří paní Kocourkové.
Ta stará vila patřila naší rodině.
To ti patří! *(idiomatic)* – You deserve it!

podobat se, být podobný – to resemble, be alike
Syn se podobá mamince.
Dcera je velmi podobná otci.
Nevím, komu jsi podobný... Asi prababičce.
To je ti podobné. *(idiomatic)* – It´s just like you.

pomáhat/pomoct* – to help
Děti pomáhají mamince.
Sestra pomáhá bratrovi a bratr sestře.
Student pomáhá studentce.
Pomohla jsem kamarádovi, když měl problémy.
Můžeš zítra pomoct kamarádce Aleně?

posmívat se – to ridicule
Děti by se neměly posmívat kamarádovi.
Neměli byste se posmívat starému člověku.
Neměla ses posmívat Aleně. Byla smutná.

přát*/popřát – to wish
Přeju ti všechno nejlepší!
Přeju vám všechno nejlepší k narozeninám!
Přeju manželovi, aby byl hodně zdravý.
Přeju manželce, aby byla vždycky spokojená.
Přála jsem si, aby bylo všechno v pořádku.

psát*/napsat – to write
Píšu dopis rodině.
Napsala jsem vzkaz manželovi.
Píšu pohlednici tatínkovi.
Napíšeme dopis kamarádovi?
Děti psaly mamince a tat ínkovi z tábora.

předepisovat/předepsat – to prescribe
Doktor předepisuje léky pacientovi.
Doktorka předepsala manželovi lék na srdce.
Doktoři předepsali manželce nějaký drahý lék.

překážet – to be/stand in the way
Pavlovi tady překáží ta židle.
Překážím manželce v kuchyni, když vaří.
Tatínkovi překážejí děti, když pracuje.
Sekretářce překážejí na stole zbytečné papíry.

půjčovat/půjčit – to lend
Půjčuju kamarádovi knihy.
Půjčila bych sukni sestře, ale potřebuju ji.
Nechci půjčit knihu kamarádovi. Ztratil by ji.

radit/poradit – to give advise, counsel
Poradil jsem dobře kamarádovi.
Poradila jsem kamarádce, která měla starosti.
Radil jsem nové kolegyni a novému kolegovi.

rozumět /porozumět – to understand
Už tomu problému rozumím.
Nerozumím matematice ani chemii.
Doufám, že rozumíte české gramatice!

říkat/říct* – to say, to tell
Řekli jsme synovi, že pojedeme na hory.
Říkal jsem šéfovi, že na tu práci potřebuju týden.
Včera jsem říkala sekretářce, aby koupila kávu.
Řekla jsem manželovi, aby dneska nakoupil.

smát* se/zasmát se – to laugh
Smáli jsme se dobrému vtipu.
Smáli jsme se populárnímu komikovi.
Děti se v cirkusu smály klaunovi.
Nikomu jsem se nesmál.

telefonovat/zatelefonovat – to call, to telephone
Telefonuju domů mamince.
Zatelefonuju **ti/vám**.
Budu telefonovat rodině.
Zítra budu telefonovat do práce.

ukazovat/ukázat* – to show
Ukázala jsem manželovi nové šaty.
Ukazovala jsem sousedce nový nábytek.
Děti ukazovaly babičce, co už umí.

vracet/vrátit – to return
Tady vracím Martinovi knihu!
Kdy mi vrátíš peníze, které jsem ti půjčil?
Včera jsem vrátila dluh kamarádce.

vyčítat/vyčíst – to reproach, to rebuke
Šéfka vyčítá kolegyni chyby v práci.
Manželka vyčítá manželovi, že nevydělává peníze.
Ředitel mi vyčetl, že chodím pozdě do práce.
Vyčítali jsme si chyby.

vyhýbat se/vyhnout se
– to get out of the way, to avoid
Auto se vyhnulo překážce (obstacle).
Vyhýbám se alkoholu.
Dcera se vyhýbá každé práci.

věřit/uvěřit – to believe
(*BUT ALSO* věřit v + accusative)
Věřím vládě a prezidentovi.
Nevěřím žádnému politikovi.
Nevěřím sousedce. Myslím, že není hodná.

volat/zavolat – to call
(*BUT ALSO* volat na + the accusative)
Dcera každý den volá kamarádovi.
Zavolám ti/vám.

vysvětlovat/vysvětlit – to explain
Vysvětlovala jsem synovi matematiku.
Učitel vysvětluje studentovi problém v gramatice.
Celý den jsem vysvětloval sestřenici chemii.
Sešla jsem se s Janou a všechno jsme si vysvětlily.

vyřizovat/vyřídit – to pass (a message)
Chcete vyřídit šéfovi nějaký vzkaz?
Musím vyřídit vzkaz kolegyni.
Mám něco vyřídit manželce?
Můžu něco vyřídit?

závidět – to envy
Závidím kamarádce jejího šikovného manžela.
Soused závidí sousedovi jeho nové auto.
Nikomu nic nezávidím.

1. **Read and answer using the words in brackets.**
   Komu pomáháte? (jiný student, jiná studentka, malé dítě, slepý člověk, stará paní, nemocný pán)
   Komu radíte? (špatný šéf, dobrý kolega, nejlepší kamarádka, mladá sekretářka, nový asistent)
   Komu píšete vzkaz nebo dopis? (profesor, profesorka, učitel, učitelka, vláda, prezident, premiér)
   Komu odpovídáte na dopisy? (zahraniční firma, konkurenční podnik, cizí ambasáda, finanční úřad)
   Komu se podobáte? (matka, otec, dědeček, babička, strýček, teta, prababička, pradědeček)
   Čemu jste nerozuměli ve škole? (biologie, matematika, fyzika, chemie, latina, francouzština)
   Čemu se smějete? (dobrý vtip, veselá kniha, legrační člověk)
   Čemu se vyhýbáte? (tvrdý alkohol, špatná společnost, každá špinavá hospoda)

2. **Make sentences.**
   Example: dávat – Petr – dárek: Dávám Petrovi dárek.
   psát – zpráva – organizace
   vysvětlovat – plán – šéf
   telefonovat – dobrá zpráva – kamarádka
   doktor – předepisovat – pacient – recept
   prezident – vysvětlovat – strategie – ministr
   psát – e-mail – maminka
   půjčit – svetr — kamarád
   vyřídit – vzkaz – kolegyně
   ukazovat – obrázek – dítě
   říkat – něco – manžel

3. **"Give" or "send" a present to each member of your family/person in the class.**
   Example: Tatínkovi dám samozřejmě kravatu!

telefon, pošta, počítač

Learn the words in the vocabulary. Read the following dialogues and set up similar ones.

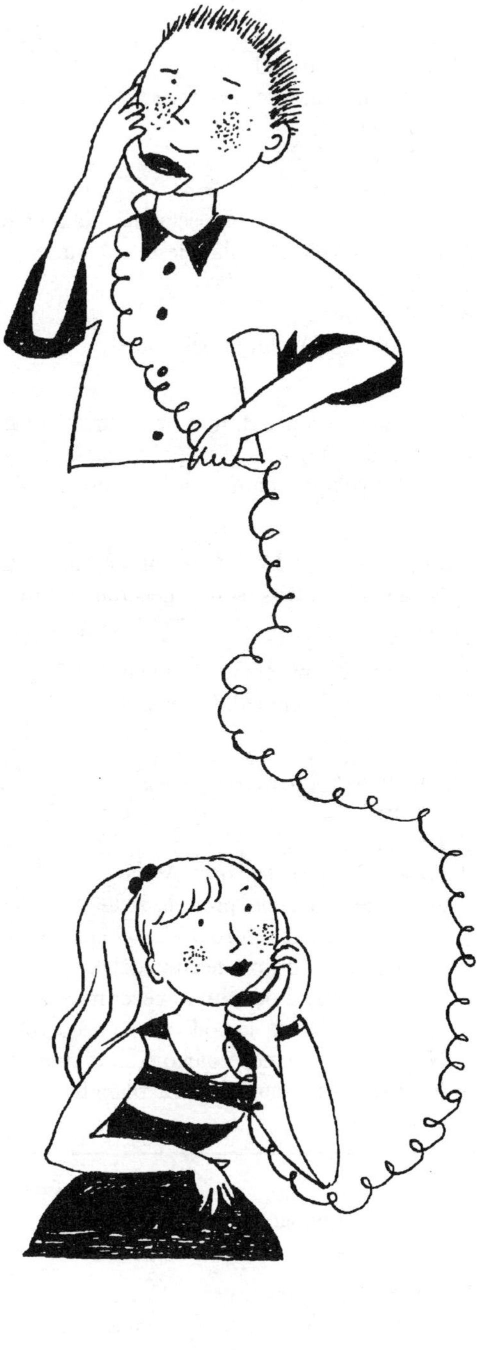

1.
Zvoní telefon: Crrrr...
A: Prosím? Tady Robert Davis.
B: Dobrý den. Tady Adam Houska. Prosím vás, je tam Zuzana?
A: Ano, je. Moment, předám. Zuzko, máš telefon!

2.
Zvoní telefon: Crrrr...
A: Prosím?
B: Prosím vás, to jsou Svobodovi?
A: Ne, to je omyl. Tady je číslo 232 75 83.
B: Aha. Já jsem volal číslo 232 75 82. Tak pardon.
A: To nic.

3.
Zvoní telefon: Crrrr...
A: Stejskalová. Prosím?
B: Dobrý den. Tady James Roberts. Je tam paní Volná?
A: Ne, bohužel tady není. Chcete nechat vzkaz?
B: Ne, děkuju. Zavolám ještě jednou zítra asi v deset.

4.
Zvoní telefon: Crrrr...
A: Firma Konopásek. Prosím?
B: Tady Horák. Chtěl bych linku 212.
A: Ano, přepojím... Je tam obsazeno. Moment, prosím.
B: Bohužel nemám čas čekat. Zavolám ještě jednou za deset minut.

5.
Hugh volá číslo 155.
A. Haló! Tady je pohotovost.
B: Jsem cizinec. Mluvím trochu česky. Bolí mě břicho a hlava. Potřebuju pomoc.
A: Jak se jmenujete? Potřebujeme vaši adresu!
B: Hugh Smith, Ke Karlovu 246, Praha 1.
A: Máte telefon?
B: 243 56 71.
A: Ano, dobře. Jsme tam asi za pět minut.

6.
A: Chtěla bych poslat dopis, prosím. Doporučeně a letecky.
B: Musíte vyplnit podací lístek. Lístky jsou tamhle vlevo dole.
A: A kolik to bude stát do Ameriky?
B: To je podle váhy. Váš dopis bude stát 49 korun.

7.
A: Prosím vás, hledám telefon. Nevíte, kde je tady blízko?
B: Nejbližší budka je ve dole v metru. Musíte jít rovně a pak vlevo a uvidíte stanici.
A: Aha, už vím. Děkuju!
B: Není zač.

8.
Keith volá číslo 1080.
A: Haló! To je taxi?
B: Ano, dobrý den, tady taxislužba PPP.
A: Dobrý den. Prosím vás, potřebuju taxík.
B: V kolik?
A: Ve 12. 30.
B: A vaše jméno a adresa?
A: Keith Brown, Nad Strahovem 18, Praha 6.
B: A váš telefon?
A: 682 33 44.
B: Kam pojedete?
A: Na letiště, tam budeme čekat na letadlo a pak pojedeme domů.
B: Dobře, děkuju. Zavolám ještě jednou.
Crrrr....
A: Tady Brown.
B: Taxi PPP. Máte tam taxík, pane!

9.
A: Prosím vás, kolik stojí známka do USA (do Anglie)?
B: 11 korun na dopis a 8 na pohlednici.
A: Chtěl bych pět známek za 11 a deset za 8.

10.
A. Prosím vás, chci volat do Jihlavy, ale neznám číslo. Nemáte telefonní seznam?
B: Samozřejmě, tady jsou Zlaté stránky. Prosím.

11.
A: Prosím vás, můžete mi rozměnit 500 korun?
B. Ne, bohužel nemůžu. Nemám drobné.

12.
Zvoní telefon: Crrrr...
A. Prosím?
B. Haló, to je Jana?
A. Ano, tady Jana. To jsi ty, Aleno?
B. Jo, to jsem já. Hele, promiň, že telefonuju tak pozdě, ale neměla bys dneska večer čas? Potřebovala bych najít na internetu nějaké informace o agenturách au-pair v Německu nebo v Anglii. Chtěla bych někde studovat jazyky a potřebuju si přitom něco vydělat.
A: No, tak dobře. Podívám se večer na Seznam. A nebo raději na Yahoo nebo AltaVista, když je to v cizině. A nechceš, abych se podívala na něco v Americe?
B. Ne, Amerika je moc daleko. Tak díky moc!
A. Není zač. Až něco najdu, zavolám ti!
B. Dík. Ahoj!

REMEMBER: Jaký máte e-mail?
@ – *read* "zavináč" . – *read* "tečka" cz – *read* "cézet"

1. Answer the questions:
1. Komu e-mailujete, telefonujete, posíláte dopisy, pohlednice a balíky?
2. Víte, kde je nejbližší pošta, poštovní schránka nebo telefonní budka?
3. Kde nejčastěji hledáte informace?
4. Víte, jaké je vaše PSČ tady v České republice?
5. Čtete každý den nějaké noviny nebo časopis?
6. Znáte noviny Annonce? Máte tam nějaký inzerát?
7. Znáte nějaké dobré české noviny?
8. Kupujete si tady v Praze nějaké anglické noviny?
9. Pamatujete si, jaké telefonní číslo mají policie, pohotovost a hasiči?
10. Pamatujete si vaše vlastní telefonní číslo?
11. Používáte často e-mail a Internet?

1. **balík**	packet, package
2. **balit/sbalit, zabalit**	to pack
3. **být na internetu, brouzdat se po...**	to be on the Internet, to browse/surf the Internet
4. **centrála**	telephone exchange
5. **doporučený dopis**	registered letter *(coll.* **rekomando, doporučeně***)*
6. **expres dopis**	express
7. **nechávat/nechat vzkaz**	to leave a message
8. **inzerát; dávat/dát inzerát**	(personal) advertisement; to publish an advertisement
9. **Je obsazeno.**	The line is busy.
10. **kreditní karta**	credit card
11. **kurz**	exchange rate; course
12. **letecky**	by air
13. **linka**	line
14. **měnit/vyměnit**	to change, *(***rozměnit** - to break money*)*
15. **noviny** *(pl.)*	newspaper
16. **platit/zaplatit**	to pay
17. **podací lístek**	certificate of mailing, mailing receipt
18. **pohled, pohlednice**	postcard
19. **posílat/poslat**	to send
20. **poštovní doručovatel/-ka**	postman/woman *(coll.* **pošťák, pošťačka***)*
21. **poštovní schránka**	postbox, mailbox
22. **poštovní směrovací číslo**	postal code, zip code *(coll.* **PSČ** – *read*: pé es čé*)*
23. **přání (vánoční, k narozeninám)**	wish, card
24. **předávat/předat**	to hand over
25. **přepojovat/přepojit**	to transfer
26. **složenka**	payment bill (a form used in the post office)
27. **telefonní budka**	telephone box/booth
28. **telefonní seznam**	telephone directory
29. **telegram**	telegram
30. **ukládat/uložit**	to deposit
31. **vybírat/vybrat (peníze, poštu...)**	take out (money, mail…)
32. **vyřizovat/vyřídit**	to give, pass (message) + to someone *(the dative)*
33. **záloha**	advancement, deposit, paid-on
34. **záznamník**	answering machine
35. **Zlaté stránky**	Yellow Pages
36. **zvonit/zazvonit**	to ring

❑ *Typical endings of non-coloured nouns are:* **consonant** *for* Ma / Mi, **-a** *for* F *and* **-o** for N.
❑ *The underlined* -e- *denotes the mobile* -e- *that disappears in declined forms.*

Vážený pane Hrubý,

dovolte, abych Vám vyslovil upřímnou soustrast s úmrtím Vašeho otce. Myslíme na Vás.

Váš

Jan Skopal

Vážený pan
Ctirad Hrubý
Americká 17
Olomouc

7 7 2 0 0

Krásné Vánoce
a šťastný nový rok 2000
přeje a srdečně zdraví
rodina Peroutkova

Rodina
Havlova
č. 131
Hodslavice

7 4 2 7 1

Milí Evo a Ivoši!
Do společného života vám
přeju hodně štěstí,
lásky a trpělivosti!
Zdraví a vzpomíná
Jana

Novomanželé
Eva a Ivoš Chvátalovi
Zikmundova 6
Telč

8 5 2 3 4

Krásný pozdrav z výletu
na hrad Karlštějn
posílají
Dominika a
Martin

Rodina
Lukanova
V Ráji 555/1
Jihlava

5 8 1 0 1

Milá teto,
přejeme ti všechno
nejlepší k narozeninám,
mnoho štěstí a
spokojenosti!
Ahoj
Vendulka a Dan

Vážená
Irena Bucharů
Stinovlasá 2500
Praha 10 – Strašnice

1 0 0 0 0

Hezké Velikonoce a
krásné jaro roku
2000 přejí a
pusu posílají
Eva, Jana a Pavel

Rodina
Soukalova
Kostelní 32/182
Dolní Součky

2 5 6 0 0

LESSON 23

- The verb + the dative + the nominative/adverb.
- Prepositions + the dative.
- Pronouns in the dative.
- The dative plural.
- At the doctor's.
- Vocabulary: Illnesses.

the verb + the dative + the nominative/adverb

❑ *This construction mainly expresses points of view, sensations, feelings and impressions experienced by alive beings. This is why it is very often a person who is the object (in the dative) here.*

být + dative + ... roků/let – to be … years old
Je mi 20.
Kolik je ti (let)?
Kolik je vám (let)?
Kolik je Ireně? – Je jí 32.
Kolik je Martinovi? – Je mu 49.

být + dative + zima/teplo… – to be cold/hot…
Je mi zima.
Včera mi bylo teplo.
Není ti moc vedro?
Bylo nám trochu chladno.
Není vám vedro?

být + dative + dobře/špatně – to be well/bad…
Je mi dobře.
Není ti špatně?
Není vám zle?
Bylo nám mizerně.
Nebude ti po tomhle divném jídle špatně?

hodit se (k) – to fit (in) to, to be good for
Hodí se vám datum schůzky?
Ten termín se nám nehodí.
Jestli se ti hodí tahle taška, tak si ji můžeš vzít.
Ten svetr se mi hodí k sukni. Vezmu si ho.

chutnat – to like, to enjoy st.; to taste
*(see **Lesson 5** –* "to appeal to someone´s taste")
Chutná mi všechno.
Chutná vám české jídlo?
Synovi dneska nic nechutná. Asi je nemocný.
Vaříte dobrou omáčku. Moc nám chutnala.
Ten salám chutná nějak divně. Asi je starý.

chybět – to be missing, absent
Chybí mi rodiče.
Chyběly mi tady zeleninové saláty.
Budete nám chybět.

jít + dative + … - to be good/bad at, to be doing in
Jde mi to.
Jde ti jde chemie?
Jak vám jde biologie?
Matematika mi nikdy nešla.

líbit se – to like
*(see **Lesson 5** –* "to appeal to someone´s senses")
Líbí se mi Praha.
Líbí se ti tady?
Líbila se vám kniha, kterou jsem vám dal?

slušet – to suit
Nesluší mi žlutá, ale sluší mi zelená.
Tahle halenka ti moc sluší!
Aleně sluší ten svetr.
Petrovi nesluší to sako.

vadit – to hamper, to resent, to mind, to bother
To mi nevadí. – I don´t mind it.
Vadí ti špatné počasí?
Vadí vám měkká postel?
Vadí mi, když lidi kouří v restauraci.

zdát se – to seem; to have a dream
Zdá se mi, že šéf má špatnou náladu.
Zuzaně se zdálo, že prší.
Mark měl v noci krásný sen. Zdálo se mu, že je milionář.

REMEMBER: **Nechce se mi dělat**... I don´t feel like doing...

1. Fill in the blanks:

1. Doufám, že .... (vy) to jídlo bude chutnat. .... (váš kamarád) moc chutnalo.
2. Nelíbí se .... (já) ten nový ošklivý moderní dům. Líbí se .... (já) ten starý.
3. Nevadí .... (ty), že o víkendu nepojedeme na výlet?
4. .... (maminka) slušely ty růžové šaty, když byla mladá. Viděla jsem její fotografie.
5. Dneska .... (tatínek) ta svíčková omáčka vůbec nechutnala. Byla nějaká divná.
6. Chtěl bych vás pozvat na návštěvu. Hodí se .... (vy) to v pátek večer?
7. Babička má dneska narozeniny. Bude .... (ona) 80 let. .... (dědeček) by letos bylo 89.
8. Včera mě celý den bolela hlava a práce .... (já) vůbec nešla.
9. Nevadilo by .... (ty), kdybych poslouchal hudbu? – Ne, dobrá hudba .... (já) nikdy nevadí.
10. Jak se .... (vy) líbil ten nový film od Speilberga? – Víc se .... (já) líbily jeho starší filmy.
11. Co je .... (ty)? Není .... (ty) špatně? – Nevím, je .... (já) nějaká zima.
12. V noci se .... (já) zdály nějaké strašné sny. – To je divné. Zdá se .... (já), že máš horečku.
13. Kolik je .... (Lukáš)? – Nevím, asi 18. .... (Eva) je 15, že? Tak .... (on) musí být 19.

prepositions + the dative

díky – thanks to
Díky našemu doktorovi jsem zdravý.
Díky kamarádce jsem dodělala školu.
díkybohu – thank goodness

k/ke – to, towards, up to
1. *to people and outside places*
Jdu k doktorovi. Alena jde k holiči.
Jezdíte někdy na návštěvu ke kamarádovi?
V červenci jedeme k moři do Francie na Riviéru.
2. *"for"*
Co máme dneska k obědu (= na oběd)?

kvůli – because of, by reason of
Kvůli špatnému počasí nemůžeme jet výlet.
Nemůžeme jet na dovolenou kvůli psovi.

proti – against, opposite
Demonstranti protestujou proti politice vlády.
Co proti mně máte?
Proti kanceláři je banka.

naproti – opposite
John bydlí naproti nemocnici.
Naproti přes ulici mají dobrou pizzu.
Bankomat je tamhle naproti.

vzhledem k/ke – *(formal)* considering, regarding
Vzhledem k naší situaci by nebylo rozumné riskovat.
Vzhledem k tomu, že ekonomika země je v recesi, musí banky udělat určité restrikce.

1. Review <u>all the prepositions</u> you know. Fill in the blanks.

1. Děkuju .... návštěvu a .... dárky.
2. Sousedi tady bydleli .... roku 1992 .... roku 1996.
3. Byli jsme .... kanceláři.
4. Vjel jsem .... garáže.
5. Jeli .... hory.
6. Jeli jsme .... moři. Byli jsme .... moře celý měsíc.
7. Včera jsem pracovala až .... půlnoci.
8. Bydlím .... penzionu.
9. Těším se .... Vánoce.
10. V létě pojedeme .... Itálie a pak .... Slovensko.
11. Kamarádka přijede .... Hlavní nádraží .... 6 hodin.
12. Dívali jsme se .... televizi.
13. Mám ráda silný čaj .... mléka a cukru.
14. Tenhle krásný byt jsem našel .... kamarádovi.
15. Zajímá se .... staré známky.
16. .... víkendu chceme jít .... divadla.
17. Nevypadáš dobře. Měl by jít .... doktorovi.
18. Včera jsem byla .... kamarádky.
19. Koupil jsem hezký stůl .... kamaráda jenom .... 600 korun.
20. Musím zůstat doma .... nemocné babičce. Budu se .... ni starat.
21. Hledáte paní Brownovou? Šla .... sousedce.
22. Celý den jsem chodila .... městě.
23. Šli jsme .... ulici .... obchodu.
24. Pojedu .... víkend .... sestře!
25. .... bance je cukrárna.
26. Včera jsme se celý večer hádali .... politice.
27. Bavili jsme se .... zajímavém filmu.
28. Moje oblíbená restaurace je .... lékárny.
29. .... náměstí je krásná barokní fontána.
30. Včera byla manifestace .... válce.
31. Často si stěžuju .... špatné počasí.
32. Dostala jsem krásný dárek .... manžela!
33. Potřebuju šampon .... vlasy.
34. Jím všechno .... květáku!
35. Pozvala jsem Evu .... večeři.

pronouns in the dative

❑ *Learn the pronouns in Lesson 22, p. 216.*

1. Practise the interrogative pronouns.

1. .... (kdo) věříte?
2. .... (kdo) telefonujete?
3. .... (co) se divíte?
4. .... (co) nerozumíte?
5. .... (kdo) pomáháte?

2. Practise the short forms of personal pronouns.

1. To je moje sestra. Divím se .... (ona).
2. Mám ráda svého bratra. Věřím .... (on).
3. Co to říkáš? Nerozumím .... (ty).
4. Neslyším vás. Nerozumím .... (vy).
5. Zatelefonuju .... (ty) zítra.
6. Budeme .... (vy) telefonovat často.
7. Když jsem byl malý, všichni se .... (já) smáli.

3. Practise the forms of personal pronouns used after prepositions.

1. Mám dojem, že nemáš rád Davida. Co proti .... (on) máš?
2. Mám malého syna. Kvůli .... (on) ještě nemůžu jít do práce.
3. Máme pro vás nový plán. Díky .... (my) budete mít úspěch.
4. Moje sestra bydlí blízko. Jdeme k .... (ona)!
5. Situace je špatná. Vzhledem k .... (ona) nemůžeme nic dělat.
6. Tamhle bydlí Novákovi. Bydlím naproti .... (oni).
7. Zítra nebudeš doma, že. Tak k .... (ty) nemůžeme přijít.

REMEMBER:
Personal pronouns are members of "The Second Position Club" (see lesson 8, p. 93).

4. Practise the singular possessive pronouns.

1. Věřím .... (náš dobrý prezident).
2. Vysvětluju .... (můj malý syn) chemii.
3. Telefonuješ často .... (tvoje hodná maminka)?
4. Smějeme se .... (náš legrační pes).
5. Nerozumím .... (ten váš těžký jazyk).
6. Nevěřím .... (ta naše divná sousedka).
7. Divím se .... (ten váš nesmyslný nápad).
8. Pomáháme .... (naše dobrá kamarádka).
9. Doporučila jsem nový film .... (můj starý kamarád).

5. Learn the plural forms. Practise the plural possessive pronouns.

1. Věřím .... (naši chytří politici).
2. Gratuluju .... (vaši moudří rodiče).
3. Nadávám .... (moji/svoji špatní synové).
4. Jan je výborný. Patří k .... (naši nejlepší manažeři).
5. Vnučka je stejná jako ty. Je podobná .... (tvoji staří příbuzní).
6. Dcera má psy. Smějeme se .... (její chlupatí psi).
7. Syn není doma. Pomáháme .... (jeho malé děti).
8. Zavolali jsme .... (naši dobří známí z Ameriky).
9. Doporučovali jsme nový .... (vaši staří pacienti).

the dative Ma, Mi, F, N plural

ten, ta, to (demonstrative pronouns) and adjectives

Ma, Mi, N, F	**těm moderním českým** *(coll.* **těm moderním českejm***)*

nouns

main rules		*other rules*
Ma	**-ům** (studentům,mužům)	1. Mobile -e- (pes – psům) 2. Stem changes (kůň – koním)
Mi	**-ům** (hradům, čajům)	1. Mobile -e- (zámek – zámkům) 2. Stem changes (dům – domům)
F		1. Mobile -e- (broskev –broskvím)
-a ending	**-ám** (ženám)	
-e ending	**-ím** (kancelářím)	
-cons. ending	**-em** (věcem)	
N		1. Irregular N nouns: kuřatům, morčatům, prasatům... BUT: děti – dětem
-o ending	**-ům** (pivům)	
ě- e ending	**-ím** (mořím)	
-í ending doesn´t change	**-ím** (nádražím)	

❑ *Remember:* lidi – lidem.

❑ *For the mobile -e- and stem changes, see A Trip back through History, p. 265.*
❑ *For possessive pronouns in the dative plural, see p. 216.*

1. **Practise the dative plural.**
Komu děkujete? (hodný člověk, stará babička, dobrý šéf, nejlepší kamarád a kamarádka)
Komu pomáháte? (jiný student a studentka, malé dítě, slepý člověk, starý člověk, nemocný člověk)
Komu radíte? (špatný student, dobrý kolega, nejlepší kamarád, mladá sekretářka, nový asistent)
Komu věříte? (příbuzný, přítel, dítě, populární politik, politická strana)
Komu blahopřejete k narozeninám? (sestřenice, bratranec, strýček, teta, neteř, synovec}
Komu dáváte dárky? (rodiče, kamarád, dítě, příbuzný)
Komu telefonujete nebo mailujete? (sekretářka, kolega, kolegyně, obchodní partner, zahraniční firma)
Co máte proti (doktor, politik, kolega, kolegyně, cizí firma)?
Jedu k (rodiče, přítel, kamarád, kamarádka, dítě).
Protestuju proti (válka).

2. **Make sentences. Then, say them in the plural.**
Example: Děti – dávat – dárky – starý člověk. Děti dávají dárky starému člověku/starým lidem.
Režisér – vysvětlovat – role – herec.
Babička – vypravovat – pohádka – dítě.
Sekretářka – psát – vzkaz – ředitelka.
Kamarád – psát – dopis – přítel.
Paní – posílat – telegram – soused.
Doktor – předepisovat – lék – pacient.
Student – půjčovat – učebnice – studentka.
Sekretářka – vyřizovat – vzkaz – manažer.
Profesor – doporučovat – slovník – student.
Manžel – vyčítat – manželka – chyba.

3. **Put the noun in the brackets in the dative plural.**
Example: (Ten student) je 17 let: Těm studentům je 17 let.
(Holka) je zima.
(Kamarád) je vedro.
(Ten pán) není dobře.
(Ta slečna) je nějak špatně.
(Matka a otec) bude příští rok 70.
(Dítě) chutná zmrzlina.
(Prodavačka) chybí v pokladně peníze.
(Divák) se líbí divadelní hra.
(Kluk) sluší džíny.
(Pacient) vadí velký hluk.

4. **Review the objective "aby-clauses" on page 201 in Lesson 20. Complete the sentences.**
Rodiče opakujou dětem, aby ....
Doktoři doporučujou lidem, aby ....
Učitelé radí studentům, aby ....
Politici říkají lidem, aby ....
Přeju všem kamarádům, aby ....

6. **Read with a dictionary. Discuss your opinions.**

Věříte klasické medicíně nebo alternativním metodám?

Akupresura stimuluje různé body lidského těla. Používá tlak (například prstů).
Akupunktura stimuluje různé body lidského těla. Používá jehly.
Aromaterapie léčí díky vůním. Používá extrakty z květin, listů a kořenů.
Fytoterapie používá různé bylinky a bylinkové čaje.
Homeopatie používá různé látky v minimálním množství. Říká, že díky nim se organizmus léčí sám.
Krystaloterapie používá pozitivní vibrace a energii krystalů a kamenů.

7. **Read with a dictionary.**

Nechutná vám špenát?

Nechutná vám špenát? Možná máte takzvaný antizeleninový gen. Odborníci zjistili, že některým lidem nechutná zelenina, protože jsou citliví na hořkou příchuť brokolice, špenátu a kapusty. Pokud k takovým lidem patříte, máte smůlu. Tyto druhy zeleniny jsou velmi bohaté na vitamíny a na minerální látky a vlákniny.

at the doctor´s - u doktora

1. Learn the words on the following page.

2. Read the dialogues. Set up similar ones. Use the vocabulary and pictures from lesoon 5, pages 65–68.

1.
Doktor: Dobrý den, paní Brownová! Tak jaké máte problémy?
Paní Brownová: Pane doktore, není mi dobře. Bolí mě hlava, v krku a taky záda.
Doktor: Aha. A máte teplotu?
Paní Brownová: Nemám vysokou teplotu ani horečku. Mám jenom 37, ale bolí mě celé tělo a jsem unavená.
Doktor: No, zdá se mi, že to bude chřipka. To víte, teď jsou všude infekce. Doporučuju vám, abyste byla asi týden doma. Tady máte Aspirin a můžete si koupit nějaké vitamíny. Za týden budete mít kontrolu.

2.
Paní Jandová: Dobrý den, paní doktorko. Lucinka je dneska nějaká divná. Není jí dobře a nic jí nechutná, ani její oblíbené jídlo. A taky má teplotu. Dneska ráno měla skoro 38.
Doktorka: Aha. Hm... To je ošklivá angína. Musím jí předepsat antibiotika. Nemá alergii na penicilin nebo jiná antibiotika?
Paní Jandová: Ne, žádnou alergii nikdy neměla.
Doktorka: A kdy měla antibiotika naposled?
Paní Jandová: Naposled brala Ampicilin, když byla ještě malá, v roce 94. Měla silnou bronchitidu.
Doktorka: Tak dobře. Bude brát tenhle lék jednou za šest hodin. Tady je recept, paní Jandová. Víte, kde je lékárna?
Paní Jandová: Tady dole, ne?
Doktorka: Ano. Příští týden bude mít Lucinka kontrolu. A musí ležet a hodně pít!

3.
Doktorka: Co vás bolí, pane Smith?
Pan Smith: Bolí mě břicho a je mi špatně. Včera a předevčírem jsem celý den zvracel.
Doktorka: A máte teplotu?
*Pan Smith:*Ano. Mám 38, 3.
Doktorka: Aha... Tak se na to břicho podíváme. Hm... Nějak se mi to nelíbí. Zdá se mi, že by to mohla být apendicitida. Zavolám vám sanitku. Pojedete do nemocnice.

4.
Doktor: Tak co potřebujete, paní Malá?
Paní Malá: Pane doktore, já mám takovou věc. Tady nahoře mi chybí jeden zub. Příští měsíc budu slavit narozeniny, a tak bych chtěla mít všechno v pořádku.
Doktor: Samozřejmě, paní Malá! Dáme vám nový zub a budete zase krásná! Uvidíte, jak vám to bude slušet! A kolik vám bude, jestli se můžu zeptat?
Paní Malá: Bude mi osmdesát, pane doktore, už osmdesát.
Doktor: No, to je krásný věk, paní Malá. Gratuluju vám! Můžete přijít v pondělí? Hodí se vám to?
Paní Malá: Ne, to se mi nehodí. Přijdu v úterý, ano?

2. Practise. Co vás bolí, když máte ...?

Co vás bolí, když máte migrénu?
...chřipku.
...velkou rýmu.
...zánět slepého střeva.
...angínu.
...bronchitidu.
...průjem
...na něco alergii.
...zápal plic.

3. Complete the sentences.
Máte rýmu a kašel. Co kdo radí?
Doktor doporučuje, abych (brát aspirin a vitamíny, pít horký čaj, ležet v posteli a odpočívat).
Maminka radí, abych (nosit teplý svetr a kabát, nepít alkohol, pít Coldrex, být opatrný).
Kamarád říká, abych (nebýt tak opatrný, neposlouchat doktory, dát si whisky a citrón a jet na hory!).

1. alergie **na** *(+ the acc.)*	allergy
2. **angína**	tonsillitis
3. **bolet/zabolet**	to hurt, ache (**bolest** - pain)
4. **cítit/pocítit**	to feel; to smell
5. **hluchý**	deaf
6. **chrápat/zachrápat**	to snore
7. **chřipka**	influenza, flu
8. **injekce**	injection, shot
9. **kapka**	drop
10. **kýchat/kýchnout**	to sneeze
11. **kašlat*/zakašlat**	to cough (**kašel** – cough)
12. **kontrola: jít na kontrolu**	check up
13. **lámat/zlomit; zlomený**	to break; broken
14. **léčit/vyléčit**	to cure
15. **lék**	medicine
16. **mast**	ointment
17. **nemoc**	disease
18. **němý**	mute
19. **očkování; očkovat** *(proti + the dat.)*	vaccination; to vaccinate
20. **pohotovost**	emergency
21. **postižený, invalidní, handicapovaný**	handicapped
22. **prášek, tableta, pilulka**	pill
23. **průjem**	diarrhea
24. **recept**	prescription, recipe
25. **sanitka**	ambulance
26. **slepý**	blind
27. **teplota: vysoká, nízká**	temperature: high, low
28. **úraz**	injury
29. **vyšetření, kontrola, prohlídka**	examination, check-up
30. **zácpa**	constipation
31. **zánět**	inflammation
32. **zánět průdušek, bronchitida**	bronchitis
33. **zánět slepého střeva, apendicitida**	appendicitis
34. **zápal plic, pneumonie**	pneumonia
35. **ranit/zranit; zranění**	to hurt, to injure; injury
36. **zvracet, -í**	to vomit, throw up *(coll. about children* **blinkat**)

❑ *Typical endings of non-coloured nouns are:* **consonant** *for* Ma/Mi, **-a** *for* F *and* **-o** for N.
❑ *The underlined -e- denotes the mobile -e- that disappears in declined forms.*

LESSON 24

- Use of the instrumental.
- The instrumental singular.
- The instrumental expressing...
- Verbs and adjectives + the instrumental.
- Verbs and adjectives + prepositions + the instrumental.
- What we wanted to be and what we are?
- Vocabulary: Professions.

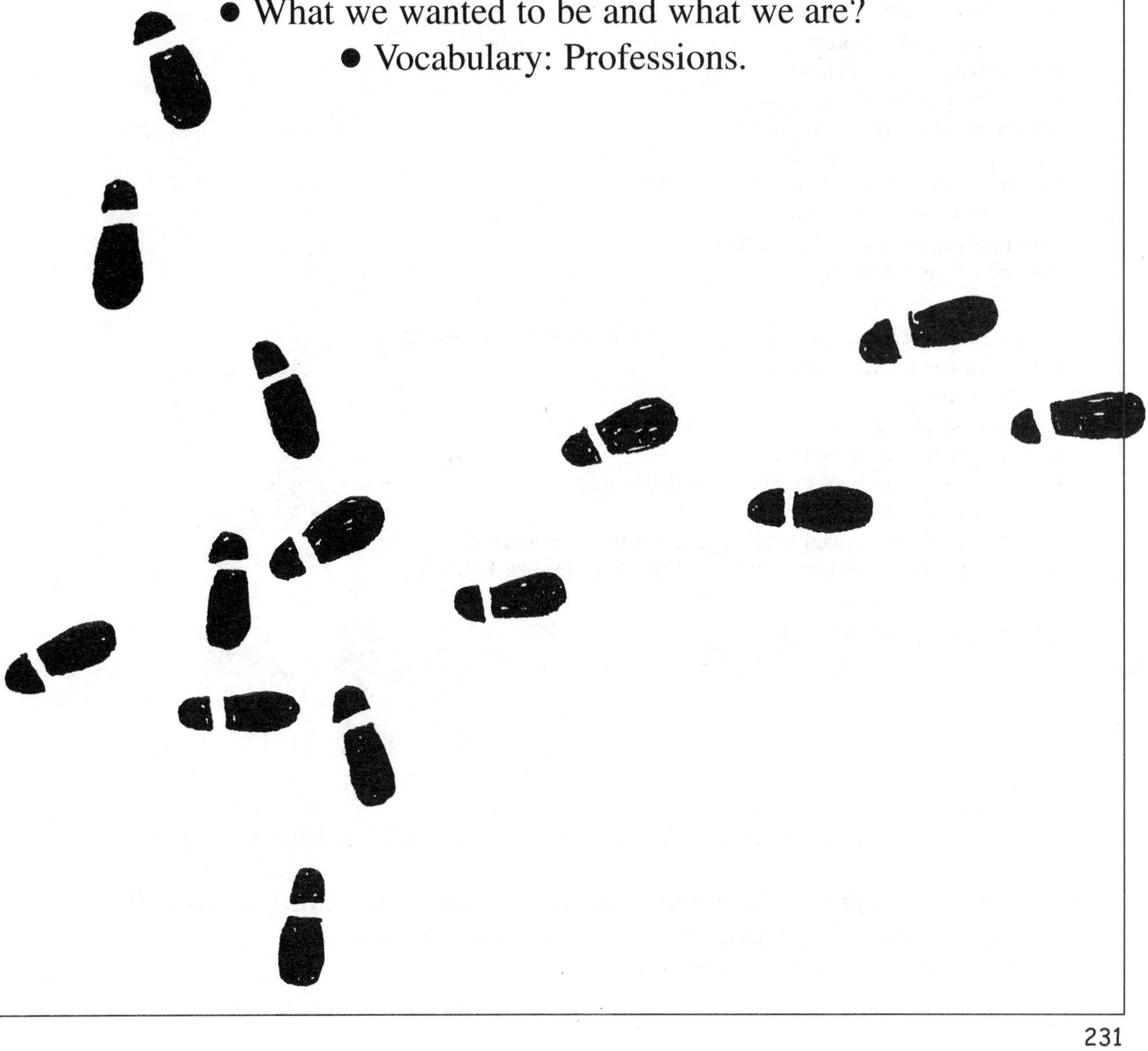

use of the instrumental

❑ *The instrumental is used:*

1. *a) to express instruments and means of transport or of doing something*

Píšu **perem**. I write with a pen. Jedu **vlakem, autobusem, lodí**… I go by car…

b) to express movements

Kývat **hlavou.** To nod one´s head. Mávat **rukou.** To wave one´s hand.

c) to express place

Jdu **ulicí**. I walk a street. Jedu **lesem**. I go through a forest.

d) to express reason

Umřít **hladem**. To die of hunger. Skákat **radostí**. To jump with joy.

e) to express time

Začátkem týdne bude kabát hotový. The coat will be finished (approximately) at the beginning of week.
Koncem měsíce tady nebudu. I won´t be here (approximately) at the end of the month.
The meanings c), d) and e) are less common.

2. *after the verbs and adjectives:*

být + profession *(the nominative can be used as well)* – to be
být nadšený – to be enthusiastic
být překvapený – to be surprised
být slavný/proslulý – to be famous
být známý – to be well known
proslavovat/proslavit – to become famous
stávat se/stát se – to become
trápit/potrápit – to trouble; to suffer
zabývat se – to deal with

3. *after the verbs and adjectives + the preposition* "s":

být spokojený s – to be satisfied
chodit s – to date
rozcházet se/rozejít se s – to break up with
rozvádět se/rozvést se s – to divorce
seznamovat/seznámit s – to acquaint with, to meet
souhlasit s – to agree with
být spokojený, spokojovat se/spokojit se s – to be content with
ženit se/oženit se s – to marry *(only men) (BUT:* **vdát se za** + *the acc.)*

4. *after the prepositions:*

s – with
před – in front of
nad – above, before
pod – under
za – behind
mezi – between, among
Except for "s", the above mentioned prepositions can also be used with the accusative. *See p. 240.*

5. *with passive verbs to denote the person or thing performing an activity*

Kniha byla napsána slavným **autorem**. The book was written by a famous author.
See the descriptive passive forms in Lesson 26, p. 251 .

the instrumental Ma, Mi, F, N singular

the question (interrogative pronouns)

nominative	*the instrumental*
kdo? co?	**kým? čím?**

ten, ta, to (demonstrative pronouns) and adjectives

Ma Mi N	**tím moderním českým**
F	**tou moderní českou**

nouns

main rules		*other rules*
Ma hard and ambiguous	**-em**(studentem)	1. Mobile -e- (pes – psem) 2. Stem changes (kůň – koněm) 3. Nouns ending in -a have -ou ending (policista – policistou)
soft (ž,š,č,ř,č,ď,ť,ň,c,j,-tel + s,z,c)	**-em** (mužem)	
Mi	**-em** (hradem)	1. Mobile -e- (zámek – zámkem) 2. Stem changes (dům – domem)
soft (ž,š,č,ř,d,t,ň,c,j)	**-em** (čajem)	
F -a ending	**-ou** (kávou)	1. Stem changes (sůl – solí)
-e/ě ending **cons. ending**	**-í** (židlí) **-í** (skříní)	
N -o ending	**-em** (pivem)	The irregular N: kuře – kuřetem rajče – rajčetem zvíře – zvířetem dítě – dítětem
-e ending **-í ending**	**-em** (mořem) **-ím** (nádražím)	

❑ *Ma names ending in the pronounced* -i/-í /-y *are declined like adjectives:* (Jiřím, Sampleym).
❑ *F names ending in the pronounced* -i/-y *or a consonant do not change* (Lori, Judy, Carmen, *but also* paní).
❑ *For the mobile* -e- *and stem changes,* *see A Trip back through History, p. 265.*

personal pronouns

the nominative	*the instrumental* short forms	forms after prepositions(j ⇨ n)
já	**mnou**	**mnou**
ty	**tebou**	**tebou**
on	**jím**	**ním**
ona	**jí**	**ní**
ono	**jím**	**ním**
my	**námi**	**námi**
vy	**vámi**	**vámi**
oni	**jimi**	**nimi**

possessive pronouns singular

the nominative sg.	*the instrumental sg.* Ma, Mi, N	F
můj, moje/má, moje	**mým**	**mojí/mou**
tvůj, tvoje/tvá, tvoje	**tvým**	**tvojí/tvou**
jeho	**jeho**	**jeho**
její	**jejím**	**její**
náš, naše, naše	**naším**	**naší**
váš, vaše, vaše	**vaším**	**vaší**
jejich	**jejich**	**jejich**

possessive pronouns plural

the nominative pl. Ma, Mi, F, N	*the instrumental pl.*
moji, moje, moje	**mými**
tvoji, tvoje, tvoje	**tvými**
jeho	**jeho**
její	**jejími**
naši, naše, naše	**našimi**
vaši, vaše, vaše	**vašimi**
jejich	**jejich**

Notes:

❑ *You will hear the forms* **mýma/mejma, tvýma/tvejma, našima/našejme, vašima/vašejma** *in colloquial Czech.*

❑ *For declension of possessive adjectives see Grammatical Tables, p. 270.*

❑ *For declension of numerals see, Grammatical Tables, p. 270.*

the instrumental expressing instruments and means of transport or of doing something

1. Jím **lžící, vidličkou** a **nožem**. Nejím **rukou.**
2. Míchám kávu **lžičkou.**
3. Jedu **autem, autobusem, taxíkem, tramvají**...
4. Píšu **perem, tužkou** a **propiskou.**
5. Myju se teplou **vodou** a **mýdlem.**
6. Myju si vlasy **šamponem.**
7. Krájím maso **nožem.**
8. Česám se **hřebenem.**

❑ *For more instruments and the verbs describing their use, see the vocabulary in Lesson 25, p. 246.*

the instrumental expressing movements

1. kývat/kývnout **hlavou** – to nod one's head
2. mávat/mávnout **rukou** – to wave one's hand
3. kopat/kopnout **nohou** – to kick
4. jet/jezdit **velkou rychlostí, osmdesátkou, stovkou** – to go fast, to speed, to do 80, 100 per hour

the instrumental expressing place

❑ *Compare the general scheme of Direction versus Location in Grammatical Tables on p. 271. Note that there is a special set of adverbs in Czech expressing the motion "through where" or " which way".*

1. **Kudy** jdete? - Jdeme **lesem.**
2. Kudy se jde na Karlův most? - **Touhle ulicí.**
3. Jdeme na procházku **městem.**
4. Musíte jít **podchodem** a pak doleva.
5. Šli jsme **jinou ulicí.**
6. Musíte jít **třetí ulicí** vlevo a pak rovně.
7. Metro nezastavilo, jenom projelo **stanicí.**
8. Vlak projel **malým nádražím.**
9. Řeka Vltava teče **Prahou.**
10. Šli jsme **vesnicí** a pak jsme vyšli do polí.
11. Půjdete **první ulicí** doprava a pak rovně.
12. Maratonec proběhl **cílem** jako první.

the instrumental expressing reason

1. **umírat/umřít hladem, žízní** – to die of hunger
2. **smát se/zasmát se, poskakovat/poskočit, zpívat/zazpívat radostí** – to laugh, jump, sing with joy
3. **zářit/rozzářit se štěstím** – to shine with happines
4. **plakat/rozplakat se bolestí** – to cry with pain
5. **třást se/roztřást se strachem, vztekem, zlostí** – to tremble with fear

the instrumental expressing time

1. **začátkem** týdne, měsíce, roku = na začátku...
2. **koncem** týdne, měsíce, roku = na konci...

***REMEMBER:** Some adverbs and prepositions are the "frozen" instrumental forms:*

kolem – by, past, around
časem – during some time
mezitím – meanwhile
(ne)právem – rightly, wrongly
následkem – in consequence of
vinou – owing to
omylem – by mistake
pomocí – by means of
prostřednictvím – through s. o.
vlivem – due to
jménem – in the name of
honem – hurry!, in a hurry
během – during
většinou – mostly
cestou – on the way

verbs and adjectives + the instrumental

být + *profession in the instr. (formal)*
Jan je ředitelem továrny a Eva je manažerkou firmy.
Chtěl bych být kosmonautem.
Compare: **být** + *profession in the nominative*
Jsem technik. Jsem zubařka. Jsem literární vědec.

být překvapený – to be surprised
Byl jsem překvapený hezkou atmosférou.
= Překvapila mě hezká atmosféra.

být nadšený – to be enthusiastic
(BUT ALSO **být nadšený z** + *the genitive)*
Byl jsem nadšený kránou hudbou.
Byla jsem nadšená exotickým zážitkem.

být známý/slavný/ proslulý
– to be well known/famous
(BUT ALSO: **být známý/slavný/proslulý pro...***)*
Shaw byl známý sarkastickým humorem.
Karlovy Vary jsou proslulé léčivou vodou.

proslavovat/proslavit – to become famous
Plzeň se proslavila výborným pivem.
Město Telč se proslavilo krásným náměstím.
Bridgitte Bardotová se proslavila nejen sex-appealem, ale později i láskou ke zvířatům.

stávat/stát* se – to become; to happen
Když jsem byl malý, chtěl jsem se stát prezidentem.
Co se ti stalo?

trápit/potrápit – to trouble; to suffer
Trápí mě problémy. Trápím se problémy.
Karolína se trápí nešťastnou láskou.
Nemůžeš se trápit tím, co nemůžeš změnit.

zabývat se – to deal (with)
Nezabývám se každým nesmyslem.
Měli bychom se naší situací vážně zabývat.
Prezidenti se zabývají politickou situací.
Zabývala ses už novou prací?

verbs and adjectives + preposition + the instrumental:

být spokojený s – to be satisfied, to be happy
Jsem spokojený se platem.
Nejsem spokojená s naším bytem
Jsem spokojený se životem na vesnici.

spokojovat se/spokojit se s – to be content (with)
Spokojím se s malým platem.
Nespokojíme se s malým bytem!
Spokojím se s tím, co mi dáte.

chodit s – to date
Karel chodí s Helenou.
Monika chodí s Lukášem.
S kým chodí Alena?

rozvádět/rozvést s – to divorce
Soudce nás rozvedl rychle.
Ivan se rozvádí s Janou.
Adam a Alice se rozvedli kvůli penězům.

rozcházet se/rozejít se s – to break up (with)
Veronika se rozešla s Markem.
Marta a Petr se rozešli.

seznamovat/seznámit s
– to acquaint (with), to meet
Seznámil jsem se se zajímavou dívkou.
Seznámili jsme se loni.
Rád bych vás seznámil s manželkou a kamarádem.

souhlasit s – to agree
Souhlasím s manželem.
Nesouhlasím s ředitelkou.
Promiňte, ale nesouhlasím s vaším názorem

ženit/oženit s – to marry *(only men)*
(BUT: **vdát za** + *the acc.)*
Musím říct, že syn se oženil s hodnou ženou.
S takovou protivnou holkou se nikdy neožením!

1. Fill in "který":

1. To se problém, ... bychom se měli vážně zabývat.
2. Viděla jsem muže, se .... jsem se rozešla v roce 1989.
3. Ředitel přišel s nápadem, ... jsem byl překvapený.
4. Tady v novinách čtu názor, se .... souhlasím.
5. Rozvedl jsem se už dvakrát. Hledám nějakou ženu, se .... se už nerozvedu.
6. Konečně mám partnerku, se .... jsem spokojený.
7. Na manifestaci byla atmosféra, ... jsem byl opravdu nadšený.
8. V televizi jsem viděla slavnou autorku, se .... jsem se minulý týden seznámila.

what we wanted to be and what we are?

čím jsme chtěli být a čím jsme?

1. Read with a dictionary. Retell.

❑ *On this page you'll also read forms of the instrumental plural (see Lesson 25, p. 243).*

Anna Holá, studentka střední školy
Když jsem byla úplně malá holka, chtěla jsem být manželkou milionáře – hlavně proto, že jsem chtěla mít krásné červené nehty, jak jsem to viděla v jednom filmu. Později jsem změnila názor a chtěla jsem se stát farmářkou. Prosila jsem rodiče o koně, krávu, kozu a nebo jenom docela malé prase – ale vzhledem k tomu, že bydlíme v paneláku, jsem byla nakonec ráda, že jsem dostala aspoň křečka. A tak jsem se nestala farmářkou – a manželkou milionáře ještě taky ne. Teď se starám o křečka, studuju gymnázium a baví mě biologie a jazyky. Jednou bych se chtěla zabývat genetikou, ale raději už nic neplánuju!

Jana Kusáková, studentka vysoké školy
Když jsem byla malá, vždycky jsem chtěla být učitelkou. Učila jsem mladšího bratra, a když už nechtěl, spokojila jsem se s panenkou. Můj sen přežil i základní školu. Až na konci deváté třídy jsem začala pochybovat o tom, že se jednou opravdu stanu učitelkou – učitelé to s naší třídou neměli lehké... Na gymnáziu jsem se ale definitivně rozhodla, že vystuduju biologii a chemii a pak se stanu učitelkou. Moc se těším na chvíli, kdy budu stát před třídou a seznamovat děti se vším, co znám. Doufám, že s prací budu spokojená – a že děti budou spokojené se mnou!

Jaroslav Vedral, lékař
Proč jsem se stal lékařem? Když o téhle otázce přemýšlím, musím přiznat, že kvůli své první lásce ze základní školy. Touha poznat rozdíly mezi chlapcem a dívkou mě tehdy přivedla k první knize o lidském těle. Čím víc knih jsem četl, tím víc mě lidský organismus zajímal. Chtěl jsem znát do nejmenších detailů všechny funkce jeho orgánů. A tak se můj koníček stal mým povoláním. Dneska můžu říct, že každý lékař zůstává navždycky studentem a pořád objevuje něco nového – a že je to stejné dobrodružství jako tehdy, když jsem chtěl objevit rozdíl mezi klukem a holkou.

Stanislav Beneš, počítačový technik
Když mi bylo asi pět let, měl jsem typický sen každého kluka – chtěl jsem být kosmonautem. Znal jsem je z televize a moc se mi líbili. Později jsem zjistil, že stát se kosmonautem asi nebude tak lehké, a proto jsem se rozhodl, že se stanu cestovatelem. Četl jsem knihy českých cestovatelů Hanzelky a Zikmunda, kteří procestovali africký kontinent. V té době jsem taky objevil krásného koníčka: začal jsem sbírat známky z celého světa. Díky nim jsem procestoval celý svět, i když jenom prstem po mapě. Opravdovým cestovatelem jsem se nakonec nestal – pracuju v oblasti počítačů a zabývám se leteckými systémy. A známky? Ty dneska sbírá moje dcera.

Blanka Knotková, indoložka, překladatelka a básnířka
V šesti letech se mi často zdálo, že jsem hvězdářkou. Ve škole mi ale nešla matematika, a tak jsem se rozhodla být historičkou – i minulost září vzdálenými světy. Nakonec mě přilákala vzdálenost zeměpisná, a já jsem se stala studentkou indologie. Pak jsem se vdala a najednou jsem se místo vědkyně stala matkou dvou dětí, pradlenou, kuchařkou, uklízečkou a zpěvačkou ukolébavek. Dnes, po letech, opravdu pracuju jako indoložka. Jsem odbornou asistentkou na Karlově universitě, tlumočnicí a překladatelkou z bengálštiny. Jen někdy se mi zase zdá, že jsem hvězdářkou: dvě hvězdy totiž sestoupily z nebe ke mně na zem.

2. Topics for conversation.
Čím jste chtěli být, když jste byli malí? Proč?
Kdybyste se znovu narodili, chtěl byste být tím, čím jste teď?

1. **advokát, právník**	**advokátka, právnička**	solicitor/attorney, lawyer
2. **archeolog**	**archeoložka**	archaeologist
3. **dělník**	**dělnice**	worker
4. **farmář, rolník**	**farmářka, rolnice**	farmer
5. **herec**	**herečka**	actor
6. **holič**	**holička**	barber, hair dresser
7. **hudebník**	**hudebnice**	musician
8. **instalatér**	**instalatérka**	plumber
9. **kameraman**	**kameramanka**	cameraman
10. **knihovník**	**knihovnice**	librarian
11. **konstruktér**	**konstruktérka**	designer
12. **letec, pilot**	**letkyně, pilotka**	pilot
13. **lékař, doktor**	**lékařka, doktorka**	doctor
14. **malíř**	**malířka**	painter, artist
15. **obchodník**	**obchodnice**	businessman
16. **ošetřovatel**	**zdravotní sestra**	nurse
17. **politik**	**politička**	politician
18. **policista**	**policistka**	policeman/woman
19. **prodavač**	**prodavačka**	shop assistant
20. **průvodčí** *(adj.)*	**průvodčí** *(adj.)*	train conductor
21. **překladatel**	**překladatelka**	translator
22. **restaurátor**	**restaurátorka**	restorer
23. **režisér**	**režisérka**	producer, director
24. **rybář**	**rybářka**	fisherman
25. **skladatel**	**skladatelka**	composer
26. **spisovatel**	**spisovatelka**	writer
27. **taxíkář**	**taxíkářka**	taxi-driver
28. **tlumočník**	**tlumočnice**	interpreter
29. **účetní** *(adj.)*	**účetní** *(adj.)*	accountant
30. **uklízeč**	**uklízečka**	cleaner, cleaningman/woman
31. **umělec**	**umělkyně**	artist
32. **úředník**	**úřednice**	official, clerk
33. **vědec**	**vědkyně**	scientist
34. **voják**	**vojačka**	soldier
35. **zpěvák**	**zpěvačka**	singer
36. **zubař**	**zubařka**	dentist

❑ *Typical endings of non-coloured nouns are:* **consonant** *for* Ma /Mi, **-a** *for* F *and* **-o** for N.
❑ *The underlined -e- denotes the mobile -e- that disappears in declined forms.*

LESSON 25

- Prepositions + the accusative/the instrumental.
- Prepositions + the instrumental.
- Pronouns in the instrumental.
- The instrumental plural.
- Vocabulary: Tools and instruments.

prepositions + the accusative/the instrumental

❑ *Compare the general scheme of Direction versus Location on p. 271 in Grammatical Tables.*

KAM?

nad, mezi, pod, před, za + ***the accusative***

KDE?

nad, mezi, pod, před, za + ***the instrumental***

Dávám obraz nad stůl.

Obraz je nad stolem.

Dávám květinu mezi židli a stůl.

Květina je mezi židlí a stolem.

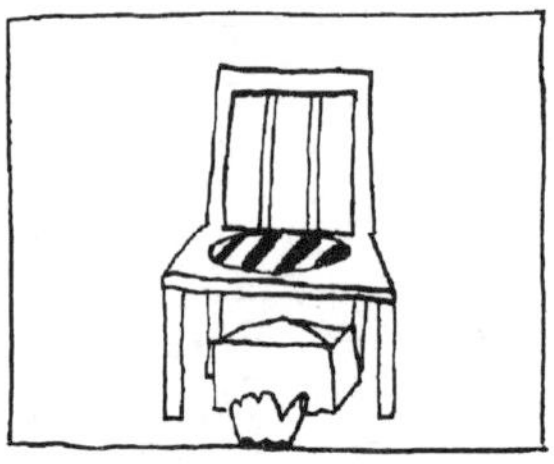

Dávám krabici pod židli.

Krabice je pod židlí.

Dávám květinu před zrcadlo.

Květina je před zrcadlem.

Dávám obraz za skříň.

Obraz je za skříní.

1. **You can practise the prepositions "nad, pod, před, za, mezi" using the vocabulary from lesson 4, 7 and 16.**

prepositions + instrumental

REMEMBER:
The prepositions **nad, před, pod, za, mezi** *can be also used with the accusative!*
(See the preceding page)

nad – above
Obraz je nad postelí.

pod – under
Boty jsou pod skříní.

před
1. place – in front of
Auto stojí před domem.
2. time – before; ago
Před hodinou jsem tady viděl šéfa.
Před rokem jsem přijela poprvé.

REMEMBER:
před rokem
před dvěma, třemi, čtyřmi roky, lety
před pěti, šesti, sedmi... sto, tisíci roky, lety

za
1. place – behind
Auto jede za dům. Auto stojí za domem.
2. to someone
Jdu za sestrou.
Jela jsem za kamarádem.
Byla jsem v nemocnici za maminkou.
Zastavila jsem se za dědečkem na venkově.
(Review also Lesson 6, p. 54: **za** *+ the accusative)*

REMEMBER:
Jdu ke kamarádce (at her place)
Jdu za kamarádkou (to meet her wherever she is)

mezi – between, among
Sedím mezi Zuzanou a Davidem.
Auto stojí mezi domem a garáží.
Bydlím mezi bankou a poštou.

s/se – with
Jdu na výlet s kamarádkou a se sestrou.
Zítra se sejdu s otcem.
Veronika chodí s Danielem.

pronouns in the instrumental

❑ *Learn the pronouns in Lesson 24, p. 234.*

1. Practise the interrogative pronouns.

1 S ...... (kdo) jdete na večeři?
2. .... (kdo) se zabýváte?
3. .... (co) se zabýváte?
4. S ...... (co) máte dobré zkušenosti?
5. S ...... (kdo) se máte sejít zítra?

2. Practise the short forms of personal pronouns.

1. Zabývám se chemií. Zabývám se .... (ona) rád.
2. Jela jsem rychlým autem. Jela jsem .... (ono) domů.
3. Na dovolené jsem viděla krásný ostrov. Byla jsem .... (on) opravdu nadšená.
4. Viděl jsem známou modelku. Byl jsem .... (ona) překvapený.
5. Stala jsem se babičkou a jsem .... (ona) moc ráda.

3. Practise the personal pronouns used after prepositions.

1. Maminka šla k doktorovi se ..... (já).
2. Ahoj, Karle a Moniko! Na výlet pojedeme s .... (vy).
3. Moniko, jsi tady? Co je s .... (ty)?
4. Tady je skříň a boty jsou pod .... (ona).
5. Za domem je zahrada a je za .... (on) taky les.
6. Tohle jsou Novákovi a před .... (oni) stojí jejich děti.

4. Practise the singular possessive pronouns.

1. Jsem nadšený .... (vaše krásná zahrada).
2. Jsem překvapený .... (náš starý dobrý kamarád).
3. Mám ráda kamarádku a trápím se .... (její těžký problém).
4. To je Martin. Chodím teď s .... (jeho bývalá holka).
5. Jsem moc spokojený s .... (váš perfektní projekt).
6. Adam chodí s .... (moje nejmladší sestra).
7. Za .... (můj starý dům) je obchod.
8. Mezi .... (naše velký garáž a vaše malá zahrada) je místo na nový dům.
9. Nad .... (tvoje nová postel) je nějaký obraz.
10. Za .... (váš dobrý obchod) stojí auto.

5. Learn the plural forms. Practise the plural possessive pronouns.

1. Seznámil jsem se s .... (vaši hodní rodiče)
2. Souhlasím s .... (tvoje inteligentní názory).
3. Jsem překvapený .... (vaše zajímavé tradice).
4. Šéf se zabývá .... (naše geniální nápady).
5. Nad .... (moje krásné lesy) létají ptáci.
6. Nejsem spokojený s .... (jejich divné plány).
7. Pod .... (tvoje staré skříně) není místo.
8. Za .... (její nové kufry) leží kamera.
9. Před .... (jeho velké zahrady) je hřiště pro děti.
10. Známe Milana s .... (jeho divoké skandály)!

the instrumental Ma, Mi, F, N plural

ten, ta, to (demonstrative pronouns) and adjectives

Ma Mi N F	**těmi moderními českými** (*coll.* **těma moderníma českejma**)

nouns

main rules		*other rules*
Ma	**-y**/*coll.* **-ama** (studenty)	1. Mobile -e- (pes – psy/*coll.* psama) 2. Stem changes (kůň – koni/*coll.* koňma) 3. Nouns ending in -a have -y/-ama ending (policista – policisty)
soft (**ž,š,č,ř,č,ď,ť,ň,c,j,-tel + s,z,c**)	**-i**/*coll.* **-ema** (muži)	

main rules		*other rules*
Mi	**-y**/*coll.* **-ama** (hrady)	1. Mobile -e- (zámek-zámky) 2. Stem changes (dům-domy)
soft (**ž,š,č,ř,d,t,ň,c,j**)	**-i**/*coll.* **-ema** (čaji)	

main rules		*other rules*
F **-a ending**	**-ami**/*coll.* **-ama** (ženami)	1. Mobile -e- (broskev- broskvemi) 2. Stem changes (sůl - solemi) 3. An exception: místnostmi, kostmi, radostmi…
-e/ě ending	**-emi**/*coll.* **-ema** (židlemi)	

main rules		*other rules*
N **-o ending**	**-y**/*coll.* **-ama** (městy)	The irregular N: kuře – kuřaty/*coll.* kuřatama…
- e ending **- í ending**	**-i**/*coll.* **-ema** (moři) **-ími**/*coll.* **-íma** (nádražími)	

❑ *For the mobile -e- and stem changes, see A Trip back through History, p. 265.*
❑ *For possessive pronouns in the instrumental plural, see p. 234.*

1. Fill in the blanks.

1. Jsme amatéři! Nikdy jsme nechtěli být … (profesionál).
2. Ráda jezdím … (rychlá auta). Nerad jezdím … (špinavé vlaky).
3. Na dovolené jsem byla nadšená … (krásné památky).
4. Byl jsem překvapený … (čisté pláže) a … (velké parky).
5. William Shakespeare je proslulý … (komedie a tragédie).
6. New York je známý … (vysoké budovy), jak je třeba Empire State Building.
7. Hemingway se proslavil … (povídky).
8. Čas letí… Stali jsme … (babičky a dědečci).
9. Moje partnerka je pesimistka. Trápím se … (její smutné nálady).
10. Nechci se zabývat … (podobné nesmysly).
11. Chtěla bych se zabývat … (slovanské jazyky).
12. Byl jsem spokojený s … (dobré hotely) a … (nízké ceny).
13. Byla jsem nespokojená s … (nepoctiví taxíkáři).
14. Chodil jsem už s … (různé holky).
15. Rozešel jsem se s … (kamarádi), protože jsme si nerozuměli.
16. Seznámili jsme se s … (zajímaví lidé).
17. Cestovali jsme po světě s … (ostatní nadšení cestovatelé).
18. Byli jsme nadšení … (italské památky).
19. Souhlasím s … (vaše názory).
20. Muži se žení s … (dobré ženy).
21. Celý večer jsem mluvil jsem s … (kamarádi a kamarádky).
22. Sešla jsem se s … (bývalí kolegové a kolegyně).
23. Zítra se sejdeme s … (noví šéfové naší firmy).
24. Mluvil jsi už s … (ti nespokojení lidé)?
25. Jel jsem do Austrálie s … (dobří kamarádi).

2. Ask questions about the underlined words.

Example: Chci mluvit s populárními sportovci. – S kým?
Rád debatuju s mladými studenty. – S jakými studenty?
Chci byt s pračkou a ledničkou. – S čím?

1. Když jsem byl mladý, často jsem se hádal s rodiči.
2. Mám byt s balkonem.
3. Mluvili jsme s naší dobrou kamarádkou.
4. Nejsem spokojená s českými obchody.
5. Byla jsem překvapená českými vánočními tradicemi.
6. Včera jsem se sešla s našimi obchodními partnery.
7. V Praze jsem se setkal se zajímavými lidmi.
8. Chci se zabývat africkými jazyky.
9. Rád cestuju pohodlnými vlaky.
10. Mám rád města se starými domy a velkými parky.

3. Work with a dictionary. Catch phrases, proverbs, idioms:

Dělat něco celým srdcem.
Nehnout ani prstem.
Cestovat prstem po mapě.
Mluvit rukama nohama.
Dívat se na svět novýma/jinýma očima.
Tak dlouho se chodí se džbánem pro vodu, až se ucho utrhne.

4. Topics for conversation:

Čím je známá vaše země? Čím je známá Česká republika?
Čím jste tady příjemně nebo nepříjemně překvapení?
S čím jste spokojení nebo nespokojení?
S kým tady mluvíte a diskutujete?

5. Practise the instrumental plural with the prepositions on p. 241.

1. Look up the meanings of the following expressions. Choose the general term.
elektrické přístroje, nástroje, ovoce, oblečení, hudební nástroje, nábytek, sportovní potřeby, zelenina, dopravní prostředky

1. Zelí, paprika, mrkev, petržel, špenát, celer, pórek a brokolice jsou ....
2. Tričko, šaty, kalhoty, kostým, kabát, sako, sukně a košile jsou ....
3. Kladivo, nůž, motyka, nůžky a kleště jsou ....
4. Flétna, klavír, housle, kytara, violoncello a buben jsou ....
5. Magnetofon, počítač, televize, rádio a CD přehrávač jsou ....
6. Ananas, pomeranč, jablka, hrušky, švestky, jahody a banány jsou ....
7. Míč, raketa, lyže a brusle jsou ....
8. Skříň, postel, stůl, knihovna, gauč, židle a křeslo jsou ....
9. Letadlo, auto, autobus, vlak, taxík a loď jsou ....

2. Correct the following sentences.
Example: Nečešu se kartáčkem na zuby, ale hřebenem.
1. Pletu svetr kladivem.
2. Krájím si chleba sekerou.
3. Řežu dřevo hadrem.
4. Stříhám látku kleštěmi.
5. Píšu dopis nůžkami.
6. Kopu hlínu tužkou.
7. Holím se motykou.

3. Work with a dictionary. Read and retell.

Jak se člověk stane zahradníkem

Zahradník kupodivu neroste ze semínka jako květina nebo strom, ale vzniká zkušeností. Když jste ještě dítě, zahradu rodičů obvykle nesnášíte, protože nesmíte šlapat po záhonech a trhat nezralé ovoce. Jako mladík si myslíte, že květina je to, co se nosí v knoflíkové dírce nebo se dává děvčeti, a nemáte ani tušení o tom, že ji nejdřív musíte zasázet, okopávat, vázat, zalévat, hnojit a řezat. Místo abyste ryl záhony, běháte za děvčaty. Aby se člověk mohl stát zahradníkem amatérem, potřebuje na to určitý věk. Kromě toho je nutné, aby měl svou zahrádku. Obvykle mu ji udělá zahradník profesionál a člověk si myslí, že se tam bude chodit procházet, dívat se na květiny a poslouchat ptáky. Pak ale jednou vlastní rukou zasadí nějakou kytičku; nevím, jak se to stane, ale asi přitom chytne nějakou infekci nebo otravu, zkrátka z člověka se pak stane vášnivý zahradník. Někdy se to může stát infekcí od souseda – vidíte na jeho zahradě nějakou pěknou kytičku a řeknete si: Proč by taky nekvetla mně? Já ji určitě budu mít ještě lepší! A pak už ryjete a okopáváte, plejete, hrabete a sekáte, řežete, vážete a zaléváte, prostě zapadáte do toho hlouběji a hlouběji. Nemyslete si, že být pravým zahradníkem je nějaká idylická a meditativní činnost; je to opravdová vášeň, jako všechno, co dělá důkladný člověk.

Podle knihy Karla Čapka Zahradníkův rok. Adaptováno.

5. Topics for conversation:
Jak a čím se uklízí byt? Děláte obvykle nějaký velký vánoční nebo jarní úklid?
S čím rádi pracujete? S jakými nástroji a přístroji umíte pracovat? Co umíte udělat, opravit nebo vyrobit?
Jaké stroje, nástroje a přístroje potřebuje k práci farmář, zahradník, doktor a holič? Jak s nimi pracuje?

6. What does it mean if someone says...
1. Navázali jsme dobré vztahy.
2. Pan XY si nahrabal peníze.
3. Musím se namalovat.
4. Člověk musí umět vypnout.
5. Spletl jsem se. Popletla jsem to.
6. Ten člověk se na mě přilepil.
7. Štípnu se do ruky, jestli nesním.
8. Proč do mě pořád ryješ?
9. Ta věc má nějaký háček.

OBSERVE:
myju nádobí, okno, podlahu... – myju se – myju si ruce, vlasy, nohy...

1. **česat/učesat hřebenem**	to comb with a comb
2. **čistit/vyčistit si zuby kartáčkem**	to clean teeth with a toothbrush
3. **fénovat/vyfénovat vlasy fénem**	to dry hair with hair dryer
4. **háčkovat/uháčkovat háčkem**	to crochet with a crochet hook
5. **holit /oholit holicím strojkem**	to shave with an electric shaver
6. **házet/hodit kamenem, koulí, oštěpem**	to throw a stone, ball, spear
7. **hrabat/hrábnout hráběmi**	to rake with a rake
8. **kartáčovat/vykartáčovat kartáčem**	to brush with a brush
9. **kopat/kopnout motykou** *BUT ALSO* **nohou**	to dig with a hoe *BUT ALSO* to kick with a leg
10. **krájet/ukrojit/ukrajovat nožem**	to cut/slice with a knife
11. **lepit/přilepit lepidlem**	to glue with glue
12. **luxovat/vyluxovat vysavačem**	to vacuum with a vacuum cleaner
13. **malovat/namalovat fixkami, vodovkami**	to paint/draw with markers, water colors
14. **mýt/umýt houbou, mýdlem**	to wash/clean with a sponge, soap
15. **mýt/umýt vlasy šamponem**	to wash someone´s hair with shampoo
16. **natírat/natřít barvou, lakem, krémem**	to paint/coat/apply color, polish, cream
17. **odemykat/odemknout klíčem**	to unlock with a key
18. **platit/zaplatit šekem, penězi**	to pay with a check, money
19. **plést/uplést jehlicemi**	to knit with knitting needles
20. **pracovat se strojem, nástrojem, přístrojem**	to work with a machine, tool, device
21. **psát/napsat tužkou, perem** *(BUT:* **na počítači***)*	to write with a pen, pencil
22. **rýt/zrýt rýčem**	to dig with a spade
23. **řezat/říznout pilou, nožem…**	to cut with a saw, knife
24. **sekat /seknout sekerou, sekačkou...**	to cut/chop/mow with an axe, a mower
25. **stříhat/střihnout nůžkami**	to cut with scissors
26. **šít/ušít jehlou a nití** *(BUT:* **na šicím stroji***)*	to sew with a needle and thread
27. **šroubovat/zašroubovat šroubovákem**	to screw with a screwdriver
28. **štípat/štípnout kleštěmi** .	to clip with pincers, pliers
29. **utírat/utřít utěrkou, ručníkem, hadrem**	to wipe with a dish-towel, towel, rag
30. **vázat/uvázat provazem**	to tie with a rope
31. **vypínat/vypnout knoflíkem, vypínačem**	to switch off with a control, switch
32. **zalévat/zalít konví**	to water with a can
33. **zametat/zamést koštětem**	to sweep with a broom
34. **zamykat/zamknout klíčem**	to lock with a key
35. **zapínat/zapnout knoflíkem, vypínačem**	to switch on with a control, switch
36. **zatloukat/zatlouct kladivem**	to beat with a hammer

❑ *Typical endings of non-coloured nouns are:* **consonant** *for* Ma/Mi, **-a** *for* F *and* **-o** for N.
❑ *The underlined -e- denotes the mobile* -e- *that disappears in declined forms.*

LESSON 26

- The imperative.
- The vocative.
- Descriptive passive forms.
- Verbal nouns and adjectives.
- Vocabulary: Verbal nouns.

the imperative

1. *the irregular imperatives:*

být – **buď, buďte**
jíst – **jez, jezte**
jít – **jdi, jděte/běž, běžte**
koupit – **kup, kupte**
mít – **měj, mějte**
psát – **piš, pište!**
přijít – **přijď, přijďte**
sníst – **sněz, snězte**
vrátit se – **vrať se, vraťte se**

> ***REMEMBER*** *an exception:*
> **pojď! pojďte** – let's go!

2. *the regular imperatives:*

❑ *To form the imperative, you need the third person plural (they-form). This form drops the* -ou, -ají *ending.*

the infinitive	*they form*	*the imperative*		
		you informal-form	*we-form*	*you-formal form*
1. *one consonant:* -, me, te				
děkovat	děkuj-ou	děkuj!	děkuj-**me!**	děkuj-**te!**
organizovat	organizuj-ou	organizuj!	organizuj-**me**!	organizuj-**te**!
psát	píš-ou	piš!	piš-**me**!	piš-**te**!
2. *two consonants:* -i, -ěme/eme, -ete				
číst	čt-ou	čt-**i**!	čt-**ěme**!	čt-**ete**!
spát	sp-í	sp-**i**!	sp-**ěme**!	sp-**ěte**!
vzít	vezm-ou	vezm-**i**!	vezm-**ěme**!	vezm-**ěte**!
3. -at, -ají *verbs:* -ej, -ejme, -ejte				
hledat	hled-ají	hled-**ej**!	hled-**ejme!**	hled-**ejte!**
dělat	děl-ají	děl-**ej**!	děl-**ejme**!	děl-**ejte**!
zeptat se	zept-ají se	zept-**ej** se!	zept-**ejme se**!	zept-**ejte se**!

❑ *Note that negative imperatives are usually imperfective and indetermined (as if we wanted the order to last longer).*

1. **Learn the most common orders.**
   Dávej/-te pozor! – Look out!
   Dávej/-te na sebe pozor. – Take care.
   Honem! Dělej/-te! Pospěš/-te si! – Hurry up!
   Měj/-te se dobře! – Have a nice time.
   Nedělej/-te si starosti. – Don't worry.
   Nech/-te toho! – Stop it!
   Nech/-te mě! – Leave me alone.
   Pozdravuj/-te …! – Say hallo to...
   Psst! Buď/-te ticho/tiše! – Hash. Be quiet.
   Zkus/-te to! – Try it!

2. **Make orders.**
   ***Example:* nedělat oběd/udělat oběd – Nedělej oběd, ale udělej jenom sendvič**
   nekupovat maso/koupit máslo
   neopravovat kolo/opravit počítač
   neorganizovat konferenci/zorganizovat mítink
   nebrat si kabát/vzít si svetr
   neuklízet celý byt/uklidit pokoj
   nevařit kávu/uvařit čaj
   neučit se večer/učit se ráno
   nedělat úkol dneska/udělat ho zítra
   nedívat se na nesmysly/podívat se na dobrý film
   nečíst detektivky/přečíst si seriózní literaturu

> ***REMEMBER*** *the indirect imperative (the third person singular and plural):*
> **Ať přijde!** – Let him/her come! **Ať jsou doma!** – Let them be home!

3. **To practise the imperative you can use the verbs in lessons 12, p. 127, 128, lesson 15, p. 156, lesson 18, p. 182 and the vocabulary in lessons 18, 19 and 25.**

1. Translate:

1. Don't do it!
2. Don't sleep!
3. Don't speak!
4. Don't be sad!
5. Don't cry!
6. Don't go there!
7. Don't sit here!
8. Don't buy it!
9. Don't open it!
10. Look out!
11. Take care.
12. Hurry up!
13. Come here!
14. Let me alone!
15. Let's go.
16. Try it!
17. Tell me that.
18. Close the door.
19. Open it!
20. Take it!
21. Do it now!
22. Go home.
23. Go to bed.
24. Let's do it!
25. Finish it!

2. Read.

1. Ať Petr přijde na návštěvu!
2. Ať maminka uvaří kávu!
3. Ať otec jede pro Davida.
4. Ať jde kamarádka dál.
5. Ať Alena napíše dopis!
6. Ať jdou Jirka a Petra domů!
7. Ať studenti čtou!
8. Ať jdou kamarádi k nám!
9. Ať přijde babička na oběd!

3. Work with a dictionary. Idioms, proverbs, catch phrases.

1. Nemaluj čerta na zeď!
2. Nekupuj zajíce v pytli!
3. Nehas, co tě nepálí!
4. Dvakrát měř, jednou řež!
5. Neříkej hop, dokud nepřeskočíš!
6. Nechval dne předvečerem!

4. Topics for conversation:

Co obvykle říkají rodiče dětem? Co obvykle říkají děti rodičům? Co obvykle říká manžel manželce a manželka manželovi?

5. Answer the questions.

1. Co řeknete, když chcete, aby někdo přišel na návštěvu?
2. Co řeknete, když chcete, aby někdo zavřel dvěře?
3. Co řeknete, když chcete, aby šel někdo spát?
4. Co řeknete, když chcete, aby se někdo nebál?

6. Work with a dictionary. Look up the meanings of the most common inscriptions and warnings:

POZOR! NEBEZPEČÍ! Nouzový východ ***Kouření zakázáno!***

Pozor, schod! ***VYPRODÁNO*** **otevřeno/zavřeno**

OBSAZENO **Nedotýkejte se!** ***PĚŠÍ ZÓNA***

Vstup zakázán! **OBJÍŽĎKA**

7. Jiří Kolář, a Czech poet and author of famous collages, wrote a collection of poems in the imperative form called Návod k upotřebení (Directions For Use). **Read the poem from this book and find the imperative forms.**

Jiří Kolář: Kup a pusť (Buy and release)

Kup bílou myšku
nebo ještěrku
stehlíka
morče
užovku nebo veverku
a pusť ji na místě
kde někdo přišel o život
Na odchodu obejdi strom
kandelábr
mravence
auto
dům
odhozenou jízdenku
cokoliv
tolik věcí nebo bytostí
kolik lásek proběhlo tvým životem

Buy a white mouse
or a lizard
a goldfinch
a guinea-pig
a ringsnake or a squirrel
and release it at the place
where someone lost his life
When leaving go around a tree
a lamp-post
an ant
a car
a house
a thrown away ticket
anything
as many things or beings
as many loves passed through you life

the vocative

Nouns

main rules / *other rules*

Ma		
hard and ambiguous	**-e** (Martine!)	1. Mobile **-e-** (pes – pse!) 2. Stem changes (kůň – koni!) 3. Nouns ending in **-a** have **-o** ending (policisto!) 4. The name Jiří stays the same. 5. After **consonant + r** use the ending **-ře** (Petře!)
after k, h, ch	**-u** (Marku!)	
soft (ž,š,č,ř,č,ď,ť,ň,c,j,-tel + s,z,c)	**-i** (Tomáši)	

F		
-a ending	**-o** (Jano!)	Remember: the word **paní** never changes in the singular!
-e/ě ending	**-e** (Lucie!)	
cons. ending	**no change** (Carmen!)	

❑ *In colloquial Czech, male last names stay the same:* Pane Novák! Pane Liška!

1. Practise the vocatives.
Libor, Martin, David, Jan, Viktor, Adam, Jaroslav, Josef, Marek, Zdeněk, Karel, Pavel, Aleš, Leoš, Lukáš, Tadeáš, Honza, Jarda, Pepa, Michal, Radek, Petr, Šimon, Dalibor, Kryštof, Patrik, Artur, Kateřina, Anna, Magdaléna, Hana, Tereza, Barbora, Petra, Olga, Zuzana, Karolína, Dana, Marie, Lucie,

2. Practise the last names in the vocative.

1. pan Horák
2. pan Marek
3. pan Vitásek
4. pan Mlčoch
5. pan Šilpoch
6. pan Jaroš
7. pan Kabeš
8. pan Vitoš
9. pan Anýž
10. pan Jež
11. paní Petříková
12. slečna Jandová
13. paní Baladová
14. slečna Dlouhá
15. paní Holá

3. Practise the vocative + the imperative.

1. Bára – udělat kávu
2. Ivan – jít na nákup
3. Alena – koupit čaj
4. Marek – vzít si deštník
5. Honza – zkusit to
6. Eva – dát Janě vodu
7. Irena – vzít domů Petra
8. David – nedělat hlouposti
9. Eva – jít na nákup
10. Kristýna – umýt okna
11. Jana – nechodit do kina
12. Ondřej – nebrat to vážně
13. Jeff – nezkoušet to
14. Robert – nechodit ven
15. David – vynést odpadky
16. Iva – vyluxovat byt
17. Jana – napsat dopis
18. Pavel – jít se psem ven

4. Work with a dictionary. The words often used in the vocative are diminutives and vulgarisms. They are part of the language and this is why you should know the most common ones.

some diminutives and words expressing affection

miláček, brouček, kocourek, kočička, kotě, zlato, pusinka + diminutives of first names!

some rude words

osel, pitomec, blbec, vůl, mizera, idiot, debil, kretén, hajzl; káča, nána, slepice, husa, kráva, svině

❑ *Note: Be careful! These rude words can be offensive!*

descriptive passive forms

❑ *Descriptive passive forms are less common than reflexive passive forms (see Lessons 12, p. 126) and they are rather formal. They are typical for the written language and you'll hardly hear them in conversation. However, learn them carefully. They are the basis for creating very common verbal nouns and adjectives (see page 253 in this lesson).*

❑ *To create the descriptive passive forms take three steps:*

1. *Create the passive participle:*

The verbs ending in** -at: **-án

the infinitive	*the past participle (l-form)*	***the passive participle (n/t-form)***
děl-at	děl-al	děl-**án**
posl-at	posl-al	posl-**án**
opravov-at	opravov-al	opravov-**án**

The verbs ending in** –nout **and the monosyllabic verbs ending in** –ít/ýt**: –t

vyp-ít	vypi-l	vypi-t
um-ýt	umy-l	umy-t
rozhod-nout	rozhodnu-l	rozhodnu-t

Other verbs: -en/-ěn

vidět	vid-ěl	vid-**ěn**
vařit	vař-il	vař-**en**
platit	plat-it	plac-**en** *(the softening!)*

❑ *An exception:* číst, četl – **čten**

2. *The passive participle has the masculine, feminine, neutral and plural form. To form them, just add the typical feminine, neuter and plural endings. (The verb* "dělat" *is used as an example.)*

consonant **dělán=dělán**	***-a*** **dělána**	***-o*** **děláno**	***-i/-y/-a*** **děláni/y/y/a**
singular	singular	singular	plural

3. *Use the passive participle with the auxiliary verb* "to be" *in all the tenses:*

budu, budeš, bude... **jsem, jsi, je...** **byl/byl, byla, bylo, byli/y/y/a**	+	***the passive participle (n/t-form)***

E. g.:
Dopis bude poslán. Dopis je poslán. Dopis byl poslán.
Večeře bude vařena. Večeře je vařena. Večeře byla vařena.
Pivo bude vypito. Pivo je vypito. Pivo bylo vypito.

❑ *Note: The person or thing that performs the activity can be expressed by a noun in the instrumental:*
Dopis byl poslán sekretářkou. Večeře je vařena kuchařem. Test je kontrolován učitelem.

1. Say the passive participles of the following verbs:

kontrolovat	malovat	objevit (to discover)	zajmout (to seize)
organizovat	obdivovat	ztratit	zabít (to kill)
studovat	zvát	vrátit	akceptovat
likvidovat	čekat	vypít	navštěvovat
operovat	přinést	šít	nenávidět
dělat	vařit	rozhodnout	přijmout (to accept)

2. Read and answer. (Remember: this way of speaking is very formal!)

1. Byli jste pozváni na návštěvu?
2. Bude dopis poslán zítra?
3. Byla minulý měsíc otevřena nová galerie?
4. Je kino Galaxie zavřeno?
5. Bude auto opraveno brzy?
6. Byl text kontrolován učitelem?
7. Byli jste někdy kontrolováni policií?
8. Byli jste operováni v nemocnici?
9. Jste často voláni k řediteli?
10. Byl Mozart obdivován nebo nenáviděn?
11. Bude večeře přinesena brzy?
12. Byli jste přijati na univerzitu?
13. Víte, co nového bylo objeveno?
14. Byly vaše knihy vráceny do knihovny?

3. Transform the following sentences into the active form.

Example: Jídlo je vařeno maminkou. – Maminka vaří jídlo.

1. Továrna na boty byla založena Tomášem Baťou.
2. Výstava je obdivována lidmi.
3. Kalendář na orloji byl namalován slavným českým malířem Josefem Mánesem.
4. Univerzita byla založena v roce 1348 českým králem a císařem Karlem IV.
5. Katerdála svatého Víta byla postavena Matyášem z Arrasu a Petrem Parléřem.
6. České a moravské památky jsou navštěvovány turisty.
7. Drama R.U.R. bylo napsáno českým dramatikem Karlem Čapkem.
8. Studenti byli zkoušeni přísným profesorem.
9. Stará restaurace byla zavřena stavebním úřadem.
10. Špatné zboží bylo vráceno zákazníky.

4. Work with a dictionary. Read and retell.

Národní divadlo

Národní divadlo stojí na břehu řeky Vltavy v Praze. V devatenáctém století bylo nazýváno "Zlatá kaplička nad Vltavou". Toto jméno symbolizuje lásku, kterou k němu Češi měli a mají. Národní divadlo bylo založeno 16. května 1868. Během stavby byly organizovány finanční sbírky, které pomohly divadlo stavět. Proto můžeme nad jevištěm číst hrdý nápis: NÁROD SOBĚ. Divadlo bylo postaveno architekty Josefem Zítkem a Josefem Schultzem. Bylo dostavěno v roce 1881, ale v tomto roce vyhořelo. Sbírky byly organizovány znovu a brzy po požáru začala rekonstrukce. Divadlo bylo definitivně otevřeno v roce 1883. Uvnitř můžeme vidět obrazy a fresky, které byly namalovány českými malíři Mikolášem Alšem, Františkem Ženíškem a Vojtěchem Hynaisem. Jako první představení se v něm hrála opera Libuše, která byla napsána českým skladatelem Bedřichem Smetanou.
V sedmdesátých letech našeho století bylo divadlo renovováno a vedle byla postavena Nová scéna Národního divadla.

verbal nouns and adjectives

❑ *Note that for verbal nouns you often use perfective verbs.*

❑ *Verbal nouns are declined like N nouns. The verbal adjectives are declined like ý-adjectives.*

infinitive/passive participle	*the verbal noun*	*the verbal adjectives*
dělat, dělán	dělán-**í**	dělan-**ý**
vařit, vařen	vařen-**í**	vařen-**ý**
platit, placen	placen-**í**	placen-**ý**
pít, pití	pit-**í**	pit-**ý**
rozhodnout, rozhodnut	rozhodnut-**í**	rozhodnut-**ý**

1. Fill in the verbal nouns.

1. Mám ráda .... (vařit).
2. Baví mě .... (bruslit).
3. Čtu knihu o .... (plést).
4. Jak vás baví .... (učit)?
5. Nemám ráda .... (plavat).
6. Nesnáším .... (mýt) nádobí!
7. Nenávidím .... (kouřit).
8. Děti se učí .... (číst).
9. .... (mluvit) je na nic!
10. Čeká nás .... (stěhovat).
11. Těším se na .... (lyžovat).
12. Máš rád .... (koupat)?
13. Miluju .... (háčkovat).
14. Je .... (opalovat) zdravé?
15. Baví mě .... (šít).

2. Fill in the verbal adjectives.

1. Už je dort .... (péct)?
2. Mám rád .... (smažit) jídlo.
3. Dej mi ten .... (umýt) talíř!
4. Ta kniha už je .... (přečíst)?
5. Úkol je .... (napsat).
6. .... (vařit) kuře je dobré.
7. Chtěla bych .... (krájet) sýr.
8. Je .... (koupit) dort dobrý?
9. Svetr je .... (uplést).
10. Už je oběd .... (uvařit)?
11. Ty jsi krásně .... (opálit)!
12. Dítě je .... (vykoupat).
13. Je to .... (vyfotografovat).
14. Cigareta je .... (vykouřit).
15. Jsou šaty .... (ušít)?

3. Practise. Form the verbal nouns and adjectives. Use them in sentences.

1. prát ....
2. mýt ....
3. obdivovat ....
4. opakovat ....
5. plavat ....
6. slavit ....
7. smažit ....
8. uklízet ....

4. Work with a dictionary. Idioms, proverbs, catch phrases:

Opakování je matka moudrosti.
Učení – mučení.
Být někde pečený vařený.
Žádný učený z nebe nespadl.

5. Work with a dictionary.

Víte, kolik času za průměrný život trvají různé aktivity?

spaní 23 let	snění 4 roky	nakupování 140 dnů	mytí 117 dnů (muži)	telefonování 180 dnů
stání 30 let	vaření 1, 5 roku	holení 140 dnů	mytí 2 roky (ženy)	oblékání 177 dnů (muži)
sedění 17 let	čtení 250 dnů	milování 110 dnů	česání 108 dnů	oblékání 531 dnů (ženy)

Podle časopisu 100 + 1.

6. You can practice verbal nouns and adjectives using the verbs from lessons 12, p. 127, 128, lesson 15, p. 156, lesson 18, p. 182 lesson 22, pp. 217, 218, lesson 24, p. 236 and the vocabulary in lessons 18, 19 and 25.

7. Practise some common verbal nouns on the following page.

1. **bruslení**	skating
2. **cvičení**	training; exercise
3. **chování**	behavior
4. **kázání**	preaching, sermon
5. **koupání**	bathing
6. **kouření**	smoking
7. **léčení**	treatment, cure
8. **lyžování**	skiing
9. **malování, kreslení**	painting, drawing
10. **mučení**	torture
11. **obvinění**	accusation
12. **opakování**	review
13. **opatření**	measure, arrangement
14. **plavání**	swimming
15. **pohoštění**	treat
16. **pojištění**	insurance
17. **pokušení**	temptation(s)
18. **poslání**	mission
19. **použití**	use, usage
20. **povolání**	occupation, profession, calling
21. **povolení**	permission
22. **představení**	performance
23. **psaní**	writing
24. **rozhodnutí**	decision
25. **trápení**	troubles
26. **ubytování**	accommodation
27. **učení (se)**	teaching/learning
28. **upozornění**	indication, notice
29. **varování**	warning
30. **vaření**	cooking
31. **vedení**	leading, leadership
32. **vzdělání**	education
33. **vybavení**	equipment
34. **zaměstnání**	appointment, occupation
35. **zařízení**	facility, device, furnishings
36. **zklamání**	disappointment

❑ *Typical endings of non-coloured nouns are:* **consonant** *for* Ma/Mi, **-a** *for* F *and* **-o** for N.
❑ *The underlined* -e- *denotes the mobile* -e- *that disappears in declined forms.*

LESSON 27

- Rozhovor na diskotéce.
- Příhoda, historka.
- Povídka.
- Staré české legendy.
- Interview s Jaromírem Jágrem.
- Interview s Michalem Vieweghem.
- Vocabulary: "False friends".

rozhovor na diskotéce

Ach jo, ty chytrý holky...

Jarda: Hele, Petr! Čau, Péťo! Tak co, jak žiješ?
Petr: Nó, nic moc. To víš, mládí pryč a do důchodu daleko. A co ty? Dáš si se mnou pivko?
Jarda: Jasně!
Petr: Dvakrát Plzeň dvanáctku. – Ty vole, Jardo, já zírám! Vidíš tu krásnou holku?
Jarda: Kterou myslíš? Tu štíhlou brunetku, co má ty černý džíny? Ta fakt není špatná! Vypadá jako Demi Moore, co?
Petr: Ale ne, já myslím tu blondýnu, jak má na sobě ten žlutej svetr. Co myslíš, není podobná Madonně?
Jarda: Jo tamta? Ty vole, to je moje sestřenice! No jasně, naše Adéla! Ty ji neznáš?
Petr: Có? Fakt? To je tvoje sestřenice? To sou šoky! Ty vypadáš jako starej kocour a tvoje sestřenice je taková kočka! – Hele, chodí vona s někým, nebo ne?
Jarda: No, nejsem si jistej. S někým chodila, ale mám dojem, že momentálně nikoho nemá.
Petr: Hele, tak já mám geniální nápad! Každá Češka chce bohatýho partnera – nějakýho cizince, Američana, Angličana, Němce nebo minimálně Itala. Budu mluvit anglicky a vobjednávat drahý pití, jako že sem bohatej cizinec, třeba Američan, a že mám mercedes, vilu a tak. Koukej, tady mám fotku.
Jarda: To je fakt všechno tvoje?
Petr: Ty seš cvok! Jasně, že ne! To je mojí prachatý tety z Missouri! Hey, Miss –
Jarda: Moment, moment! A ty myslíš, že mluvíš tak dobře anglicky?
Petr: No jasně! Anglicky snad umí každej, ne? To je lehkej jazyk! Já studoval anglinu už jako kluk! Hey, baby! How do you do? Do you go here for moment?
Adéla: Ahoj, Jarouši! Co tady děláš? Koukám, že máš tady nějakýho kamaráda? Toho neznám...
Jarda: To je jeden můj starej dobrej kámoš. Je děsně bohatej – ten má prachů, to by ses divila!
Adéla: Fakt, jo? Hmm... A proč mluví anglicky? Neumí česky, nebo co?
Jarda: To je blbá otázka! Je Američan! Má vilu a mercedes! Metalízu, že jo, Peter! Tady je fotka.
Petr: Yeah... I love Czech republic! And love you! You have the time? Today evening?
Adéla: Co? Tenhle kluk že je Američan, jo? Tak to já jsem teda anglická královna! Nebo Kleopatra!To je ale primitivní vtip! Hele, já dneska vůbec nemám chuť poslouchat ty vaše pitomý kecy. Sorry, boys! Bye, bye!
Petr: Co je, Jardo? Co dělá? Proč mě nechce? Je normální?
Jarda: Jé, promiň... Zapomněl jsem, že Adéla dělala anglickej gympl! Asi umí anglicky moc dobře... A ty pěkně blbě! Jo, taková inteligentní holka, to je problém! Máš smůlu, old boy!
Petr: Ach jo... Ale víš, že mám štěstí?
Jarda: Jakto? Proč?
Petr: No, já pitomec zapomněl, že tady mám dneska jenom kilo... Tak si dáme ještě jedno pivčo a jde se domů!

Observe the most typical features of colloquial Czech:

❑ ***in morfology:***
žlute**j** (=žlutý) svetr, černý (=černé) džíny, bohatýho (=bohatého) partnera, **seš** (=jsi), **sou** (=jsou), **v**ona (=ona), ted**a** (=tedy), **v**objednávat (= objednávat)

❑ ***in lexicology:***
zírat (= dívat se překvapeně), pivčo (=pivo), jo (=ano), anglina (=angličtina), prachy (=peníze), prachatej (=bohatý), kilo, stovka (100 korun), kočka (hezká holka), cvok (=blázen), jasně (=samozřejmě), kámoš (=kamarád), gympl (=gymnázium)
vulgarisms (not necessarily): vole, blbá, pitomý kecy, pitomec

❑ ***in the syntax:***
co, jak (= který)
Ty myslíš tu štíhlou brunetku, **co** má ty černý džíny? Já myslím tu blondýnu, **jak** má na sobě ten žlutej svetr.
ellipses of the auxiliary in past tense l-*form:* Já studoval anglinu... (= já jsem studoval)

❑ ***contact and "weed" words with no or almost no meaning:*** takže, tak co, nó, hele, ten, ta, to, jako

❑ ***diminutives and family names expressing affection:*** Péťa, Jarouš, pivko

příhoda, historka

Brýle

U naší chaty máme takový malý rybník. V létě se tam chodíme koupat a vždycky tam vidíme jednoho staršího pána. Jmenuje se pan Weis. Jednou si zase přišel zaplavat. Když šel ven z vody, všimla si naše maminka, že nemá brýle. Zeptala se ho, jestli ty brýle ve vodě neztratil. Měla pravdu – pan Weis je opravdu ztratil. A tak jsme všichni plavali, potápěli se a hledali brýle. Za chvíli kamarádka volala, že něco má. Ale našla jenom starou lžíci. Hledali jsme dál, ale brýle nikde. Ještě chvíli jsme se snažili, ale začínala nám být zima. Už jsme chtěli jít ven z vody a vtom maminka zase něco našla. Byly to brýle pana Weise. Pan Weis měl velkou radost. „Tyhle brýle jsou taky moje!" volal. „Ztratil jsem je tady loni. Hlavně nic neříkejte manželce. Ona to nepozná!"

Podle časopisu Květy. Adaptováno.

Husa

Moje teta jednou čekala důležitou návštěvu. Poprvé k nim měla přijet rodina jejího budoucího zetě! To víte, že uvařili a upekli to nejlepší: dorty, koláče a taky pěknou velkou husu. Všude byla spousta jídla, a tak se teta rozhodla, že dá husu do koupelny do vany – chvíli tam před obědem může počkat. Dala husu do vany a šla dělat zelí. Její dcera Alena, budoucí nevěsta, zatím utřela podlahy a vyluxovala. Měla ale strach, že jejich velký pes všechno zašpiní, a tak dostala nápad. Dala ho do koupelny! Pak práci dodělala a šla do kuchyně. Přišel tam taky strejda. „Kde je husa?" ptal se. „V koupelně," povídá teta. „Aha. A kde je Baryk?" „V koupelně," povídá Alena. Chvíli bylo ticho, pak všichni vykřikli a běželi do koupelny. Tam seděl mastný Baryk a vypadal moc spokojeně. „Ven, ty mizero!" zařval strejda. Baryk vyletěl z koupelny a všichni za ním! Chtěli ho vyhodit z domu, ale jak běhali po bytě, bylo za chvíli mastné všechno. Naštěstí pak stihli trochu uklidit. Jednu věc ale hostům vysvětlit nemohli: proč všude voní husa, když jsou na oběd chlebíčky se salámem!

Podle časopisu Květy. Adaptováno.

Kulový blesk

Kulový blesk není moc obvyklý, ale je velmi nebezpečný. Příhodu s kulovým bleskem zažil můj dědeček, když byl ještě malý kluk – bylo to začátkem dvacátého století. Jednou byla velká bouřka. Hřmělo, pršelo a po nebi létaly blesky. Najednou silný vítr otevřel okno. Dědečkova maminka, moje prababička, chtěla okno zavřít, ale než to stihla, strašlivě zahřmělo a do místnosti vletěl kulový blesk! V místnosti bylo devět dětí, blesk ale naštěstí nikoho nezabil. Proletěl místností a vletěl do stáje. A tam bylo zle. Blesk zabil čtyři krávy – všechen majetek, který dědečkovi rodiče měli... Celá rodina plakala. Když bouřka skončila, prababička šla do sousední vesnice pro řezníka. Řezník byl ale mizera, podváděl lidi a kradl. „Paní," povídá, „to maso je špatné. Nikdo ho nebude chtít koupit kvůli elektřině. Nemůžu vám za ně dát víc než dvacet korun." Prababička řezníkovi uvěřila a maso mu dala. – Asi dva roky potom seděla prababička večer v kuchyni. Najednou někdo klepe. „Dále," volá babička a ve dveřích – řezník. „Paní," povídá. „Udělal jsem velkou chybu. Nedal jsem vám peníze za krávy, podvedl jsem vás. Maso jsem prodal a moc jsem vydělal, ale začal jsem utrácet a pít. Udělal jsem bankrot, nemám nic než dluhy. Prosím vás, odpusťte mi to, mám černé svědomí. Vrátil bych vám peníze, ale nemám ani haléř." Co mohla prababička dělat. Odpustila mu, když tak prosil. Ale řezník neskončil dobře. Kvůli penězům asi za měsíc spáchal sebevraždu.

Podle vyprávění Marie Petříkové.

povídka

Karel Čapek: Případ s dítětem

Jednou přiběhla na policii ke starému komisaři Bartoškovi nějaká mladá paní a tolik plakala, že nemohla mluvit. Komisař ji uklidňoval: „Ale no tak, mladá paní, ten váš asi přišel z hospody, že ano, ale teď půjde spát a zítra to bude dobré.“
Ale mladá paní plakala dál: „Pane komisaři...! Mně venku na ulici ukradli dítě!“
„Prosím vás, co by kdo dělal s dítětem?“ divil se komisař. V životě nebyl ženatý a neměl děti. „Třeba jenom někam běželo.“
„Jak běželo? Jsou jí jenom tři měsíce! Ach, Růženka, moje Růženka!”
„Hm,“ řekl komisař Bartošek. Vůbec neměl tušení, kdy děti začínají chodit. „A jak ji mohli ukrást?“
Pak mu mladá maminka vypravovala, že šla do obchodu a nechala stát kočárek venku. Když vyšla ven, kočárek tam nebyl!
„No, to nebude žádný problém, mladá paní. Na co by někdo potřeboval takové malé dítě? Kočárek, ten zloděj prodá. A to miminko asi nechá někde na ulici a my ho najdeme.“
„Ale, pane komisaři, Růženka by už měla pít,“ plakala maminka.
„My jí dáme napít,“ sliboval komisař, „jenom už jděte domů a buďte klidná.“
Odpoledne zvonil u mladé paní sám komisař. „Tak kočárek už máme, paní Landová. Teď ještě to dítě, že... Potřebujeme nějaký popis nebo fotografii.“
„Ale já žádnou fotografii nemám. Víte, to je taková pověra, že se děti do jednoho roku nemají fotografovat, aby dobře rostly.“
„Hm, tyhle pověry... A jak ta vaše Růženka vypadá?“
„Je moc krásná, pane komisaři! Má moc hezké vlásky a nosánek a krásná očička a váží 4490 gramů a má baculaté nožičky a pořád se směje. A taky má roztomilý zadeček a na zadečku faldíčky...“
„Ale paní, podle toho popisu ji nepoznáme!“
„Ale já ji poznám,“ vzlykala maminka. „Pane komisaři, já dám třeba deset tisíc tomu, kdo ji najde!“
„To bude práce,“ vzdychl si komisař a šel domů. Doma na něj čekalo překvapení. Jeho fenka Baryna měla devět štěňat! „Podívejte, jak je na ty děti pyšná,“ ukazovala mu uklízečka. „Jako každá máma!“
„Moment, moment... Říkáte, že všechny mámy jsou pyšné na svoje děti?“
„To víte, že ano! Každá máma je celá šťastná, když jí pochválíte dítě!“
„Aha, aha, to je dobrý nápad... To bychom mohli zkusit,“ bručel si komisař.
Druhý den se maminky v Praze divily. Když vyšly ven s kočárkem, hned u nich stál policista v uniformě nebo nějaký pán v klobouku a obdivoval jejich miminko. „To je krásné dítě, paní! Jak je staré?“ No, prostě to byl pro všechny maminky den velké radosti a pýchy.
A už v jedenáct ráno přivedl jeden tajný policista na policejní stanici nějakou bledou ženu. „Tak tady ji máme, pane komisaři. Já ji potkal na ulici a povídám: ′To máte hezké děťátko, paní. Jakpak je staré?′ A ona se na mě tak škaredě podívala a hned chtěla pryč. Tak jsem ji vzal s sebou.”
„Přiveďte paní Landovou,” řekl komisař. „A vy mi, ženská, řekněte, jak to bylo!”
Žena řekla brzo pravdu. Byla to svobodná holka a měla holčičku s jedním ženatým pánem. Dítě bylo nějak nemocné a poslední dva dny často křičelo. Třetí den ho ta žena v noci kojila a přitom usnula. Ráno našla dítě mrtvé. Udusilo se. Žena to šla říct na faru, ale cestou uviděla před obchodem kočárek a dostala nápad. Myslela si, že když bude mít dítě, pán jí bude dál platit alimenty. Tak dítě ukradla a kočárek nechala stát v chodbě cizího domu.
Mezitím přiběhla paní Landová. „Tak, maminko,” povídá komisař, “tady máte to své mrně!”
Ale mladá paní se rozplakala. „To není moje Růženka, pane komisaři! Růženka měla jinou čepičku!”
„Hrom do toho!” vykřikl komisař. “Paní, podívejte se pořádně! Má faldíčky, nebo nemá?”
Ale paní Landová už klečela na zemi a líbala dítěti ručičky a nožičky a plakala radostí. “Růženko, ty můj miláčku, ty můj ptáčku, moje zlato...!”
„Prosím vás, paní, nechte toho,“ bručel komisař Bartošek, „nebo se opravdu ožením. A těch deset tisíc dejte na svobodné matky, rozumíte?“
„Pane komisaři,“ řekla paní Landová slavnostně, „vezměte to dítě a požehnejte mu!“
„Musí to být, paní? Ale jak se to bere? Koukejte, začíná to plakat! Tak si to honem vezměte zpátky!“
A to je konec toho případu s dítětem.

Adaptováno.

staré české legendy

Praotec Čech

Ve staré vlasti Slovanů mezi řekami Vislou a Odrou žili s rodinami bratři Čech a Lech. Když mezi lidmi začaly hádky o majetek, bratři se rozhodli, že půjdou hledat novou vlast. Svolali své lidi, sehnali ovce, krávy a kozy a vyšli na cestu. Po těžké cestě došli do krásné krajiny. Zastavili se pod horou, která se dneska jmenuje Říp, a odpočívali. Když ráno vycházelo slunce, vyšli Čech a jeho lidé na horu. Čech se podíval kolem a řekl: „Tohle je země zaslíbená, plná ptáků a zvířat, mléka a medu. Tady budeme žít. Ale jak se ta země bude jmenovat?“ „Podle tebe, podle tebe!“ volali všichni. Čech políbil zemi, novou vlast kmene. Pak udělali velký oheň a děkovali bohům. A od té doby se ta země jmenuje Čechy.

Kněžna Libuše

Když Čech zemřel, stal se vládcem Krok. Krok byl moudrý a spravedlivý, ale neměl syna. Měl tři dcery, Kazi, Tetu a Libuši. Nejmladší a nejkrásnější byla Libuše. Nebyla ale jenom líbezná, byla taky moudrá a spravedlivá. Proto po smrti otce začala řídit zemi. Jednou k ní ale přišli dva muži, kteří se hádali. Libuše rozhodla spravedlivě, ale ten muž, který prohrál, vykřikl: „Špatně je mužům, kterým vládne žena! Ženy mají dlouhé vlasy, ale krátký rozum!“ Libuše řekla: Jsem žena a jako žena se chovám. Ale budete mít, co chcete – přísného vládce! Můj kůň vás povede do vesnice Stadice. Tam bude muž, který orá pole. Jmenuje se Přemysl. To je můj budoucí manžel a váš vůdce!“ Její lidé šli do Stadic a tam našli muže, o kterém mluvila. A tak podle legendy začal v české zemi vládnout mocný rod Přemyslovců. Poslední muž z tohoto rodu zemřel v roce 1306. Poslední žena z tohoto rodu byla matka slavného českého krále a římského císaře, Karla IV.

Dívčí válka

Když Libuše zemřela, ženy a dívky byly nespokojené, že si jich už muži tolik neváží. Muži se posmívali: „Dříve jste vládly, ale teď tady chodíte jako ovce!“ Nejsilnější z žen, která se jmenovala Vlasta, měla velkou zlost. Svolala ženy a společně postavily hrad Děvín. Pak začaly válku proti mužům.
Všechny dívky a ženy odešly od bratrů, manželů a otců a sešly se na hradě Děvíně. Muži brali „dívčí válku“ jako nějaký žert. Ženy však bojovaly jako lvice a zabíjely muže, kde je potkaly. Muži se taky často stávali obětí lsti krásných dívek. O tom vypravuje legenda o Šárce a Ctiradovi.
Ctirad byl bojovník, který zabil mnoho žen. Vlasta ho nenáviděla, a proto připravila past. Jednou jel Ctirad s družinou přes les v údolí. Najednou uviděl krásnou dívku, kterou někdo přivázal provazem ke stromu. Dívka plakala a naříkala. Prosila Ctirada, aby ji zachránil. Říkala, že se jmenuje Šárka a že nechtěla bojovat proti mužům. Ženy ji proto přivázaly ke stromu a vedle daly džbán s opojným nápojem a roh. Šárka se ale nemohla napít ani přivolat pomoc. Ctirad a jeho muži ji odvázali, pak spolu pili nápoj a Ctirad zatroubil na roh. Vtom přijely ženy a Ctirada i jeho muže zavraždily. Muži chtěli Ctirada pomstít, ženy porazili a Vlastu zabili.
Krásná Šárka prý ale ještě předtím skočila ze skály – měla výčitky svědomí. Podle této legendy se jmenuje jedno krásné pražské údolí Šárka. Nebyli jste tam náhodou někdy na procházce?

Podle spisovatele Aloise Jiráska. Adaptováno.

interview s Jaromírem Jágrem

Jaromír Jágr je jeden z nejslavnějších českých sportovců současnosti. V zimě žije v Americe a hraje NHL za Pittsburgh Pinguins a léto tráví doma v České republice. V devadesátých letech se stal dvakrát držitelem české ceny Zlaté hokejky, třikrát držitelem Art Ross Trophy a společně s pittsburghským týmem dvakrát vyhrál Stanley Cup. Je kapitánem týmu a je považován za nejlepší pravé křídlo v historii NHL. Byl také členem českého „zlatého" olympijského týmu na zimní olympiádě v Naganu v Japonsku. Náš rozhovor vznikl v září 1999.

1. Tento rozhovor budou číst studenti, kteří mají za sebou velký kus práce s češtinou. Většina si určitě myslí, že je to pěkně těžký jazyk. Co se Vám zdá nejtěžší na angličtině?
Vaši studenti mají pravdu, i pro rodilého Čecha je někdy těžké dobře se vyjádřit. Na angličtině jsou nejtěžší daně (to je špás). Pro mě bylo těžké naučit se dobře vyslovovat.

2. Stane se Vám někdy, že myslíte anglicky? Nezdají se vám občas hokejové sny v angličtině?
Jo, to se stává, zvlášť když jsem bez kontaktu s češtinou. Hokejové sny se mi zdají jenom barevné.

3. Asi jen málokterý cizinec se vyhne legračním přeřeknutím a trapasům. Zažil jste někdy něco podobného?
Zažil, ale jen na začátku mého působení v NHL.

4. Znají Vaši američtí a kanadští spoluhráči nějaká česká slova?
Znají, a zvlášť se jim líbí trochu drsnější slova.

5. Myslíte, že každý národ má nějaké typické vlastnosti? Jestli ano, jak byste charakterizoval Čechy?
Každý národ má určité klady a zápory. Češi se rádi smějí, jsou lehkovážnější a mají tendenci k podceňování druhých. Cesta pouští s Čechama je veselá.

6. Co se podle Vás v České republice změnilo po roce 1989?
Změnilo se toho hodně, ale hlavně jsou svobodné volby, svoboda slova, svoboda cestování – a to jsou hodnoty, které byly v minulosti tabu.

interview s Michalem Vieweghem

Michal Viewegh je v současné době nejprodávanější český spisovatel. Je autorem próz *Názory na vraždu*, *Báječná léta pod psa*, *Výchova dívek v Čechách*, *Povídky o manželství a o sexu* a jiných. Dva jeho romány byly zfilmovány. Michal Viewegh žije v Praze. Náš rozhovor vznikl v srpnu 1999.

1. Čím jste chtěl být jako malý kluk? Plánoval jste už tehdy, že se stanete spisovatelem?
Já jsem až do svých dvaceti let nebyl schopen plánovat skoro nic - natož tak vysoký cíl. Kvůli všem těm obvyklým zmatkům dospívání jsem o své budoucnosti vůbec nebyl schopen přemýšlet. Důsledky byly strašlivé – například jsem začal studovat politickou ekonomii. Když jsem konečně začal svůj život trochu plánovat, okamžitě jsem toho nechal a rozhodl se dělat něco pořádného: stal jsem se nočním vrátným. A začal jsem psát.

2. Jak a kdy píšete? Máte nějaký každodenní pracovní program, nebo raději čekáte na „záchvaty inspirace"?
„Záchvat inspirace" zní tak zlověstně, že bych to snad ani nechtěl zažít. Já píšu jenom prózu - a prozaik si nějaké přílišné čekání na inspiraci na rozdíl od básníků nemůže dovolit. Když chcete napsat třísestránkový román, musíte každý den po dobu několika měsíců napsat aspoň několik stránek, a ne čekat na inspiraci. Přesně tak to taky dělám. Inspirace, nápady prostě musí přicházet každý den.

3. Jaké české a světové autory máte rád a proč?
S touhle otázkou mám vždycky potíže, protože se mi líbí stovky nejrůznějších, často zcela odlišných autorů. Snad ale můžu říct, že mám rád knihy, ve kterých je nějaký zajímavý příběh, které jsou napsány výrazným, nápaditým stylem a které mají jistou základní pravdivost a hloubku (a neztrácejí přitom formální lehkost). Když je v nich navíc i humor, je to už úplně skvělé.

4. Do kterých jazyků byly vaše knihy dosud přeloženy?
Do dvanácti: do angličtiny, němčiny, ruštiny, francouzštiny, holandštiny, dánštiny, italštiny, hebrejštiny, maďarštiny, chorvatštiny, slovinštiny, srbštiny. Chystají se překlady do norštiny a řečtiny.

5. Jaké jazyky znáte? Jak jste je studoval?
Jsem na tom myslím podobně jako mnoho mých vrstevníků - nebo přesněji jako mnozí mí podobně *líní* vrstevníci: ruštinu, kterou jsme se povinně učili celá léta, jsem už hodně zapomněl, a anglicky jsem se ještě pořádně nenaučil. Domluvím se, ale když musím mluvit anglicky například o literatuře, připadám si jako Dustin Hofmann ve filmu Rain Man.

6. Náš rozhovor budou číst také studenti, kteří v České republice chtějí nějaký čas nebo dokonce i trvale žít. Uvažoval jste vy někdy o tom, že byste žil v cizině?
Nikdy. Důvody jsou obsažené v mé předchozí odpovědi.

7. Jste populární autor. Jaké pozitivní a negativní aspekty má úspěch?
Když mám mluvit za sebe, takzvaný úspěch mi asi dodal potřebné základní sebevědomí – což jsem jako ostýchavý kluk z malého města nejspíš potřeboval. Díky tomu konečně dokážu mluvit s taxikáři a číšníky jako rovný s rovným. Někdy se jim dokonce dívám do očí.
Pokud jde o ty negativní věci, nejhorší je asi ztráta soukromí. To je ale známá věc.

8. Myslíte, že každý národ má nějaké typické vlastnosti? Jestli ano, jak byste charakterizoval Čechy?
Já podobným populárním generalizacím typu „Francouzi jsou galantní a Němci hluční" moc nevěřím. Představte si hlučného Franze Kafku... Ale dobře. Vlastnosti, které se mi zdají pro Čechy typické? Smysl pro humor, často poněkud černý. Schopnost přijmout absurditu. Ve srovnání například s Američany podstatně menší otevřenost, spontánnost – i když pro nejmladší generaci tohle už možná tak úplně neplatí.

9. Co se podle Vás v České republice změnilo po roce 1989?
Kdosi vymyslel přirovnání, které mi připadá přesné a pravdivé: Přešli jsme ze ZOO do džungle...

false friends - falešní kamarádi

1. **advokát**	lawyer
2. **aktuální**	topical, current
3. **antikoncepce**	contraception
4. **argument**	*it only means* an argument, reason against/for something; *never* a quarrel!
5. **azyl**	sanctuary, political asylum
6. **briliant**	diamond, brilliant
7. **eventuální**	contingent, possible
8. **fantazie**	imagianation
9. **host**	guest
10. **gymnázium**	comprehensive school, high school, grammar school
11. **kamera**	*only* video or TV camera
12. **kombiné**	slip
13. **komfortní**	well equiped, luxurious
14. **konjuktura**	boom, prosperity
15. **konzerva**	can
16. **klimatizace**	air conditioning
17. **kontrolovat**	to superintend, to check, to examine, to inspect
18. **kriminál**	*coll.* prison, jail
19. **list**	leaf, peace of paper
20. **mailovat**	*only* to e-mail
21. **móda**	fashion
22. **past**	trap
23. **pasta**	paste
24. **patetický**	impassioned, bombastic
25. **pregnantní**	pithy, condensed
26. **prezervativ**	condom
27. **proud**	current
28. **plot**	fence
29. **poluce**	emission of semen in sleep, “wet dreams”
30. **police**	shelf
31. **sanatorium**	any sanatorium, not necessarily a lunetic asylum!
32. **seriózní**	reliable
33. **solidní**	reliable, earnest, fair
34. **sympatický**	pleasant, nice, likeable, agreeble
35. **šéf**	boss
36. **tabule**	blackboard

❑ *Typical endings of non-coloured nouns are:* **consonant** *for* Ma/Mi, **-a** *for* F *and* **-o** for N.
❑ *The underlined -e- denotes the mobile -e- that disappears in declined forms.*

GRAMMATICAL TABLES

- Alphabet. Spelling. Vowels. Consonants. Cardinal numerals.
- A trip back through history.
- Declension of dem. pronouns, adjectives and nouns in singular.
- Declension of dem. pronouns, adjectives and nouns in plural.
- Declension of pronouns.
- Declension of possessive adjectives and cardinal numerals. Prepositions.
- Direction vs. location.
- Difficult nouns.
- Difficult verbs.
- Conjunctions and link words.

alphabet – abeceda

a á b c č d ď e é f g h ch i í j k l m n ň o ó p q r ř s š t ť u ú ů v w x y ý z ž

spelling – pravopis

Czechs do not spell words as often as English speakers. If misunderstood, they pronounce the word clearly syllable by syllable. However, sometimes a more detailed explanation is needed.

a	– **a**	**i**	– **krátké měkké i**	**s**	– **es**
á	– **dlouhé a**	**í**	– **dlouhé měkké i**	**š**	– **eš**
b	– **be**	**j**	– **je**	**t**	– **te**
c	– **ce**	**k**	– **ka**	**ť**	– **tě**
č	– **če**	**l**	– **el**	**u**	– **u**
d	– **de**	**m**	– **em**	**ú**	– **dlouhé u**
ď	– **dě**	**n**	– **en**	**ů**	– **u s kròužkem**
e	– **e**	**ň**	– **eň**	**v**	– **ve**
é	– **dlouhé e**	**o**	– **o**	**w**	– **dvojité ve**
ě	– **e s háčkem**	**ó**	– **dlouhé o**	**x**	– **iks**
f	– **ef**	**p**	– **pe**	**y**	– **ypsilon, tvrdé i**
g	– **ge**	**q**	– **kve**	**ý**	– **dlouhé tvrdé i**
h	– **ha**	**r**	– **er**	**z**	– **zet**
ch	– **cha**	**ř**	– **eř**	**ž**	– **žet**

vowels – samohlásky

short vowels: **a, e, ě, i, y, u**
long vowels: **á, é, í, ó, ú, ů, ý**

cardinal consonants – souhlásky základní

hard consonants: **h, ch, k, r, g, d, t, n**
soft consonants: **ž, š, č, ř, ď, ť, ň, c, j**
ambiguous consonants: **b, f, l, m, p, s, v, z**

numerals – číslovky

0	**nula**	**12**	**dvanáct**	**400**	**čtyři sta**
1	**jeden = jeden, jedna, jedno**	**13**	**třináct**	**500**	**pět set…**
2	**dva = dva, dvě, dvě**	**14**	**čtrnáct**	**1 000**	**tisíc**
3	**tři**	**15**	**patnáct**	**2 /3/ 4 000**	**dva/tři/ čtyři tisíce**
4	**čtyři**	**16**	**šestnáct**	**5 000**	**pět tisíc...**
5	**pět**	**17**	**sedmnáct**	**1 000 000**	**jeden milion**
6	**šest**	**18**	**osmnáct**	**2/3/4 000 000**	**dva... miliony**
7	**sedm**	**19**	**devatenáct**	**5 000 000**	**pět milionů...**
8	**osm**	**20**	**dvacet**	**1 000 000 000**	**jedna miliarda**
9	**devět**	**100**	**sto**	**2/3/4 000 000 000**	**dvě... miliardy**
10	**deset**	**200**	**dvě stě**	**5 000 000 000**	**pět miliard...**
11	**jedenáct**	**300**	**tři sta**		

a trip back through history

the most important historical changes influencing the language

❑ *The following changes were very important in the development of the Czech language because they have influenced the present day use to a large extent.*

1. *the variety of noun endings in the nominative singular*

It was caused by the narrowing of vowels after the soft consonants (ž, š, č, ř, ď, ť, ň, c, j):

OBSERVE: **-a, -o** *changed in* **-e**
-u *changed in* -i

The present day consequence: *This change has influenced the whole system of Czech declension.*

2. *the developement of "ů"*

The vowel **"ů"** *developed like this:* **ó – uo – ů.**

OBSERVE: B**ó**h – B**uo**h – B**ů**h
d**ó**m – d**uó**m – d**ů**m
k**ó**ň – k**uo**ň – k**ů**ň

The present day consequence: **"ů"** *in the middle of words changes to* **"o"** *in the declension.*
(B**o**ha, d**o**mu, st**o**lu, k**o**ně...)

3. *the mobile (fleeting, movable) "e"*

a) *The old Czech vowels* ь *and* ъ *(soft and hard "yer") changed according to certain rules: counting from the end, every odd one ceased to exist and every even one changed to* **"e"**.

OBSERVE: **dьnъ, sъnъ** – den, sen
vъ **dь**ne, vъ **sъ**nu – ve dne, ve snu

The present day consequence: *the mobile* **"e"** *that often disappears in the declension.*

b) *The vowel* **"e"** *is also used to facilitate pronunciation (before/in a cluster of consonants or before an identical letter):*

❑ *with the prepositions* **v, z, k, s** (v**e** vlaku, z**e** stromu, k**e** klukovi, s**e** sestrou)
❑ *in some forms of the genitive plural* (sest**e**r, kavár**e**n)

4. *the softening (palatalization) of consonants before -i and -e*

Hard consonants h, ch, k, r, g, d, t, n *and* f *"cannot stand" added endings* "e" *and* "i"*. They soften in front of them like this:*

h, g	⇨	**z, ž**	k, ch	⇨	**c, č**	f	⇨	**c**	t	⇨	**ť**
ch	⇨	**š**	r	⇨	**ř**	d	⇨	**ď**	n	⇨	**ň**

The present day consequence is the softening of consonants :

❑ *in feminine forms of possessive adjectives(see lesson 3, p. 41*
❑ *in the nominative plural of Ma nouns and adjectives (see lesson 10, p. 110)*
❑ *in feminine nouns in the locative singular and dative singular (see lesson 17, p. 175 and 22, p. 215)*
❑ *in the comparison of adverbs and adjectives (see lesson 21, p. 206 and 209)*
❑ *in the stems of some verbs (see the "difficult verbs" in Grammatical Tables, p. 273)*

declension of demonstrative pronouns, adjectives and nouns in singular (standard Czech)

❑ *If the pattern of -í adjectives "moderní" is not presented, its form of the -í adjectives are the same as the form of the -ý adjectives.*

the nominative: ***kdo? co?***

ten moderní dobrý student	ten moderní dobrý banán	ta moderní dobrá káva	to moderní dobré pivo
muž	čaj	židle	nádraží
kolega		kancelář	moře
soudce		paní	kuře

the genitive: ***koho? čeho?***

toho dobrého studenta	toho dobrého banánu/sýra	té dobré kávy	toho dobrého piva
muže	čaje	židle	nádraží
kolegy		kanceláře/místnosti	moře
soudce		paní	kuřete

the dative: ***komu? čemu?***

tomu dobrému studentovi	tomu dobrému banánu	té dobré kávě	tomu dobrému pivu
mužovi/muži	čaji	židli	nádraží
kolegovi		kanceláři	moři
soudci		paní	kuřeti

the accusative: ***koho? co?***

toho dobrého studenta	ten dobrý banán	tu moderní dobrou kávu	to moderní dobré pivo
muže	čaj	židli	nádraží
kolegu		kancelář	moře
soudce		paní	kuře

the vocative: –

ty dobrý studente, Marku, Petře	ty dobrý banáne	ty dobrá kávo, studentko	ty moderní dobré pivo
muži, učiteli	čaji	židle, úřednice	nádraží
kolego		kanceláři, Carmen, Jodi	moře
soudce/-če		paní	kuře

the locative: ***kom? čem?***

tom dobrém studentovi/-u	tom dobrém banánu/-ě	té dobré kávě	tom dobrém pivu/-ě
muži	čaji	židli	nádraží
kolegovi		kanceláři	moři
soudci		paní	kuřeti

the instrumental: ***kým? čím?***

tím dobrým studentem	tím dobrým banánem	tou dobrou kávou	tím dobrým pivem
mužem	čajem	židlí	nádražím
kolegou		kanceláří	mořem
soudcem		paní	kuřetem

declension of demonstrative pronouns, adjectives and nouns in plural (standard Czech)

❑ *If the pattern of -í adjectives "moderní" is not presented, its form of the -í adjectives are the same as the form of the -ý adjectives.*

the nominative: ***kdo? co?***

ti moderní dobří studenti	ty moderní dobré banány	ty moderní dobré kávy	ta moderní dobrá piva
muži	čaje	židle	nádraží
kolegové		kanceláře/místnosti	moře
soudci		paní	kuřata

the genitive: ***koho? čeho?***

těch dobrých studentů	těch dobrých banánů	těch dobrých káv	těch dobrých piv
mužů	čajů	židlí	nádraží
kolegů		kanceláří	moří
soudců		paní	kuřat

the dative: ***komu? čemu?***

těm dobrým studentům	těm dobrým banánům	těm dobrým kávám	těm dobrým pivům
mužům	čajům	židlím	nádražím
kolegům		kancelářím/místnostem	mořím
soudcům		paním	kuřatům

the accusative: ***koho? co?***

ty dobré studenty	ty dobré banány	ty dobré kávy	ta dobrá piva
muže	čaje	židle	nádraží
kolegy		kanceláře/místnosti	moře
soudce		paní	kuřata

the vocative: –

dobří studenti, páni/pánové	dobré banány	dobré kávy, studentky	dobrá piva
muži, učitelé	čaje	židle, úřednice	nádraží
kolegové		kanceláře/místnosti	moře
soudci		paní	kuřata

the locative: ***kom? čem?***

těch dobrých studentech	těch dobrých banánech	těch dobrých kávách	těch dobrých pivech
mužích	čajích	židlích	nádražích
kolezích		kancelářích/místnostech	mořích
soudcích		paních	kuřatech

the instrumental: ***kým? čím?***

těmi dobrými studenty	těmi dobrými banány	těmi dobrými kávami	těmi dobrými pivy
muži	čaji	židlemi	nádražími
kolegy		kancelářemi/místnostmi	moři
soudci		paními	kuřaty

declension of pronouns

❑ *Some personal pronouns and the reflexive pronoun "se" have weak, strong and prepositional forms.*
1. *Weak forms can't stand at the beginning of the sentence and they are located in the second grammatical position.*
2. *Strong forms can stand in any position in the sentence. They stress the meaning of the pronoun.*
3. *Prepositional forms are followed by prepositions.*

interrogative pronouns

nominative	kdo	co
genitive	koho	čeho
dative	komu	čemu
accusative	koho	co
locative	kom	čem
instrumental	kým	čím

reflexive "se"(short/long/prepos. forms)

nominative	
genitive	se/sebe/sebe
dative	si/sobě/sobě
accusative	se/sebe/sebe
locative	sobě
instrumental	sebou

personal pronouns in the singular (short/long/prepositional forms)

nominative	já	ty	on	ona	ono
genitive	mě	tě/tebe/tebe	ho/jeho/ něho, něj	jí/jí/ní	ho/jeho/něho, něj
dative	mi/mně/mně	ti/tobě/tobě	mu/jemu/němu	jí/jí/ní	mu/jemu/němu
accusative	mě	tě/tebe/tebe	ho/jeho/ něho, něj	ji/ji/ni	ho/jeho/ně, něj
locative	mně	tobě	něm	ní	něm
instrumental	mnou	tebou	jím/jím/ním	ji/jí/ní	jím/jím/ním

personal pronouns in the plural(short/long/prepositional forms)

nominative	my	vy	oni/-y/-y/- a
genitive	nás	vás	jich/nich
dative	nám	vám	jim/nim
accusative	nás	vás	je/ně
locative	nás	vás	nich
instrumental	námi	vámi	jimi/nimi

"jeden" in the singular

nominative	jeden	jeden	jedno	jedna
genitive	jednoho	jednoho	jednoho	jedné
dative	jednomu	jednomu	jednomu	jedné
accusative	jednoho	jeden	jedno	jednu
locative	jednom	jednom	jednom	jedné
instrumental	jedním	jedním	jedním	jednou

"jeden" in the plural

jedni	jedny	jedna	jedny
jedněch	jedněch	jedněch	jedněch
jedněm	jedněm	jedněm	jedněm
jedny	jedny	jedna	jedny
jedněch	jedněch	jedněch	jedněch
jedněmi	jedněmi	jedněmi	jedněmi

"všechen" in the singular

nominative	všechen	všechen	všechno	všechna
genitive	všeho	všeho	všeho	vší
dative	všemu	všemu	všemu	vší
accusative	všeho	všechen	všechno	všechnu
locative	všem	všem	všem	vší
instrumental	vším	vším	vším	vší

"všechen" in the plural

všichni	všechny	všechna	všechny
všech	všech	všech	všech
všem	všem	všem	všem
všechny	všechny	všechna	všechny
všech	všech	všech	všech
všemi	všemi	všemi	všemi

possessive pronouns in the singular

nominative	můj	můj	moje/mé	moje/mé	tvůj	tvůj	tvoje/tvé	moje/má
genitive	mého	mého	mého	mojí/mé	tvého	tvého	tvého	tvojí/tvé
dative	mému	mému	mému	tvojí/tvé	tvému	tvému	tvému	tvojí/tvé
accusative	mého	můj	moje/mé	moji/mou	tvého	tvůj	tvoje/tvé	tvoji/tvou
locative	mém	mém	mém	mojí/mé	tvém	tvém	tvém	tvojí/tvé
instrumental	mým	mým	mým	mojí/mou	tvým	tvým	tvým	tvojí/tvou

nominative	její	její	její	její
genitive	jejího	jejího	jejího	její
dative	jejímu	jejímu	jejímu	její
accusative	jejího	její	její	její
locative	jejím	jejím	jejím	její
instrumental	jejím	jejím	jejím	její

nominative	náš	náš	naše	naše	váš	váš	vaše	vaše
genitive	našeho	našeho	našeho	naší	vašeho	vašeho	vašeho	vaší
dative	našemu	našemu	našemu	naší	vašemu	vašemu	vašemu	vaší
accusative	našeho	náš	naše	naši	vašeho	tvůj	tvoje/tvé	vaši
locative	našem	našem	našem	naší	vašem	vašem	vašem	vaší
instrumental	naším	naším	naším	naší	vaším	vaším	vaším	vaší

possessive pronouns in the plural

nominative	moji/mí	moje/mé	moje/má	moje/mé	tvůj	tvůj	tvoje/tvé	moje/má
genitive	mých	mých	mých	mých	tvého	tvého	tvého	tvojí/tvé
dative	mým	mým	mým	mým	tvému	tvému	tvému	tvojí/tvé
accusative	moje/mé	moje/mé	moje/má	moje/mé	tvého	tvůj	tvoje/tvé	tvoji/tvou
locative	mých	mých	mých	mých	tvém	tvém	tvém	tvojí/tvé
instrumental	mými	mými	mými	mými	tvým	tvým	tvým	tvojí/tvou

nominative	její
genitive	jejích
dative	jejím
accusative	její
locative	jejích
instrumental	jejími

nominative	naši	naše	naše	naše	vaši	vaše	vaše	vaše
genitive	našich				vašich			
dative	našim				vašim			
accusative	naše				vaše			
locative	našich				vašich			
instrumental	našimi				vašim			

❑ *With* můj, tvůj *and* svůj *you add adjectival endings to the stems* m-, tv-, sv-.

❑ Jeho *and* jejich *never change.*

declension of possessive adjectives

possessive adjectives in the singular

nominative	Adamův pes/banán	Adamova káva	Adamovo pivo
	Evin pes/banán	Evina káva	Evino pivo
genitive	Adamova psa/banánu	Adamovy kávy	Adamova piva
	Evina psa/banánu	Eviny kávy	Evina piva
dative	Adamovu psu/psovi/banánu	Adamově kávě	Adamovu pivu
	Evinu psu/banánu	Evině kávě	Evinu pivu
accusative	Adamova psa/Adamův banán	Adamovu kávu	Adamovo pivo
	Evina psa/Evin banán	Evinu kávu	Evino pivo
locative	Adamově/u psu/psovi/banánu	Adamově kávě	Adamově/u pivě/u
	Evině/u psu/banánu	Evině kávě	Evině/u pivě/u
instrumental	Adamovým psem/banánem	Adamovou kávou	Adamovým pivem
	Eviným psem/banánem	Evinou kávou	Eviným pivem

possessive adjectives in the plural

nominative	Adamovi psi/Adamovy banány	Adamovy kávy	Adamova piva
	Evini psi/Eviny banány	Eviny kávy	Evina piva
genitive	Adamových psů/banánů	Adamových káv	Adamových piv
	Eviných psů/banánů	Eviných káv	Eviných piv
dative	Adamovým psům/banánům	Adamovým kávám	Adamovým pivům
	Eviným psům/banánům	Eviným kávám	Eviným pivům
accusative	Adamovy psy/banány	Adamovy kávy	Adamova piva
	Eviny psy/banány	Eviny kávy	Evina piva
locative	Adamových psech/banánech	Adamových kávách	Adamových pivech
	Eviných psech/banánech	Eviných kávách	Eviných pivech
instrumental	Adamovými psy/banány	Adamovými kávami	Adamovými pivy
	Evinými psy/banány	Evinými kávami	Evinými pivy

declension of numerals

nominative	dva/dva, dvě, dvě	tři	čtyři	pět
genitive	dvou	tří	čtyř	pěti
dative	dvěma	třem	čtyřem	pěti
accusative	dva/dva, dvě, dvě	tři	čtyři	pět
locative	dvou	třech	čtyřech	pěti
instrumental	dvěma	třemi	čtyřmi	pěti

- Jeden/jeden, jedna, jedno are declined like ten/ten, ta, to.
- 6, 7, 8... are declined like 5.
- 100, 1000, 1 000 000... are declined like nouns.

prepositions

nominative	–
genitive	bez, během, blízko, do, kolem, kromě, místo, od/ode, podle, podél, u, uprostřed, vedle, z/ze
dative	k/ke, kvůli, naproti, proti, vzhledem k/ke
accusative	mezi, na, nad, o, pod, po, pro, před, přes, skrz, za
vocative	–
locative	na, o, po, v/ve
instrumental	mezi, nad, pod, před, s/se, za

direction vs. location

direction *which way?*	*direction* *from where?*	*direction* *where to?*	*location* *where?*
verbs			
❑ *With direction you usually use dynamic verbs implying direction or orientation, mainly* verbs of motion.			❑ *With location you usually use static verbs implying location:* být, žít, bydlet, pracovat, studovat, sedět, ležet, stát, zastavit se, sejít se...
adverbs			
kudy	**odkud**	**kam**	**kde**
tudy	**odtud, odsud**	**sem**	**tady**
tamtudy	**odtamtud**	**tam**	**tam**
	z domova	**domů**	**doma**
horem	**shora**	**nahoru**	**nahoře**
dolem	**zdola**	**dolů**	**dole**
předem	**zepředu**	**dopředu**	**vpředu**
zadem	**zezadu**	**dozadu**	**vzadu**
	zleva	**doleva, nalevo, vlevo**	**nalevo, vlevo**
	zprava	**doprava, napravo, vpravo**	**napravo, vpravo**
vnitřkem	**zevnitř**	**dovnitř**	**vevnitř, uvnitř**
venkem	**zvenku**	**ven**	**venku**
prostředkem	**zprostředku**	**doprostřed**	**uprostřed, vprostředku**
jinudy	**odjinud**	**jinam**	**jinde**
nouns + prepositions			
	z + genitive (z domu)	**do + genitive** (do domu)	**v + locative** (v domě)
	z + genitive (z domu)	**na* + accusative** (na dům)	**na* + locative** (na domě)
instrumental of place (domem)	**od + genitive** (od domu, od doktora)	**k + dative** (k domu, k doktorovi)	**u + genitive** (u domu, u doktora)
		nad, pod, před, za, mezi + accusative (nad, pod, před, za dům, mezi dům a garáž)	**nad, pod, před, za, mezi + instrumental** (nad, pod, před, za domem, mezi domem a garáží)
	po (v, na) + locative (po domě)		

* *The preposition* **"na"** *is used with surface or open space, but also with actions and activities, some public institutions and some exceptions (Morava, Slovensko)* .

difficult nouns

❑ *Make a list of the nouns with less common endings on this page. "Collect" these nouns! You'll soon find out that even some of the less common endings (e. g.* -ie, -ice, -ost *for F or* -í *for N) can help you in determining the gender. However, don't forget to verify every noun in a dictionary!*

masculine animated	*feminine*	*neutral*
kolega	židle	dítě
optimista	radost	slunce
soudce	kancelář	nádraží

some difficult verbs*

infinitive	*present tense*	*past participle*	*English meaning*
bát se	bojím se, bojíš se, bojí se...	bál se	to be scared, afraid
bít	biju, biješ, bije...	bil	to beat
brát	beru, bereš, bere...	bral to	to take
být	jsem, jsi, je...	byl	to be
číst	čtu, čteš, čte...	četl	to read
dostat *perf.*	dostanu, dostaneš, dostane...	dostal	to get, to recive
hrát	hraju, hraješ, hraje..	hrál	to play
chtít	chci, chceš, chce...	chtěl	to want
jet	jedu, jedeš, jede...	jel	to go (by a vehicle)
jíst	jím, jíš, jí...	jedl	to eat
jít	jdu, jdeš, jde...	šel	to go (on foot)
kašlat	kašlu, kašleš, kašle...	kašlal	to cough
krást	kradu, kradeš, krade...	kradl	to steal
lhát	lžu, lžeš, lže...	lhal	to lie
lít	liju, liješ, lije...	lil	to pour
mazat	mažu, mažeš, maže...	mazal	to spread
mít	mám, máš, má...	měl	to have
moct	můžu, můžeš, může...	mohl	to be able, can
mýt	myju, myješ, myje...	myl	to wash
najít *perf.*	najdu, najdeš, najde...	našel	to find
-nout *verbs*	-nu, -neš, -ne...	*drop* -nout *and add* -l/-nul	
obléct *perf.*	obleču, oblečeš, obleče...	oblékl/obleknul	to dress. *perf.*
péct	peču, pečeš, peče...	pekl	to bake
pít	piju, piješ, pije...	pil	to drink
plakat	pláču, pláčeš, pláče...	plakal	to cry
plavat	plavu, plaveš, plave...	plaval	to swim
plést	pletu, pleteš, plete...	plete	to knit
plet	pleju, pleješ, pleje...	plel	to weed
plout	pluju, pluješ, pluje...	plul	to sail
poslat *perf.*	pošlu, pošleš, pošle...	poslal	*to send*
přát	přeju, přeješ, přeje...	přál	to wish
psát	píšu, píšeš, píše...	psal	to write
prát	peru, pereš, pere...	pral	to wash/do laundry
rýt	ryju, ryješ, ryje...	ryl	to dig with spade
říct *perf.*	řeknu, řekneš, řekne...	řekl	to say *perf.*
smát se	směju se, směješ se...	smál se	to laugh
sníst *perf.*	sním, sníš, sní...	snědl	to eat *perf.*
spát	spím, spíš, spí...	spal	to sleep
stát	stojím, stojíš, stojí...	stál	to stand
stát se	stanu se, staneš se, stane se...	stal se	to happen, become
sypat	sypu, sypeš, sype...	sypal	to pour, sprinkle
šít	šiju, šiješ, šije...	šil	to sew
tát	taju, taješ, taje...	tál	to melt, to thaw
téct	teču, tečeš, teče...	tekl	to flow
ukázat *perf.*	ukážu, ukážeš, ukáže...	ukázal	to show *perf.*
ukrást *perf.*	ukradnu, ukradneš, ukradne...	ukradl/ukradnul	to steal *perf.*
umřít *perf.*	umřu, umřeš, umře...	umřel	to die *perf.*
vědět	vím, víš, ví...	věděl	to know
vést	vedu, vedeš, vede...	vedl	to lead
vřít	vřu, vřeš, vře...	vřel	to boil
vstát *perf.*	vstanu, vstaneš, vstane...	vstal	to get up
vzít *perf.*	vezmu, vezmeš, vezme...	vzal	to take *perf.*
začít,začnout *perf.*	začnu, začneš, začne	začal/začnul	to begin *perf.*
zaujmout *perf.*	zaujmu, zaujmeš, zaujme...	zaujal	to interest *perf.*
zvát *imperf.*	zvu, zveš, zve...	zval	to invite *perf.*

conjuctions and link words

a – and (Mám rád kávu a čaj.)

a tak – and so (Neměl jsem kávu, a tak jsem pil čaj.)

ačkoliv – although, despite (Piju kávu, ačkoliv není moc zdravá).

ale – but (Mám rád kávu, ale dneska si dám čaj.)

ani, ani – ani – neither – nor (Nechci ani kávu, ani čaj. Nechci kávu ani čaj.)

avšak, však – however (Mám rád kávu, avšak čaj mám raději. Mám rád kávu, čaj však mám raději.)

až – when (Až nebudu mít kávu, budu pít čaj.)
– as late as, not before (Půjdu pro kávu až odpoledne.)
– till, untill, by the time (Budu tady sedět a pít kávu až do večera.)

buď(to) – nebo – either – or (Na snídani piju buďto kávu, nebo čaj.)

co – what; *coll.* who, which, that (Co piješ? To je ta káva, co jsem koupila včera?)

dokud – as long as (Budu pít kávu, dokud ji budu mít.)

dokud ne – till, untill (Budu tady sedět, dokud nevypiju kávu.)

i – as well as, both – and (Piju kávu i čaj.)

i když – although, despite (Piju kávu, i když není moc zdravá.)

jak – how; *coll.* who, which, that (Jak vaříte kávu? To je ta káva, jak jsem včera koupila?)

jakmile, *coll.* **jak** - as soon as (Jakmile/jak přijdu domů, udělám si kávu.)

jaký – what, what kind of, what...like (Jakou kávu piješ? Bílou nebo černou?)

jestli – if, whether (Musím se podívat, jestli máme dost kávy.)

kam – where to (Tohle je ta restaurace, kam chcete jít na kávu?)

kde – where (To je ta restaurace, kde jsme včera pili kávu.)

kdo – who (Je tady někdo, kdo nepije kávu?)

kdy – when (Můžeš přijít na kávu někdy, kdy máš čas.)

když – 1. when (Když jsem měl žízeň, nepil jsem kávu, ale čaj.)
– 2. if, in case (Když nemáme kávu, musíme ji koupit.)

který – who, which (To je ta káva, kterou mám moc ráda.)

-li – if (Nemáme-li kávu, musíme ji koupit.)

nebo – or (Chceš kávu nebo čaj?)

než – than; before (Mám raději kávu než čaj. Než půjdeme na večeři, dáme si kávu.)

odkud – where from (Odkud máš tu kávu?)

proto, a proto – this is why, therefore (Nemám kávu, a proto piju čaj.)

protože – because (Piju kávu, protože ji mám rád.)

přesto, přestože – although (Piju kávu, přestože není moc zdravá.)

spíš, spíše – rather, more likely (Dneska si dám spíš čaj než kávu.)

zatímco, a zatím – while (Zatímco budeš volat, vypiju si kávu. Můžeš volat a já si zatím vypiju kávu.)

že – that (Myslím, že teď si dám dobrou kávu!)

key to the exercises - klíč ke cvičením

Lesson 1

12/the quiz 1. b); 2. a); 3. All of them. They symbolize Bohemia, Silesia and Moravia; 4. c); 5. a); 6 b)

Lesson 2

26/3. 1. jsem; 2. je; 3. je; 4. je; 5. jsme; 6. je
29/1. Kdy je konference? – Zítra.; Kdo je Jane? – Angličanka.; Kde je John? – Doma. Jak se máte? – Ujde to.; Máte otázku? – Ano, mám otázku.; Kfgdgkrhdrghk? To je nesmysl!
31/2. 1. ráda; 2. rád; 3. rádi; 4. rád; 5. ráda

Lesson 3

38/3. chudý – bohatý; veselý – smutný; starý – mladý, nový; malý – velký; krásný – škaredý, ošklivý; silný – slabý; čistý – špinavý; drahý – levný; hubený – tlustý
40/6. 1. jaký; 2. jaký; 3. jaká; 4. jaké; 5. jaká; 6. jaký; 7. jaké; 8. jaký; 9. jaká; 10. jaké
40/7. Dobrý den! – Dobrý den.; Jak se máte? – Děkuju, dobře. A vy?; Ujde to, díky. Kdo je ta sympatická slečna? – To je nová studentka.; Je Američanka? – Ano, je Američanka.; A kdo je ten mladý muž? – To je taky nový student.; Je taky Američan? – Ne, je Kanaďan.
40/8. You can also use –ý ending in colloquial Czech.

Lesson 4

47/3. Crossword puzzle: To nejlepší v životě je zadarmo.

Lesson 5

61/2. 1. mají; 2. mám; 3. má; 4. máte; 5. mají; 6. má; 7. má; 8. má; 9. máš; 10. máte; 11. má; 12. mám
61/3. 1. má dobrou žlutou limonádu; 2. má veselou a kvalitní sekretářku; 3. máš kávu a šlehačku?; 4. máme českou učitelku; 5. mají dobrého šéfa; 6. má veselého syna; 7. mám sympatického bratra; 8. má energického manžela
61/4.1. 1. sympatického kamaráda a sympatickou kamarádku; 2. dobrého šéfa a dobrou šéfku; 3. mladého spolužáka a mladou spolužačku; 4. šikovného asistenta a šikovnou asistentku; 5. inteligentního studenta a inteligentní studentku; 6. nového premiéra a novou premiérku; 7. chytrého prezidenta a chytrou prezidentku; 8. výborného doktora a výbornou doktorku; 9. energického partnera a energickou partnerku; 10. nového ředitele a novou ředitelku; 11. kvalitního manažera a kvalitní manažerku; 12. českého učitele a českou učitelku
63/2. 1. má rád tu dobrou silnou kávu; 2. má rád tu šikovnou sekretářku; 3. máte rád tu nesympatickou slečnu Boženu?; 4. máš ráda silnou kávu?; 5. mají rádi dobrý čaj; 6. má rád české pivo

Lesson 6

70/1. 1.Dvakrát. 2. Třikrát. 3. Čtyřikrát. 4. Jednou. 5. Jednou. 6. Dvakrát. 7. Šestkrát. 8. Dvakrát. 9. Třikrát. 10. Desetkrát, pětkrát, pětkrát. 11. Sedmkrát. 12. Šestkrát.
71/2. 1. chtějí dobrý čaj; 2. chce dobrou a kvalitní sekretářku; 3. chceš kávu a šlehačku; 4. nechce špatnou a nekvalitní asistentku; 5. chceš dobrou a kvalitní cigaretu; 6. chce být bohatá; 7. chce být zdravý; 8. chceš kávu nebo čaj; 9. chce limonádu; 10. chci českou šunku
71/3. 1. nemá, mléko ani šlehačku; 2. chtějí, guláš a pivo ; 3. nemáš ráda, kvalitní víno; 4. máte ráda, víno; 5. má rád, kávu; 6. nechci, rum, kolu
71/6. má; má ráda; má; je; nemá ráda; nechce; má; má; chce; je; nemají; má; nemá; má; je; je; má
72/2. dvakrát gulášovou polévku; čtyřikrát rohlík; dvakrát kuřecí řízek; třikrát zeleninový salát; pětkrát majonézu; jednou světlé pivo, dvanáctku; jednou velkou pomerančovou limonádu; jednou hranolky; jednou brambory; třikrát čokoládový dezert; dvakrát černou kávu a šlehačku
72/3. Co si dáte?/ Co si přejete? A co ještě? Máme jenom Frankovku. Vavřinecké bohužel nemáme.
75/2. Crossword puzzle: Jsme to, co jíme.

Lesson 7

84/2. 1. českou lekci; 2. pana Antonína Rotta; 3. dlouhou konzultaci; 4. čerstvého lososa; 5. levnou restauraci; 6. plyšového medvěda; 7. starou ulici; 8. mladého cizince; 9. hnědou skříň; 10. nudného partnera; 11. veselou sestřenici; 12. smaženého pstruha; 13. Lucii a Alici; 14. velkou firmu; 15. dlouhý dopis
85/2. 1. nerad; 2. nerada; 3. nerada; 4. nerada; 5. nerad
85/3. 1. Rádi hrajeme tenis. 2. Rád jím guláš. 3. Ráda fotografuju Prahu. 4. Aleš rád sportuje. 5. Daniela ráda pije horkou čokoládu. 6. Horákovi rádi kupujou starý nábytek. 7. Novákovi rádi čtou knihy.

Lesson 8

95/2. *(no auxilieries are used here)* 1. měl/měla; 2. měl; 3. byl; 4. chtěl/chtěla 5. četl/četla 6. četl/četla ; 7. stálo; 8. stála; 9. mohla, měla; 10. nemohl; 11. jedl/jedla; 12. nejedl/nejedla

Lesson 9

101/1. rumy, rádia, espresa, bakterie, perspektivy, kategorie, ekvivalenty, motory, mikroskopy, baterie, rodea, eskalátory, filmy, videa, filtry, portfolia, formáty, mafie, gorily, guláše, planety, rakety, dokumenty, koncepce, generace, univerzity, symboly, programy, katalogy, rituály, alergie, statistiky, týmy, faktory, extrémy, experimenty, džungle, elektrony, krize, embrya, deprese, festivaly, organizace, bestie, deodoranty, civilizace, gauče, geny, grapefruity, dynama, iluze, diamanty, drogy, analýzy, hypotézy, investice, parodie, koncepty, kluby, spreje
101/2. 1. čerstvá másla, kvalitní kávy, dobrá vajíčka, dobrá mléka, jahodové jogurty, čokoládové zmrzliny, francouzské sýry, výborné čokolády, banánové dorty, kakaové koktejly 2. žluté a zelené banány, oranžové a červené pomeranče, zelené okurky, červené, žluté a zelené papriky, kvalitní ananasy, sladké jahody, výborné broskve, červená rajčata 3. dobré mapy, kvalitní kufry, velké tašky, dobré detektivky 4. domy, kostely, kina, divadla, mosty, ulice, obchody, radnice, křižovatky, náměstí, tramvaje, auta, autobusy, hotely, restaurace, kavárny,

obchodní domy, nádraží 5. stoly, lampy, gauče, obrazy, křesla, koberce, počítače, postele, židle 6. detektivky, horory, časopisy, dopisy, e-maily

101/3. 1.dobré housky; 2. anglické knihy a slovníky; 3. vídeňské kávy; 4. bílé papíry, růžové obálky; 5. ty francouzské obrazy; 6. staré známky; 7. ta ošklivá velká supermoderní auta; 8. krásné barokní kostely; 9. drahé parfémy; 10. nové bestsellery a thrillery; 11. drahé šampony, spreje a krémy; 12. nové filmy; 13. ty hezké domy; 14. sladké koláče; 15. pomerančové džusy; 16. staré ulice; 17. krásná nová města; 18. německé učebnice; 19. dobré studentky; 20. hezké dárky; 21. populární detektivky; 22. velká křesla;

102/1. 1. (dvě) hezká modrá pera; 2. (dva) kvalitní počítače.; 3. (dvě) nemoderní staré tašky; 4. (dva) drahé svetry; 5. (dvě) fantastická nová auta, 6. (dvě) nedobré housky, 7. (dvě) nekvalitní majonézy; 8. (dvě) agresivní sekretářky; 9. (dva) veselé filmy; 10. (dva) hezké a moderní béžové kabáty; 11. (dvě) nesympatické doktorky

102/2. 1. dvě presa, dvě šlehačky 2. čtyři čaje, dva čokoládové dorty 3. tři omelety, tři bramborové saláty 4. čtyři piva 5. dva kuřecí řízky 6. dvě hovězí polévky 7. tři gulášové polévky, tři rohlíky 8. dvě Fanty, jednu sodu 9. dvě becherovky, tři matonky

102/3. 1. (dva) bratry 2. (dva) učitele 3. (dva) psy 4. (dva) stoly 5. (dva) guláše 6. (dva) čaje 7. (dvě) sestry 8. (dvě) kamarádky 9. (dvě) piva 10. (dvě) auta 11. (dvě) křesla

103/2. kalhoty, obleky, šaty, kabáty, sukně, kravaty, košile, bundy, saka, džíny, šortky, trička; boty, ponožky, tenisky, tkaničky, bačkory, sandály; papíry, tužky, pera, propisky, bloky, diáře, gumy, dopisní papíry, obálky, známky, pohlednice/pohledy; detektivky, básně, povídky, romány, učebnice, slovníky, mapy, atlasy; brýle, sluneční brýle, pouzdra na brýle, skla, mikroskopy; noviny, časopisy, cigarety, doutníky, lístky na metro, autobusy, tramvaje, telefonní karty; výlety, rekreace, cesty, jízdenky, letenky; prsteny, náramky, řetízky, náhrdelníky, náušnice, hodiny a hodinky; panenky, auta, traktory, plyšové medvědy, hry; lyže, brusle, míče, tenisové rakety, kola, sportovní oděvy; CD přehrávače, televize, magnetofony, rádia, autorádia, videay, CD disky (cédéčka), kazety, videokazety; šampony, krémy, mýdla, zubní pasty, kondicionéry, hřebeny, laky na vlasy, kartáčky na zuby; vitamíny, léky, oční a nosní kapky, masti, bylinkové čaje

Lesson 10

108/2. 1. Kdo? 2. Co? 3. Kde? 4. Kdy? 5. Co? 6. Čí? 7. Jak? 8. Jaká? 9. Koho? 10. Kdy? 11. Čí? 12. Koho?

109/1. 1. Ne, nikdo tady není. 2. Ne, nikdy nemám špatnou náladu. 3. Ne, nikdy nemám smůlu. 4. Ne, nikdy nemám depresi. 5. Ne, nikdy nejsem frustrovaný. 6. Ne, neznám žádného originálního nového autora. 7. Ne, nikdy nemám žádný velký problém. 8. Ne, neznám žádného milionáře. 9. Ne, neznám žádnou dobrou doktorku. 10. Ne, nikde nemám milion dolarů. 11. Ne, nikdy nejsem unavený.

109/2. 1. Nehledám nikoho. 2. Nepotřebuju nikoho. 3. Nevidím nikoho. 4. Nemám nikoho rád. 5. Nemiluju nikoho. 6. Neprovokuju nikoho. 7. Nekupuju nic. 8. Nečtu nic. 9. Nevidím nic.

109/3. 1. Nikdy nemám depresi. 2. Nikde tady není pošta. 3. Nikde nemám klíč. 4. Nikde tady blízko nečeká. Moje manželka Irena. 5. Nemám tady žádný telegram. 6. Nepotřebuju žádnou hezkou tašku. 7. Nikdy nespím v hotelu. 8. Nevidím nic!

109/4. 1. Ten náš nový kolega je nudný! Není žádný kamarád – nikdy neorganizuje žádnou party a nezná žádný dobrý vtip! 2. Haló!!! Je tady někde někdo? To je strašné! Nikde nikdo není a já potřebuju telefonovat! 3. Koho hledáte? – Sekretářku. Ta dáma tady nikdy není, a když tady je, tak má špatnou náladu. 4. Adame, ty jsi hrozný! Nemáš tady v kanceláři žádný systém! Nikdy nevíš, kde máš disketu, knihu nebo slovník. Máš tady zmatek! 5. Kde je ten diář? Nikde tady není! 6. Moniko! Je tady nějaký pán! – Ale kde? Nikoho nevidím.

111/1. 1. fotografové 2. taxikáři 3. ředitelé, manažeři, prodavači 4. spisovatelé 5. učitelé 6. účetní 7. číšníci, kuchaři, šéfkuchaři 8. automechanici 9. studenti 10. novináři 11. králové, prezidenti, premiéři, ministři 12. obchodníci 13. šéfkuchaři a kuchaři 14. turisti, cestovatelé 15. řidiči 16. moderátoři, komentátoři, zpěváci, herci, novináři 17. ředitelé 18. asistenti, docenti, profesoři

Lesson 11

118/3. 1. jdeš/jdete; 2. jedeš/jedete, jdeš/jdete; 3. jedu; 4. jedu; 5. jedeš/jedete; 6. jedu; 7. jsem letěl/letěla; 8. jsem jel/jela; 9. jsem šel/šla

119/2. 1. nahoru; 2. ven; 3.domů; 4.doma; 5.doma; 6.domů; 7.ven; 8. někde uvnitř; 9.vlevo/doleva, nahoru; 10. uvnitř; 11. dole; 12. uprostřed; 13. nahoře; 14. domů; 15. nahoru; 16. jinam; 17. vzadu; 18. venku; 19. sem; 20. někam ven

121/2. 1. chodí; 2.chodí; 3.chodí; 4.jezdím; 5.běhá; 6.létám; 7.vozím; 8.vedu; 9.běžím; 10.nosím; 11.vozíme; 12. jdu; 13. jde; 14. jezdím; 15. jezdíš; 16. běžíš; 17. Aleš nosí; 18. vedu; 19. vozím; 20. letím; 21. vozím; 22. jezdím

122/2. A. 1. Kam jedeš? 2. Jak jedeš? 3. Kdo jede? 4. Kdy jedete? B. 1. Kam jezdíš každý den? 2. Kdy tam jezdíš? 3.Kdo tam jezdí? 4.Jak tam jezdíš? C. 1. Kam jedeš? 2. Jak jedeš? 3. Kdo jede? 4. Kdy jedeš? D. 1. Kam jezdíš každý týden? 2. Kdy tam jezdíš? 3. Kdo tam jezdí? 4. Jak tam jezdíš?

Lesson 12

129/6. 1. na; 2. o; 3. za; 4. na; 5. za; 6. o; 7. na; 8. o; 9. na; 10.o; 11. na; 12. na; 13. o; 14. na; 15. o; 16. pro; 17. na; 18. na; 19. na; 20. na; 21. na

129/7. 1. kterého; 2. kterou; 3. kterého; 4. kterého; 5. kterou; 6. kterého; 7. kterou; 8. kterou

130/1. 1. koho; 2. koho; 3. koho; 4. koho; 5. koho

130/2. 1. ji; 2. ho; 3. ho; 4. ji; 5. ho; 6. je; 7. nás; 8. vás; 9. ji; 10. vás; 11. mě; 12. tě

130/3. 1. ni; 2. něho, něj; 3. ni; 4. ně; 5. ně; 6. ni; 7. něj; 8. ně; 9. něho, něj; 10. něho, něj; 11. ni; 12. ně

130/4. 1. vaši krásnou zahradu; 2. našeho starého dobrého kamaráda; 3. její velký dům; 4. jeho sympatickou kamarádku; 5. váš perfektní projekt; 6. moji nejmladší sestru; 7. můj/svůj starý dům; 8. vaši velkou garáž a vaši malou zahradu; 9. tvoji novou postel; 10. tvého nového partnera

130/5. 1. její hodné rodiče; 2. vaše inteligentní názory; 3. vaše zajímavé tradice; 4. mé/své chytré plány; 5. naše krásné lesy; 6. jejich divné plány; 7. tvé staré skříně; 8. její nové kufry; 9. jeho velké zahrady; 10. jejich hezké květiny;

Lesson 13

139/1. 1. dcery; 2. manželky; 3. Ireny; 4. maminky; 5. manžela; 6. tatínka; 7. britské královny; 8. šikovného manažera; 9. důležitého šéfa; 10. francouzského experta; 11. malé holčičky; 12. mladého zoologa; 13. známého milionáře; 14. bohatého ředitele

139/3. kniha učitele; student profesora; mercedes milionáře; bodyguard prezidenta; strategie premiéra; projekt architekta; kočka dědečka; pivo bratra; židle kamarádky; slovník profesorky; kabelka maminky; rádio tety; manžel sousedky; domácí úkol studentky; iniciativa premiérky; syn dcery

139/4. 1. mého hodného dědečka; 2. tvého staršího bratra; 3. mého energického šéfa; 4. mojí bohaté partnerky; 5. tvojí chudé kamarádky; 6. naší hodné maminky; 8. vaší dobré sousedky; 9. její asertivní šéfky; 10. jeho mladší sestry

140/1. 1. kniha autora; 2. kosmetika modelky; 3. program Národního divadla; 4. román Milana Kundery; 5. hudba Bedřicha Smetany; 6. symfonie Antonína Dvořáka; 7. politika Billa Clintona; 8. koncert České filharmonie; 9. román známého spisovatele; 10. fotografie slavného fotografa; 11. koncert Pražského jara; 12. program Státní opery; 13. plán nového Napoleona; 14. portrét anglické princezny; 15. domácí úkol dobrého studenta

140/2. rodiny, krásného divadla, maminky, sestry, populární herečky, nějaké krásné modelky, Malé Strany, kamarádky, tatínka, bratra, kamaráda, Starého města, Českého Krumlova; Václavského náměstí, Staroměstského náměstí, Bratislavy, Jihlavy, Ostravy, Znojma, Brna; prezidenta Masaryka, Jana Husa, Josefa Jungmanna, Panny Marie, svatého Václava, svaté Ludmily

140/3. Londýn je hlavní město Velké Británie; Budapešť Maďarska; Varšava Polska; Moskva Ruska; Ottawa Kanady; Bratislava Slovenska; Paříž Francie; Washington USA; Řím Itálie; Madrid Španělska; Berlín Německa; Kyjev Ukrajiny

140/4. Tom Sawyer je román Marka Twaina; Mistr a Markétka je román Michaila Bulgakova; Jana Eyrová je román Charlotty Bronteové; Robinson Crusoe je román Daniela Defoa; Tři sestry je drama Antona Čechova; Vlasy je muzikál Miloše Formana; Romeo a Julie je tragédie Williama Shakespeara; David Copperfield je román Charlese Dickense

140/5 5000 Kč – portrét prvního českého prezidenta Tomáše Garriguea Masaryka; 2000 Kč – portrét operní zpěvačky Emy Destinové; 1000 Kč – portrét historika Františka Palackého; 500 Kč – portrét spisovatelky Boženy Němcové; 200 Kč – portrét „učitele národů" Jana Amose Komenského; 100 Kč – portrét římského císaře a českého krále Karla IV. (*pronounse:* čtvrtého); 50 Kč – fiktivní portrét svaté Anežky České; 20 Kč – fiktivní portrét krále Přemysla Otokara I. (*pronounse:* prvního).

140/6. Karel Čapek, Josef Čapek, Ondřej Sekora; Karel Čapek, Jaroslav Hašek, Milan Kundera, Bohumil Hrabal, Ludvík Vaculík; Jaroslav Seifert, František Halas, Vladimír Holan; Miloš Forman, Jiří Menzel; Václav Havel

141/1. 1. čtvrt litru bílého vína; 2. půl kila hovězího masa; 3. metr pruhované látky; 4. kousek toho čokoládového dortu; 5. půlku chleba; 6. kilo masa; 7. dva hrnky mléka; 8. půl kila cibule; 9. čtyři litry vína; 10. dvě lžičky cukru

141/2. 1. salámu; 2. džusu, čaje; 3. vody; 4. černé kávy; 5. času; 6. pití, jídla; 7. práce; 8. guláše

142/3. 1. cukru; 2. kávy; 3. čaje; 4. učebnice; 5. léku; 6. čaje; 7. mléka; 8. medu

142/4. 1. zajímavého; 2. dobrého; 3. sladkého; 4. smutného; 5. důležitého; 6. nového; 7. kyselého; 8. nového; 9. veselého; 10. dobrého; 11. špatného; 12. důležitého; 13. hezkého; 14. zajímavého; 15. ostrého

Lesson 14

147/1 bez: majonézy, sody, dcery, dědečka, tatínka, cukru, toniku, klavíru, syna, kamaráda; kromě: babičky, Ivany, tety; kolem: kavárny a cukrárny, domu, pošty, chaty, banky, učitelky; podle: mě, maminky, babičky; uprostřed: náměstí, místnosti, parku; blízko: stanice metra, kamaráda, nádraží; vedle: obchodního domu, nejlepší kamarádky; dobré sousedky; u: knihovny, Národního divadla, paní Korošové a pana Slavíka; místo: sestry, šéfa, manželky; během: léta, zimy, školního roku

149/1 hospody, kavárny, vinárny, cukrárny, banky, restaurace, galerie, divadla, kina, hotelu, bazénu, školy, továrny, školky, práce, kanceláře, parku, obchodu, obchodního domu, hotelu, baru, supermarketu, lesa; Jihlavy, Znojma, Brna, Bratislavy, Českého Krumlova, Telče, Kutné Hory, Tábora, Olomouce, Ostravy; Londýna,Varšavy, Moskvy, Ottawy, Bratislavy, Ženevy, Barcelony, Washigtonu, New Yorku, Tokia

149/2 1. z dlouhého výletu; 2. ze zajímavé výstavy; 3. z procházky; 4.ze schůze; 5. z recepce 6. z koncertu; 7. z návštěvy 8. z letiště

150/1 1. do 2. na 3. do 4. na 5. na 6. od 7. od 8. na, do 9. do 10. u 11. do 12. do, na 13. na 14. na, do 15. u 16. na 17. na, do 18. u 19. do, na, na 20. u 21. na 22. do 23. do 24. na, na, do, do 25. na 26. na 27. do, z 28. do, do 29. z 30. u 31. na, do 32. do 33. na, do 34. na 35. z 36. od, do

150/3 sendvič je jídlo (podle anglického lorda Sandwiche); žiletka je nástroj na holení (podle amerického milionáře Gilletta); morseovka je speciální abeceda (podle amerického malíře Samuela Morsea); bakelit je umělá hmota (podle belgického chemika Baekelanda); papiňák je speciální hrnec (podle francouzského vynálezce Papina); gilotina je nástroj na popravy (podle francouzského lékaře Guillotina); sachr je dort (podle slavného rakouského cukráře Sachera); kolt je zbraň (podle amerického výrobce zbraní Colta); manšestr je látka (podle anglického města Manchester)

150/6. 1. bez čeho 2. vedle čeho 3. kam / do čeho 4. u koho 5. od koho 6. bez čeho/bez koho 7. z čeho 8. kolem čeho 9. blízko čeho 10. uprostřed čeho 11. během čeho 12. kde / u čeho 13. kam / do čeho 14. místo koho 15. od koho

151/2 Jel z Londýna do Paříže, z Paříže do Brindisi, z Brindisi do Suezu, ze Suezu do Bombaje, z Bombaje do Kalkaty, z Kalkaty do Singapuru, ze Singapuru do Hongkongu, z Honkongu do Jokohamy, z Jokohamy do San Francisca, ze San Franciska do New Yorku, z New Yorku do Liverpoolu a z Liverpoolu do Londýna. Jel z Velké Británie do Francie, z Francie do Itálie, z Itálie do Egypta, z Egypta do Indie, z Indie do Indonésie, z Indonésie do Číny, z Číny do Japonska, z Japonska do USA a z USA do Velké Británie. Phileas Fogg mohl jet vlakem, lodí a na kole a mohl letět balonem.

Lesson 15

154/1 čtvrté patro / čtvrté poschodí; dvacáté století; šestá stránka; první dáma USA; druhý den; druhá ulice; třetí televizní kanál; sedmá lekce; pátý díl seriálu; šestá třída; třetí manžel; devátá symfonie Beethovena; první pokus; první láska; druhý semestr; čtvrtý den; pátá stanice; třetí zastávka; první program; moje první auto; miliontý návštěvník; druhá kategorie; první výročí

155/5. 1. b); 2. g); 3. e); 4. a); 5.d); 6. c)

156/2. 1. kterého; 2. z kterého; 3. které; 4. které; 5. kterého

157/1. 1. koho; 2. čeho; 3. koho; 4. čeho; 5. čeho

157/2. 1. tě; 2. vás; 3. mě; 4. vás; 5. ho; 6. jí; 7. vás; 8. ho; 9. nás; 10 mě;

157/3. 1. tebe; 2. vás; 3. ní; 4. něho/něj; 5. ní; 6. mě; 7. něho/něj; 8. tebe; 9. ní; 10. vás; 11. něho; 12. nás

157/4. 1. mého/svého starého otce; 2. našeho arogantního premiéra; 3.vaší hodné manželky; 4. mého/svého mladšího bratra; 5. našeho energického ředitele; 6. vašeho žlutého domu; 7. jejího agresivního bratra; 8. mojí dobré kamarádky; 9. mého českého učitele; 10. tvého velkého psa

157/5. 1. vašich veselých kamarádů; 2. našich dobrých kolegů; 3. mých krásných koní ; 4. tvých sympatických sester; 5. jeho moudrých rodičů; 6. samých dobrých výsledků; 7. jejích hloupých nápadů; 8. vašich zajímavých plánů; 9. mých velkých tašek; 10. jejich nových kontraktů

159/1. jeden manažer – dva manažeři – pět manažerů; jeden učitel – dva učitelé – pět učitelů; jeden politik – dva politici/politik ové – pět politiků; jeden dům – dva domy – pět domů; jeden rohlík – dva rohlíky – pět rohlíků; jeden čaj – dva čaje – pět čajů; jedna okurka – dvě okurky – pět okurek; jedna káva – dvě kávy – pět káv; jedna tiskárna – dvě tiskárny – pět tiskáren; jedno máslo – dvě másla – pět másel; jedno pivo – dvě piva – pět piv; jedno okno – dvě okna – pět oken; jedno auto – dvě auta – pět aut; jedno náměstí – dvě náměstí – pět náměstí; jedno povolení – dvě povolení – pět povolení

159/6. mítinků, schůzí, konferencí, porad, lekcí, oslav, návštěv; psů, koček, pavouků, hadů, krokodýlů, lvů, zkoušek, bouřek, hloupých lidí; restaurací, kaváren, hospod, divadel, kin, obchodů, obchodních domů, vináren; kamarádů, dětí, spolužáků, kolegů, rodičů; Angličanů,

Američanů, Čechů, Francouzů, Rusů, Italů, Němců, Slováků, Rumunů, Bulharů, Brazilců; bazénů, parků, parkovišť, hřišť, stromů, květin, kostelů, hotelů, obchodů, restaurací; učebnic, knih, tužek, per, sešitů; statečných lidí, moudrých kamarádů, hodných žen, inteligentních spisovatelů, rozumných politiků; krásných domů, romantických míst, starých lidí, hezkých holek, hezkých kluků; velkých divadel, luxusních kaváren, starých mostů, velkých stromů, hezkých míst; velkých měst, malých vesnic, přírodních rezervací, neznámých nebezpečných oblastí, tichých lesů

160/2. Pán prstenů – J. R. Tolkien; Pán much – William Golding; Sága rodu Forsytů – John Galsworthy; Snídaně šampionů – Kurt Vonnegut; Deset malých černoušků – Agatha Christie

Lesson 16

166/2. 1. koupím; 2. dostanu; 3. dám; 4. napíšu; 5. zavřu; 6. uvidím; 7. umyju; 8. koupím; 9. zaplatím; 10. uvařím; 11. udělám; 12. otevřu; 14. skončí; 15. vypiju; 16. zaplatím, půjdu; 17. zorganizuju; 18. dočtu, půjdu; 19. zatelefonuju; 20. objednám si; 21. zvyknu si; 22. uklidím; 23. vydělám; 24. ušetřím; 25. prodám; 26. zúčastním se; 27. podívám se

169/3. obcházeli jsme; rozcházeli jsme se; procházeli jsme; přecházeli; odcházeli; scházeli jsme se; vjížděl; vyjížděl; vyjížděli jsme; vcházela jsem; předjížděl; vyjížděl; podjížděl; dojížděli jsme; přejížděl; rozjížděl se; přijížděli jsme; rozváželo; odlétalo; přilétali; přinášeli jsme; odnášela jsem; dováželi jsme; donášela jsem

170/3. 1. Bažinu musíme objet. 2. Vyšli jsme na vysokou horu. 3. Může člověk přeletět vesmír? 4. Jak chcete přejít tuhle řeku? 5. Prošli jsme džungli. 6. Cestovatel vyjel z hor. 7. Prošli jsme tunel. 8. Objel jsem celý svět.

170/4. 1. f); 2. e); 3. d); 4. c); 5. a); 6. b)

Lesson 17

177/1. v Británii, ve Francii, v Itálii, v Anglii, ve Skotsku, v Německu, ve Finsku, v Polsku, v Portugalsku, v Chorvatsku, ve Španělsku, v Maďarsku, ve Švédsku, ve Švýcarsku, v Česku, v Kanadě, v USA, Americe, České republice; v bytě, domě, v koupelně, v cukrárně, v hospodě, v obchodě, v obchodním domě, v pekárně, v kavárně, v kině, v lékárně, ve městě, v Brně, ve Znojmě, v Ostravě, v Opavě, v Jihlavě, v Bratislavě, v Českém Krumlově, v Londýně, v Bukurešti, v Ankaře, v San Franciscu, v Toledu, v Montrealu, v Mnichově, v Římě, v Barceloně, v New Yorku, v Petěrburgu, v Johannesburgu

177/3. na poště, na zahradě, na služební cestě, na výletě, na koncertě, na obědě, na hradě, na univerzitě, na výstavě, na úřadě, na ambasádě, na návštěvě, na venkově, na chatě, na ostrově, na poloostrově, na diskotéce, na procházce, na schůzce, na stole, na dovolené; na večeři, na letišti, na recepci, na lekci, na snídani, na konferenci, na policii, na židli, na posteli, na ulici, na hokeji, na náměstí, na nádraží; na festivalu, na mítinku, na zámku, na nákupu, na trhu, na veletrhu; na Slovensku, na Moravě, na Floridě, na Mallorce, na Aljašce, na Islandu

Lesson 18

183/1 1. čem; 2. čem; 3. kom; 4. kom; 5. čem; 6.kom; 7. čem

183/2. 1. něm; 2. ní; 3. nich; 4. nás; 5. vás; 6. tobě; 7. mně; 8. nás; 9. vás; 10. ní; 11. ní; 12. něm

183/3. 1. mém dobrém projektu; 2. tvém chytrém plánu; 3. jejím hodném synovi; 4. našem starém autu; 5. vašem novém státu; 6. jeho novém mercedesu; 7. jejich názoru; 8.naší politické strategii; 9. vaší zajímavé zemi; 10. jejich cizí kultuře; 11. tvojí divné kamarádce; 12. naší velké rodině

183/4. 1. našich fantastických nápadech; 2. tvých užitečných plánech; 3. vašich nových projektech; 4. jeho nebezpečných aktivitách; 5. jejich starých dokumentech; 6. tvých špinavých penězích; 7. vašich riskantních dobrodružstvích; 8. našich krásných modelkách; 9. mých starých kamarádech; 10. těch vašich nudných konferencích; 11. těch jejich politických strategiích; 12. vašich divných partnerech

186/1. 1. těch lidech, novinkách, dobrých zprávách, katastrofách, nehodách, aférách, skandálech, tragédiích; 2. o politicích, spisovatelích, spisovatelkách, malířích, malířkách, kamarádech, kamarádkách; 3. luxusních jachtách, zlatých zámcích / zámkách, tropických ostrovech, zelených palmách, čistých mořích, horkých nocích; 4. nových šatech, krásných modelech, drahých svetrech, kamarádech, příbuzných, známých, lidech; 5. vírách, náboženstvích, dobrých knihách, dramatických filmech; 6. politicích, nových seriálech, včerejších detektivkách, posledních bestsellerech; 7. Boskovicích, Dačicích, Radlicích, Milovicích, Řevnicích, Horoměřicích, Lipanech, Poděbradech, Břežanech; 8. Dejvicích, Černošicích, Strašnicích, Mariánských Lázních, Karlových Varech, Českých Budějovicích; 9. Teplicích, Moravských Budějovicích, Uhlířských Janovicích, Jaroměřicích, Pardubicích, Napajedlech; 10. šéfech, ředitelkách, dětech, penězích, nákupech, dárcích / dárkách, povinnostech

186/4. 1. na ledě, na stadionu; 2. po světě, v létě, na podzim; 3. na výletě; 4. v červenci, v srpnu, v lese; 5. v přírodě / do přírody; 6. u řeky; 7. ve firmě; 8. v lednu; 9. o víkendu; 10. o Vánocích / na Vánoce; 11. o Velikonocích / na Velikonoce; 12. u moře; 13. o prázdninách; 14. v Itálii; 15. v létě; 16. v životě; 17. na podzim, na zahradě; 18. o dovolené; 19. na pláži; 20. v řece, v moři; 21. v pokoji, u krbu; 22. v obýváku; 23. v bazénu, v moři; 24. v nějaké cizí zemi; 25. v parku; 26. ve fitness centru Tyran, v lese

186/6. Graham Greene – Náš člověk v Havaně; Jack Kerouac – Na cestě; John Steinbeck – O myších a lidech; Agatha Christie – Vražda v Orient Expresu

Lesson 19

191/5. 1. musí 2. nemusí, musí 3. nemůžou 4. musí 5. nesmí 6. musí 7. musí

192/1. 1. nesmíš 2. nesmíš 3. nesmíš 4. nesmíš 5. nesmí 6. nesmíš 7. nesmíš 8. nesmíš 9. smím 10. smím

192/3. 1. Může to být zajímavé. 2. Zítra můžu mít peníze. 3. Někde může pršet. 4. Zítra tady můžu být.

193/1. 1.–8. mám

193/6. 1. Neměl jsi kupovat koňak. 2. Neměl jsi chodit/jít do nemocnice. 3. Neměli jste jezdit na výlet. 4. Neměla jsi studovat chemii. 5. Neměla jsi chodit/jít na rande. 6. Neměl jsi trénovat celý den. 7. Neměli jezdit/jet do kina.

194/1. 1. musí 2. chceš 3. nesmí 4. nesmíš/můžeš 5. můžeme 6. má 7. musíme 8. nemusíme 9. nesmí, nemají 10. mám

194/2. 1. c); 2. b); 3. d); 4. f); 5. e); 6. a);

194/4. 1. být, jíst, sportovat 2. vědět 3. jít 4. vařit 5. jet 6. utrácet 7. chtít 8. kouřit 9. koupit 10. plavat, hrát 11. jít 12. pracovat, číst, psát 13. bavit 14. vysvětlovat 15. čekat 16. připravovat se 17. zvát

195/3. 1. se čte 2. se zpívá 3. říkají se 4. se vaří 5. se dělá 6. se píše 7. čte se 8. se nepracuje 9. se mluví 10. píše se 11. se večeří 12. říká se

195/4. 1. Zelenina se jí každý den. 2. Dům se prodává. 3. Pokoj se uklízí. 4. Test se opravuje. 5. Dort se peče. 6. Nové slovo se píše. 7. Časopis se čte. 8. Hospoda se zavírá v 11 hodin. 9. Balíky se posílají. 10. Knihy a učebnice se studujou/studují. 11. Bary se otvírají pozdě večer. 12. Ruce se myjou/myjí často.

Lesson 20

200/3. 1. k) 2. a) 3. j) 4. l) 5. i) 6. h) 7. b) 8. d) 9. f) 10. e)

Lesson 21

206/2. větší, největší; delší, nej...; lepší; kratší; starší; chytřejší; kratší; horší; hubenější; mladší; šťastnější; bohatší; chudší; zdravější; čistší

206/3. větší; zajímavější; krásnější; dražší; slavnější; levnější; populárnější; lepší; zdravější; zajímavější; luxusnější; sladší; menší; těžší; lehčí; užitečnější; větší; teplejší

207/1. 1. a); 2. a); 3. b); 4. a); 5. b); 6. c); 7. c); 8. a); 9. b)

209/1. 1. rychleji, nejrychleji; 2. pomaleji; 3. tepleji; 4. chladněji; 5. častěji; 6. později; 7. raději; 8. levněji

210/1. anglický, anglicky; blízko, blízký; častý, často; český, česky; daleko, daleké; divně, divná; dlouhý, dlouho; dobrý, dobře; draho/draze, drahý; elegantní, elegantně; hlasitou, hlasitě/nahlas; hodně, hodný; horko, horkou; chudá, chudě; krásný, krásně; lehký, lehce; levně, levný; malý, málo; moderní, moderně; nemocný, nemocně; normálně, normální; pomalu, pomalý; průměrný, průměrně; rychle, rychlé; smutný, smutně; správně, správný; škaredé, škaredě; špatný, špatně; teplo, teplý; těžký, těžko/těžce; tichou, tiše; trapně, trapný; vesele, veselá; zbytečně, zbytečný

211/3. Byla bouřka. Byla mlha. Byla jinovatka. Foukal vítr. Byla vichřice. Den byl dlouhý. Slunce svítilo. Bylo modré nebe. Byly přeháňky. Byl mráz. Byla tma. Bylo světlo. Padal sníh. Tál sníh. Padaly kroupy.

211/4. 1. byla 2. byl 3. bylo, bylo 4. bylo 5. byla 6. byla 7. bylo 8. byla 9. bylo 10. byl 11. byla, bylo / svítilo 12. bylo, bylo

Lesson 22

218/1. pomáhám jinému studentovi, jiné studentce, malému dítěti, slepému člověku, staré paní, nemocnému pánovi; radím špatnému šéfovi, dobrému kolegovi, nejlepší kamarádce, mladé sekretářce, novému asistentovi; píšu profesorovi, profesorce, učiteli, učitelce, vládě, prezidentovi, premiérovi; odpovídám zahraniční firmě, konkurenčnímu podniku, cizí ambasádě, finančnímu úřadu; podobám se matce, otci, dědečkovi, babičce, strýčkovi, tetě, prababičce, pradědečkovi; nerozuměli jsme biologii, matematice, fyzice, chemii, latině, francouzštině; směju se dobrému vtipu, veselé knize, legračnímu člověku; vyhýbám se tvrdému alkoholu, špatné společnosti, každé špivavé hospodě

218/2. píšu zprávu organizaci; vysvětluju plán šéfovi; telefonuju dobrou zprávu kamarádce; doktor předepisuje pacientovi recept; prezident vysvětluje strategii ministrovi; píšu e-mail mamince; půjčím svetr kamarádovi; vyřídím vzkaz kolegyni; ukazuju obrázek dítěti; říkám něco manželovi

Lesson 23

224/1. 1. vám, vašemu kamarádovi 2. mi, mi 3. ti 4. mamince 5. tatínkovi 6. vám 7. jí, dědečkovi 8. mi 9. ti, mi 10. vám, mi 11. ti, ti, mi 12. mi, mi 13. Lukášovi, Evě, mu

225/1. 1. za, za 2. od, do 3. v 4. do 5. na 6. k, u 7. do 8. v / u (vedle /blízko) 9. na 10. do, na 11. na, v 12. na 13. bez 14. díky 15. o 16. o, do 17. k 18. u 19. od, za 20. kvůli, o 21. k 22. po 23. po, do 24. na, k 25. proti / naproti 26. o / kvůli 27. o 28. vedle /u / blízko 29. na / uprostřed / u/ blízko/ vedle 30. proti 31. na 32. od 33. na 34. kromě 35. na

226/1. 1. komu 2. komu 3. čemu 4. čemu 5. komu

226/2. 1. jí 2. mu 3. ti 4. vám 5. ti 6. vám 7. mi

226/3. 1. němu 2. němu 3. nám 4. ní 5. ní 6. nim 7. tobě

226/4. 1. našemu dobrému prezidentovi 2. mému malému synovi 3. tvojí hodné mamince 4. našemu legračnímu psovi 5. tomu vašemu těžkému jazyku 6. té vaší divné sousedce 7. tomu vašemu nesmyslnému nápadu 8. naší dobré kamarádce 9. mému starému kamarádovi

226/5. 1. našim chytrým politikům 2. vašim moudrým rodičům 3. mým/svým špatným synům 4. našim nejlepším manažerům 5. tvým starým příbuzným 6. jejím chlupatým psům 7. jeho malým dětem 8. našim dobrým známým z Ameriky 9. vašim starým pacientům

228/1. děkuju hodným lidem, starým babičkám, dobrým šéfům, nejlepším kamarádům a kamarádkám; pomáhám jiným studentům a studentkám, malým dětem, slepým lidem, starým lidem, nemocným lidem; radím špatným studentům, dobrým kolegům, nejlepším kamarádům, mladým sekretářkám, novým asistentům; věřím příbuzným, přátelům, dětem, populárním politikům, politickým stranám; blahopřeju sestřenicím, bratrancům, strýčkům, tetám, neteřím, synovcům; dávám dárky rodičům, kamarádům, dětem, příbuzným; telefonuju nebo mailuju sekretářkám, kolegům, kolegyním, obchodním partnerům, zahraničním firmám; mám něco proti doktorům, politikům, kolegům, kolegyním, cizím firmám; jedu k rodičům, přátelům, kamarádům, kamarádkám, dětem; protestuju proti válkám

228/2. Režisér vysvětluje role herci/hercům. Babička vypravuje pohádku dítěti/dětem. Sekretářka píše vzkaz ředitelce/ředitelkám. Kamarád píše dopis příteli/přátelům. Paní posílá telegram sousedovi/sousedům. Doktor předepisuje lék pacientovi/pacientům. Student půjčuje učebnici studentce/studentkám. Sekretářka vyřizuje vzkaz manažerovi/manažerům. Profesor doporučuje slovník studentovi/studentům. Manžel/manželé vyčítají manželce/manželkám chyby.

228/3. holkám; kamarádům; těm pánům; těm slečnám; matkám a otcům; dětem; prodavačkám; divákům; klukům; pacientům

Lesson 24

236/1. 1. kterým 2. kterým 3. kterým 4. kterým 5. kterou 6. kterou 7. kterou 8. kterou

Lesson 25

242/1. 1. kým 2. kým 3. čím 4. čím 5. kým

242/2. 1. jí 2. jím 3. jím 4. jí 5. jí

242/3. 1. mnou 2. vámi 3. tebou 4. ní 5. ní 6. nimi

242/4. 1. vaší krásnou zahradou 2. naším starým dobrým kamarádem 3. jejím těžkým problémem 4. jeho bývalou holkou 5. vaším perfektním projektem 6. mojí nejmladší sestrou 7. mým starým domem 8. naší velkou garáží a vaší malou zahradou 9. tvojí novou postelí 10. vaším dobrým obchodem

242/5. 1. vašimi hodnými rodiči 2. tvými inteligentními názory 3. vašimi zajímavými tradicemi 4. našimi geniálními nápady 5. mými krásnými lesy 6. jejich divnými plány 7. tvými starými skříněmi 8. jejími novými kufry 9. jeho velkými zahradami 10. jeho divokými skandály

244/1. 1. profesionály 2. rychlými auty, špinavými vlaky 3. krásnými památkami 4. čistými plážemi a velkými parky 5. komediemi a tragédiemi 6. vysokými budovami 7. povídkami 8. babičkami a dědečky 9. jejími smutnými náladami 10. podobnými nesmysly 11. slovanskými jazyky 12. dobrými hotely, nízkými cenami 13. nepoctivými taxikáři 14. různými holkami 15. kamarády

16. zajímavými lidmi 17. ostatními nadšenými cestovateli 18. italskými památkami 19. vašimi názory 20. dobrými ženami 21. kamarády a kamarádkami 22. bývalými kolegy a kolegyněmi 23. novými šéfy naší firmy 24. těmi nespokojenými lidmi 25. dobrými kamarády

244/2. 1. s kým? 2. s čím? 3. s kým? 4. s jakými? 5. jakými? 6. s kým? 7. s kým? 8. čím? 9. jakými? 10. jakými?

245/1. 1. zelenina 2. oblečení 3. nástroje 4. hudební nástroje 5. elektrické přístroje 6. ovoce 7. sportovní potřeby 8. nábytek 9. dopravní prostředky

245/2. 1. jehlicemi 2. nožem 3. pilou 4. nůžkami 5. tužkou, perem nebo na počítači 6. motykou 7. holicím strojkem

Lesson 26

248/2. nekupuj maso/kup máslo; neopravuj kolo/oprav počítač; neorganizuj konferenci/zorganizuj mítink; nebrer si kabát/vezmi si svetr; neuklízej celý byt/uklidˇ pokoj; nevař kávu/uvař čaj; neuč se večer/uč se ráno; nedělej úkol dneska/udělej ho zítra; nedívej se na nesmysly/podívej se na dobrý film; nečti detektivky/přečti si seriózní literaturu

249/1 1. Nedělej to! 2. Nespi! 3. Nemluv! 4. Nebuď smutný/smutná! 5. Neplač! 6. Nechoď tam! 7. Neseď tady! 8. Nekupuj to! 9. Neotvírej to! 10. Dávej pozor! 11. Dávej na sebe pozor. 12. Honem! Pospěš si! Dělej! 13. Pojď sem! 14. Nech mě! 15. Pojďme. 16. Zkus to! 17. Řekni mi to. 18. Zavři dveře. 19. Otevři to! 20. Vezmi to! 21. Udělej to teď! 22. Jdi domů. 23. Jdi spát/do postele. 24. Udělejme to! 25. Skonči to!

250/1. Libore, Martine, Davide, Jane, Viktore, Adame, Jaroslave, Josefe, Marku, Zdenku, Karle, Pavle, Aleši, Leoši, Lukáši, Tadeáši, Honzo, Jardo, Pepo, Michale, Radku, Petře, Šimone, Dalibore, Kryštofe, Patriku, Arture, Kateřino, Anno, Magdaléno, Hano, Terezo, Barboro, Petro, Olgo, Zuzano, Karolíno, Dano, Marie, Lucie

250/2. 1. pane Horáku 2. pane Marku 3. pane Vitásku 4. pane Mlčochu 5. pane Šilpochu 6. pane Jaroši 7. pane Kabeši 8. pane Vitoši 9. pane Anýži 10. pane Ježi 11. paní Petříková 12. paní Jandová 13. paní Baladová 14. paní Dlouhá 15. paní Holá

250/3. 1. Báro, udělej kávu! 2. Ivane, jdi na nákup! 3. Aleno, kup čaj! 4. Marku, vezmi si deštník! 5. Honzo, zkus to! 6. Evo, dej Janě vodu! 7. Ireno, vezmi domů Petra! 8. Davide, nedělej hlouposti! 9. Evo, jdi na nákup! 10. Kristýno, umyj okna 11. Jano, nechodˇdo kina 12. Ondřeji, neber to vážně! 13. Jeffe, nezkoušej to! 14. Roberte, nechodˇ ven! 15. Davide, vynes odpadky! 16. Ivo, vyluxuj byt! 17. Jano, napiš dopis! 18. Pavle, jdi se psem ven!

252/1. kontrolován; organizován; studován; likvidován; operován; dělán; malován; obdivován; zván; čekán; přinesen; vařen; objeven; ztracen; vrácen; vypit; šit; rozhodnut; zajat; zabit; akceptován; navštěvován; nenáviděn; přijat

252/3. 1. Tomáš Baťa založil továrnu na boty. 2. Lidé obdivujou výstavu. 3. Slavný český malíř Josef Mánes namaloval kalendář na orloji. 4. Český král a císař Karel IV. založil univerzitu v roce 1348. 5. Matyáš z Arrasu a Petr Parléř postavili katedrálu svatého Víta. 6. Turisti navštěvujou české a moravské památky. 7. Český dramatik Karel Čapek napsal drama. 8. Přísný profesor zkoušel studenty. 9. Stavební úřad zavřel starou restauraci. 10. Zákazníci vrátili špatné zboží.

253/1. 1. vaření 2. bruslení 3. pletení 4. učení 5. plavání 6. mytí 7. kouření 8. čtení 9. mluvení 10. stěhování 11. lyžování 12.koupání 13. háčkování 14. opalování 15. šití

253/2. 1. pečený 2. smažené 3. umytý 4. přečtená 5. napsaný 6. vařené 7. krájený 8. koupený 9. upletený 10. uvařený 11. opálený 12. vykoupané 13. vyfotografované 14. vykouřená 15. ušité

253/3. 1. praní, praný 2. mytí, mytý 3. obdivování, obdivovaný 4. opakování, opakovaný 5. plavání, - 6. slavení, slavený 7. smažení, smažený 8. uklízení, uklízený

dictionary - slovník

A

absolvent graduate *(m.)*
absolventka graduate *(f.)*
advokát solicitor/attorney *(m.)*
advokátka solicitor/attorney *(f.)*
africký African
Afričan African *(m.)*
Afričanka African *(f.)*
Afrika Africa
akcie share, stock
aktuální topical, current
alergie allergy
aligátor alligator
ambasáda embassy
ambiciózní ambitious
americký American *(adj)*.
Američan American *(m.)*
Američanka American *(f.)*
Amerika America
ananas pineapple
angína tonsillitis
anglický English *(adj)*.
Angličan Englishman
Angličanka Englishwoman
angličtina English *(lang.)*
Anglie England
antikoncepce contraception
apendicitida appendicitis
Arab Arab *(m.)*
Arábie Arabia
Arabka Arab *(f.)*
arabský Arabian *(adj)*.
arabština Arabic *(lang.)*
argument reason against/for
archeolog archaeologist *(m.)*
archeoložka archaeologist *(f.)*
Asiat Asiatic *(m.)*
Asiatka Asiatic *(f.)*
Asie Asia
asijský Asian *(adj)*.
aspirin aspirin
Australan Australian *(m.)*
Australanka Australian *(f.)*
Austrálie Australia
australský Australian *(adj)*.
azyl sanctuary, polit. asylum

B

babička grandmother
balík packet, package
balit/sbalit, zabalit to pack
balkón balcony
banán banana
bankomat ATM machine
barák house *(coll.)*
barevný coloured
barva colour
bavlna cotton
batoh backpack, rucksack
bavlněný cotton *(adj.)*
bažina marsh
benzín petrol/gas
bezohledný ruthless, inconsiderate
bílý white
blesk lightning
blinkat to throw up. *(coll.)*
blonďatý blond
blondýn blond-haired man
blondýnka blonde
blůza blouse
bolest pain
bolet/zabolet to hurt, ache
bota shoe
bouřka storm
brada chin
brambor potato
brát si/vzít si to take; to marry
bratr brother
bratranec cousin *(m.)*
Brit British *(m.)*
Britka British *(f.)*
britský British *(adj.)*
brokolice broccoli
bronchitida bronchitis
bronzový bronze
brouzdat se to browse
brunet dark-haired man
brunetka brunette
bruslení skating
bruslit/zabruslit si to skate
brýle glasses *(pl.)*
břicho belly
budova building
Bulhar Bulgarian *(m.)*
Bulharka Bulgarian *(f.)*
Bulharsko Bulgary
bulharský Bulgarian *(adj.)*
bulharština Bulgarian *(lang.)*
bunda jacket (with a zipper)
burza stock exchange
byt flat

C

cédéčko CD disc
celní prohlídka customs check
centigram centigram
centilitr centiliter
centimetr centimeter
centrála telephone exchange
cesta way; road, journey
cestovat/procestovat to travel
cestovatel traveler
cibule onion
cigareta cigarette
cítit/pocítit to feel; to smell
citrón lemon
civilka civil service *(coll.)*
civilní služba civil service
cizí foreign
cizina places/countries abroad/overseas
cizinec foreigner, stranger *(m.)*
cizinecká policie foreigner's police
cizinka foreigner, stranger (f.)
clo customs
ctižádostivý ambitious
cukr sugar
cvičení training; exercise
cvičit/zacvičit si to exercise
cyklistická stezka bike path

Č

čaj tea
časopis magazine, journal
Čech Czech *(m.)*
čepice cap
černovlasý dark-haired
černý black
čerstvý fresh
červený red
česat/učesat to comb
Česká republika Czech republic
Česko Czech republic *(coll.)*
český Czech *(adj.)*
česnek garlic
Češka Czech *(f.)*
čeština Czech *(lang.)*
Čína China
Číňan Chinese *(m.)*
Číňanka Chinese *(f.)*
čínský Chinese *(adj.)*
čínština Chinese *(lang.)*
čistit/vyčistit to clean
čistý clean
člověk man, person
čočka lentils
čtvereční square *(adj.)*

D

dálnice motorway
Dán Danish *(m.)*
Dánka Danish *(f.)*
Dánsko Denmark
dánský Danish *(adj.)*
dánština Danish *(lang.)*
dcera daughter
decilitr deciliter
decimetr decimeter
dědeček grandfather
dekagram dekagram
dělat/udělat to do, to make
délka length
dělnice worker *(f.)*
dělník worker *(m.)*
déšť rain
deštivý rainy
deštník umbrella
děti *(F decl.)* children *(pl.)*
dětský pokoj children's bedroom
diář diary
disketa diskette
dítě child, children
divadlo theatre
dívka girl
divný weird, strange
divoký wild
dlouhý long
dluh debt
dobrý good; delicious
docela quite, rather
doklad paper, document
dolar dollar
domácí landlord, landlady *(adj.)*
domácí úkol homework
domorodec native
dopis letter
doporučený dopis registered letter
doprava traffic
dopravní zácpa traffic jam
dort cake
dospívající teenager *(adj.)*
dost quite, rather; enough
dotazník form, questionnaire
drahý expensive; dear
drobný tiny; change

dřevěný wooden
duha rainbow
důchod retirement
důchodce retired person *(m.)*
důchodkyně retired person *(f.)*
dům house
dusit/udusit to stew, to steam
dveře door *(pl. only)*
dvojče twin
džíny jeans *(pl.)*

E
egoistický selfish
elektrický electric
emigrant emigrant
espézetka licence plate *(coll.)*
euro euro
eventuální contingent, possible
Evropa Europe
Evropan European *(m.)*
Evropanka European *(f.)*
evropský European (adj.)
exotický exotic
expres dopis express letter

F
faktura invoice
fantazie imagination
farmář farmer *(m.)*
farmářka farmer *(f.)*
fax fax
fazole bean
fén hair dryer
fena, fenka f. dog
fénovat/vyfénovat to dry one´s hair
fialový purple
Fin Finn *(m.)*
Finka Finn *(f.)*
Finsko Finland
finský Finnish *(adj.)*
finština Finnish *(lang.)*
firma firm, company
fixka marker
forma form
formulář form/blank
fotka photograph *(coll)*.
fotografie photograph
foukat/zafoukat to blow
Francie France
Francouz Frenchman
Francouzka Frenchwoman
francouzský French *(adj.)*
francouzština French *(lang.)*
frank franc

G
galerie gallery
garáž garage
gauč couch
grilovaný grilled
grilovat to grill
guláš goulash
gymnázium comprehensive school

H
háček hook
háčkovat/uháčkovat to crochet
had snake
hadr rag *(for cleaning things)*
halenka blouse
házet/hodit to throw
hebrejština Hebrew *(lang.)*
herec actor
herečka actor
hladký smooth
hlava head
hloubka depth
hloupý stupid
hluboký deep
hluchý deaf
hmotnost weight
hnědý brown
hodný nice, kind
holicí strojek electric shaver
holič barber, hair dresser *(m.)*
holička barber, hair dresser *(f.)*
holit /oholit to shave
holka girl *(coll.)*
hora mountain
horký hot
horší worse
hořčice mustard
hořký bitter
host guest
hotový ready
houba sponge
houska bread roll, bun
hovězí beef *(adj.)*
hrabat/hrábnout to rake
hrábě rake *(pl.)*
hrad castle
hrách pea
hranice border
hraniční přechod border crossing
hrášek pea
hrát/zahrát to play
hrnec pot, saucepan
hrnek mug; cup
hrom thunder
hrubý rude; coarse
hřbitov cemetery
hřeben comb
hubený skinny
hudebnice musician
hudebník barber, hair dresser
humr lobster
hustý thick

CH
chata summer cottage
chladný chilly, cool
chlapec boy
chléb bread
chleba bread *(coll.)*
chlup hair
chobotnice octopus
chodba corridor, passage
chování behavior
chovat to breed/raise
chovat se/zachovat se to behave
chrápat/zachrápat to snore
chřestýš rattle-snake
chřipka influenza, flu
chudý pool
chytat/chytit to catch
chytrý clever

I
imigrant immigrant
injekce injection, shot
instalatér plumber
investice investment
investovat to invest
inzerát advertisement
inženýr engineer *(m.)*
inženýrka engineer *(f .)*
Ir Irishman
Irka Irishwoman
Irsko Ireland
irský Irish *(adj.)*
irština Irish *(lang.)*
Ital Italian *(m.)*
Itálie Italy
Italka Italian *(f.)*
italský Italian *(adj.)*
italština Italian *(lang.)*
ivrit ivrit
Izrael Israel
Izraelec Israelite *(m.)*
Izraelka Israelite *(f.)*
izraelský Israelite *(adj.)*

J
jaký what (what kind, sort of, what…like)
Japonec Japanese *(m.)*
Japonka Japanese *(f.)*
Japonsko Japan
japonský Japanese *(adj.)*
japonština Japanese *(lang.)*
jasný clear
jehla needle
jehlice needles
jeskyně cave
jet, jezdit na jachtě to go yachting
jet, jezdit na kole to go biking
jet, jezdit na lodi to go boating
jet, jezdit na skatebordu to go...
jezero lake
jídelna dining room
jídlo food, meal
jinovatka hoarfrost, white frost
jiný different
jít, chodit na výlety to hike
jízdenka train ticket
jízdní řád time-table
jogurt yogurt

K
kabát coat
kabelka handbag/purse
kafe coffee *(coll.)*
kakao cocoa
kalendář calendar
kalhotky women's underpants *(pl.)*
kalhoty trousers, pants *(pl.)*
kalkulačka calculator
kamarád friend *(m.)*
kamarádka friend *(f.)*
kamarádský friendly
kámen stone; rock
kamenný stone *(adj.)*
kamera video or TV camera
kameraman cameraman *(m.)*
kameramanka cameraman *(f.)*
kamion truck
Kanada Canada
Kanaďan Canadian *(m.)*
Kanaďanka Canadian *(f.)*
kanadský Canadian *(adj.)*
kapat/kápnout* to drip
kapka drop
kapr carp
kartáč brush
kartáček toothbrush
kartáčovat/vykartáčovat to brush
kašel cough
kašlat*/zakašlat to cough
katedra univ. department
katedrála cathedral

káva coffee
kázání preaching, sermon
kde where
kdo who
kdy when
kilogram kilogram
kilometr kilometer
kino cinema
kladivo hammer
klepat/vyklepat koberec to beat...
kleště pincers, pliers *(pl.)*
klíč key
klidný calm
klient, zákazník client, customer
klimatizace air conditioning
klobouk hat
kluk boy *(coll.)*
knedlík dumpling
kniha book
knihovna bookcase; bookcase
knihovnice librarian *(f.)*
knihovník librarian *(m.)*
knír moustache
knížka book
knoflík button
koberec carpet
kocour he-cat
kočka cat *(coll.* a beautiful girl*)*
kola cola
koláč tart, pie
kolega colleague *(m.)*
kolegyně colleague *(f.)*
kolej rail
kombiné slip
komfortní well equipped, luxurious
končit/skončit to finish
konev water-can
koníček little horse; hobby
konjuktura boom, prosperity
konkurence competition
konstruktér designer *(m.)*
konstruktérka designer *(f.)*
kontinent continent
kontrola check-up
kontrolovat to check, to examine
konvice (tea, coffee) pot, kettle
konzerva can
kopat/kopnout to dig; to kick
kopec hill
koruna crown
koření spices
kostel church
kostkovaný plaid, checkered
košile shirt
koště broom
koupání bathing
koupat se/vykoupat se to bathe
koupelna bathroom
kouření smoking
kovový metal *(adj.)*
koza goat
kožený leather *(adj.)*
kožich fur coat
krab crab
krájet/nakrájet to cut, to slice
krajina landscape
krajta python
král king
králík rabbit
královna queen
krásný beautiful
krasobruslení figure-skating
krasobruslit to figure-skate
krátký short
kravata, vázanka tie
kreditní karta credit card
krém cream
kreslit/nakreslit to draw
kriminál prison, jail *(coll.)*
krk neck, throat
krokodýl crocodile
kroupa hail
křeček hamster
křeslo armchair
křivý crooked
křižovatka intersection, crossroads
kudrnatý curly
kufr suitcase
kuchyň kitchen
kůň horse
kurz course; exchange rate
kuře chicken
kůže skin
květák cauliflower
květina flower
kýchat/kýchnout to sneeze
kynout*/vykynout rise (dough)
kyselý sour
kytičkovaný floral
kytka flower *(coll.)*

L
láhev bottle
lak polish
lámat/zlomit to break
láska love
léčení treatment, cure
léčit/vyléčit to cure
lednička refrigerator
ledovec glacier, iceberg
legrační funny
lehkomyslný ligth-minded, frivolous
lék medicine
lékař doctor *(m.)*
lékařka doctor *(f.)*
lepší better
les forest
leštit/vyleštit to polish; to glaze
let flight
letec pilot *(m.)*
letecky by air
letět to fly
letkyně pilot *(f.)*
lev lion
levný cheap
lézt/vylézt to climb
libra pound
lidé *(F decl.)* people
lidi *(F decl.)* people *(coll.)*
lidnatý populated
linka line
líný lazy
list leaf
lístek ticket
lít/nalít to pour (a liquid)
litr liter
loajální loyal
loď ship
losos salmon
ložnice bedroom
luxovat/vyluxovat to vacuum
luxusní luxurious
lyžování skiing
lyžovat/zalyžovat si to ski
lžíce tablespoon
lžička teaspoon

M
Maďar Hungarian *(m.)*
Maďarka Hungarian *(f.)*
Maďarsko Hungary
maďarský Hungarian *(adj.)*
maďarština Hungarian *(lang.)*
magneťák tape recorder *(coll).*
magnetofon tape recorder
mailovat to e-mail
majetek possession
majitel owner *(m.)*
majitelka owner *(f.)*
majonéza mayonnaise
malíř painter, artist *(m.)*
malířka painter, artist *(f.)*
malování, kreslení painting, drawing
malovat/namalovat to paint
malovat/vymalovat to decorate
malý small, little
maminka Mum
manažer manager *(m.)*
manažerka manager *(f.)*
manžel husband
manželka wife
mapa map
marka mark
máslo butter
maso meat
mast ointment
matka mother
maturita high-school leaving exam
maturovat to take/pass „maturita" exam
mazlíček pet
med honey
medúza jellyfish
medvěd bear
měkký soft
mělký shallow
meloun melon
měna currency
měnit/rozměnit to break money
měnit/vyměnit to change, exchange
měřit/změřit to measure
město city, town
metr meter
metrák metric center *(coll.)*
metrický cent metric center, quintal
mexický Mexican *(adj.)*
Mexičan Mexican *(m.)*
Mexičanka Mexican *(f.)*
Mexiko Mexico
mezinárodní international
míč ball
míchat/zamíchat to mix
mikina sweatshirt
miláček darling
miligram milligram
mililitr milliliter
milimetr millimeter
milionář millionaire *(m.)*
milionářka millionaire *(f.)*
milý pleasant, nice; dear
minerálka mineral water
míra measure
mísa bowl
místenka seat-reservation ticket
místnost room
místo place; seat
mixovat/umixovat to mix using a mixer
mladší younger
mladý young
mléko milk
mlha fog

mobil mobile telephone
močál dead water, swamp
móda fashion
modrý blue
mokrý wet
monitor monitor
morče guinea pig
moře sea
most bridge
motyka hoe
moudrý wise
moucha fly
mouka flour
možný possible
mrak cloud
mráz frost
mrazivý freezing, frosty
mražený frozen
mrtvý dead
mrznout/zmrznout to freeze
mučení torture
mučit/umučit to torture
muž man
myčka the wash-disher
mýdlo soap
myš mouse
mýt*/umýt to wash

N
nábytek furniture
nádobí dishes
nafoukaný conceited, swollen-headed
nákup shopping
náměstí square
nápoj drink, beverage
náročný demanding
nástroj tool
nástupiště platform
nastupovat/nastoupit get on; enter
natírat/natřít to paint; to spread
nebe sky
nebezpečí danger
nechávat/nechat to leave, to let
nějaký some; a/an
nejhorší the worst
nejlepší the best
nejmladší the youngest
nejstarší the eldest, the oldest
němčina German *(lang.)*
Němec German *(m.)*
Německo Germany
německý German *(adj.)*
Němka German *(f.)*
nemoc disease
nemocnice hospital
němý mute
neteř niece
nevěsta bride
nit thread
nízký low
nížina lowlands
noha foot, leg
Nor Norwegian *(m.)*
Norka Norwegian *(f.)*
Norsko Norway
norský Norwegian *(adj.)*
norština Norwegian *(lang.)*
nos nose
nosorožec rhino
noviny newspaper *(pl.)*
nudle noodle
nůž knife
nůžky scissors *(pl.)*

O
obálka envelope
obalovat/obalit to bread; to wrap
občan citizen/national/subject
oběd lunch
obětavý self-sacrificing
obchod shop; business
obchodní dům department store
obchodnice businesswoman
obchodník businessman
objednávat/objednat to order
objednávka order
oblačnost cloudiness, cloud cover
oblak cloud
oblast area
oblečení clothing
oblek suit
oblékat/obléct* to dress
obličej face
obloha sky
obočí eyebrows
obrat sales, turnover
obraz picture
obvinění accusation
obývací pokoj living room
obývák living room *(coll).*
oceán ocean
ocet vinegar
očkování vaccination
očkovat/naočkovat to vaccinate
odemykat/odemknout to unlock
odcházet/odejít to leave
odpočívat/odpočinout to rest
okno window
oko eye
okurka cucumber
olej oil
omáčka sauce
opakování review
opakovat/zopakovat to repeat, rewiev
opalovat se/opálit se to sunbathe
opatrný careful
opatření measure, arrangement
opice monkey
opravovat/opravit to fix, mend, repair
oranžový orange *(adj.)*
organizovat/zorganizovat to organize
osobák local train *(coll.)*
osobní vlak local train
ospalý sleepy
ostrov island
ostrý sharp; hot, spicy
ostýchavý shy
ošetřovatel nurse *(m.)*
ošetřovatelka nurse *(f.)*
ošklivý ugly, nasty
oštěp pear
otec father
ovoce fruit

P
padat/spadnout* to fall
palác palace
palec thumb; inch
paličatý obstinate, stubborn
pán sir, Mr.
panelák panel house *(coll).*
pánev frying pan
paní madam, Mrs., lady
papír paper
papírový paper *(adj.)*
papoušek parrot
paprika red pepper
parkovat/zaparkovat to park
parkoviště car park
pas passport
past trap
pasta paste
paštika paté
patetický impassioned, lofty
patro floor , storey
pavouk spider
péct*/upéct to bake
pečený baked
pečlivý careful, paistaiking
peklo hell
peněženka wallet/purse
peníze money *(pl.)*
pepř pepper
pero fountain pen
pes dog
pěstovat/vypěstovat to raise, to breed
piha freckle
pihovatý freckled
pila saw
pilulka pill
pití drink
pivo beer
plán plan
plánovat/naplánovat to plan
plat salary
platit/zaplatit to pay
plavání swimming
plavat/zaplavat si to swim
plavky swimsuit, trunks *(pl.)*
pláž beach
plést/uplést to knit
pleš bald patch; baldhead
pleť complexion
plet*/vyplet to weed
plot fence
plout to float, to sail
plynový gas
plyšový plush
pneumatika tire, tyre
pneumonie pneumonia
počasí weather
počítač computer
podací lístek certificate of mailing
podlaha floor
podnik firm, company
podnikat/podniknout to enterprise
podnikatel entrepreneur
podobný similar
podprsenka bra
pohled view; postcard
pohlednice postcard
pohodlný comfortable
pohoštění treat
pohotovost emergency
pojištění insurance
poklice lid (of a pot)
pokoj room; peace and quiet
pokušení temptation(s)
pokuta fine
pól pole
Polák Pole *(m.)*
polévka soup
police shelf
policejní stanice police station
policista policeman
policistka policewoman
politička politician *(f.)*
politik politician *(m.)*
Polka Pole *(f.)*
poloostrov peninsula

Polsko Poland
polský Polish *(adj.)*
polština Polish *(lang.)*
poluce emission of semen in sleep
pomeranč orange
ponožka sock
Portugalec Portuguese *(m.)*
Portugalka Portuguese *(f.)*
Portugalsko Portugal
portugalský Portuguese *(adj.)*
portugalština Portuguese *(lang.)*
porucha breakdown
posílat/poslat to send
posilovat/posílit to strengthen, to work out
poslání mission
postava figure
postel bed
postižený handicapped
pošťačka postwoman *(coll.)*
pošťák postman *(coll.)*
poštovní doručovatel postman
poštovní doručovatelka postwoman
poštovní schránka postbox, mailbox
poštovní směrovací číslo postal code
potápět/potopit to dive
potopa flood, deluge
poušť desert
pouštět/pustit draka to fly a kite
použití use, usage
používat/použít to use
povaha character
povolání occupation, calling
povolení permission
povolení k pobytu residence permit
povrchní superficial
prababička great grandmother
práce profession, job
pracovat to work
pracovitý hard-working, diligent
pracovní povolení work permit
pračka washing machine
pradědeček great grandfather
prach dust
prales primeval/virgin forest
prášek powder; pill
prát*/vyprat prádlo to wash laundry
právnička lawyer *(f.)*
právník lawyer *(m.)*
pregnantní pithy, condensed
premiér prime minister *(m.)*
premiérka prime minister *(f.)*
prérie prairie
prezervativ condom
princ prince
princezna princess
prodavač shop assistant *(m.)*
prodavačka shop assistant *(f.)*
prohlídka examination, check-up
promoce graduation ceremony
promovat to graduate
propast chasm, gorge; gap
propiska ball-point pen
propouštět/propustit to fire
prostředek means
prostřední middle
protivný nasty; cross, peevish
proud stream
proužkovaný striped
provaz rope
prst finger, toe
pršet/zapršet to rain
průjem diarrhea
průkaz certificate/identification card

průměrný average *(adj.)*
průvodčí conductor *(adj.)*
první the first
přání wish; card
přátelský friendly
předávat/předat to hand over
předjíždět/předjet to overtake, to pass
předpověď počasí weather forecast
předsíň hallway
představení performance
přeháňka shower
přechod zebra crossing/crosswalk
překladatel translator *(m.)*
překladatelka translator *(f.)*
přepojovat/přepojit to transfer
přestupovat/přestoupit to change
příbuzný relative *(adj.)*
přidávat/přidat to add
přihláška application
přicházet/přijít to come
příjem income, credit
příjemný pleasant
příroda country, countryside
přírodní natural
přístav port
přistěhovalec immigrant
přístroj device
přítel friend *(m.)*
přítelkyně friend *(f.)*
psací stůl desk
psaní writing; letter
psát/napsat to write
PSČ (pé es čé) postal code *(coll.)*
pstruh trout
pták bird
puberťačka teenager *(coll. pejor.)*
puberťák teenager *(coll. pejor.)*
půda attic
punčocháče tights *(pl.)*
puntičkářský meticulous
puntíkovaný dotted
pusa mouth; kiss *(coll.)*
puzzle puzzle

R

rádio radio
radnice town hall
ráj paradise
rajče tomato
Rakousko Austria
rakouský Austrian *(adj.)*
Rakušan Austrian *(m.)*
Rakušanka Austrian *(f.)*
rameno shoulder
ranit/zranit to hurt, to injure
razítko stamp
recept prescription, recipe
reklama commercial, advertisement
restaurátor restorer *(m.)*
restaurátorka restorer *(f.)*
režisér producer, director *(m.)*
režisérka producer, director *(f.)*
rodiče parents *(pl.)*
rodina family
rodinný dům family house
rodit se/narodit se to be born
rohlík long roll
rolnice farmer *(f.)*
rolník farmer *(m.)*
rosa dew
rostlina plant
rostlinné máslo margarine
rovina flat, plain

rovný straight
rozbitý broken
rozhodnutí decision
roztržitý absent-minded
rubl rouble
ručník towel
ruka hand
rukavice glove
Rumun Rumanian *(m.)*
Rumunka Rumanian *(f.)*
Rumunsko Rumania
rumunský Rumanian *(adj.)*
rumunština Rumanian *(lang.)*
Rus Russian *(m.)*
Ruska Russian *(f.)*
Rusko Russia
ruský Russian *(adj.)*
ruština Russian *(lang.)*
růžový pink
rybář fisherman
rybařit to catch fish
rybník pond
rýč spade
rychlík fast/express train
rýt*/zrýt to dig with spade

Ř

Řecko Greece
řecký Greek *(adj.)*
řečtina Greek *(lang.)*
ředitel director *(m.)*
ředitelka director *(f.)*
Řek Greek *(m.)*
řeka river
Řekyně Greek *(f.)*
řezat/říznout to cut; to saw
řidičák driving license *(coll.)*
řidičský průkaz driving license
řídký thin, tenuous
řízek Vienna schnitzel (cutlet)

S

sáček bag
sako jacket
salám salami
sanatorium sanatorium
sanitka ambulance
sáňkovat/zasáňkovat si to sled
sázet/zasadit to plant
sbírat/sebrat to pick (up), collect
sebevědomý self-confident
sekačka mower
sekat /seknout to chop
sekat/posekat trávu to mow grass
sekera axe
semafor traffic lights
seriózní reliable
servis, autoservis autoservice
sestra sister
sestřenice cousin *(f.)*
sešit exerscise book/note book
seznam list
sídliště housing estate
silnice road, highway
silný strong
skákat/skočit to jump
skála rock
skládačka puzzle
skládat/složit to compose
skladatel composer *(m.)*
skladatelka composer *(f.)*
skleněný glass *(adj.)*
sklenice glass

sklep cellar
sklo glass
skoro almost
Skot Scot *(m.)*
Skotka Scot *(f.)*
Skotsko Scotland
skotský Scot *(adj.)*
skromný modest
skříň wardrobe
slabý weak
sladký sweet
slanina bacon
slaný salty
slavný famous
slečna Miss
slepý blind
slipy women's underpants *(pl.)*
slon elephant
Slovák Slovak *(m.)*
Slovenka Slovak *(f.)*
Slovensko Slovakia
slovenský Slovak *(adj.)*
slovenština Slovak *(lang.)*
slovník dictionary
složenka payment bill
slunce sun
slunečný sunny
služba service
smažený fried
smažit/usmažit to fry
směnárna exchange office
smetana cream
smlouva contract, agreement
smrt death
smutný sad
snacha daughter-in-law
sněžit/nasněžit to snow
snídaně breakfast
sníh snow
sobecký selfish
socha statue
solidní reliable, earnest, fair
sopka volcano
sortiment assortment
soukromý private
sourozenec sibling
soused neighbor *(m.)*
sousedka neighbor *(f.)*
spěchat/přispěchat to hurry
spisovatel writer *(m.)*
spisovatelka writer *(f.)*
spokojený satisfied
spolehlivý reliable, dependable
spolubydlící roommate *(adj.)*
spolužačka classmate *(f.)*
spolužák classmate *(m.)*
sporák cooker, stove
sprcha shower
sprostý rude, vulgar
srdce heart
stanice station
staromódní old-fashioned
starožitnost a piece of antique
starý old
starší elder, older
stát state
statečný brave
státní poznávací značka licence plate
stavba construction; building
stěhovat/přestěhovat to move
stejný the same
step steppe
stlát/ustlat to make (up) the bed
stopa footprint; foot
strašný terrible
strejda uncle *(coll.)*
stroj machine
strom tree
strouhat/nastrouhat, ustrouhat to grate
strýček uncle
střední middle
stříbrný silver *(adj.)*
stříhat/střihnout to cut *(with scissors)*
studený cold *(adj.)*
studovat/vystudovat to study
stůl table
stydlivý shy
stylový stylish
suchý dry
sukně skirt
sůl salt
sušička dryer
sušit/usušit prádlo to dry laundry
sval muscle
svět world
světadíl continent
světlý bright
svetr sweater
svítit/zasvítit to shine
sympatický pleasant, nice, agreeable
syn son
synovec nephew
sypat*/nasypat to sprinkle, to pour
sýr cheese
sýrový cheese *(adj.)*
syrový raw

Š
šála scarf
šampon shampoo
šátek handkerchief, square
šaty dress; clothing *(pl.)*
šedý gray
šéf boss *(m.)*
šéfka boss *(f.)*
šek check
šicí stroj sewing machine
šikovný handy
široký wide
šířit/rozšířit se to spread
šířka breadth; width
šít/ušít to sew
škaredý ugly
škola school
školka kindergarten
šlehačka whipped cream
šortky shorts *(pl.)*
Španěl Spaniard *(m.)*
Španělka Spaniard *(f.)*
Španělsko Spain
španělský Spanish *(adj.)*
španělština Spanish *(lang.)*
špatný bad
špenát spinach
špinavý dirty
šroubovák screwdriver
šroubovat/zašroubovat to screw
šťastný happy, lucky
štíhlý slim
štípat/štípnout to clip
šunka ham
švagr brother-in-law
švagrová sister-in-law *(adj.)*
Švéd Swede *(m.)*
Švédka Swede *(f.)*
Švédsko Sweden
švédský Swedish *(adj.)*
švédština Swedish *(lang.)*
Švýcar Swiss *(m.)*
Švýcarka Swiss *(f.)*
Švýcarsko Switzerland
švýcarský Swiss *(adj.)*

T
talíř plate
tapetovat/vytapetovat
taška bag
tát*/roztát to melt, to thaw
tatínek Dad
taxikář taxi-driver *(m.)*
taxikářka taxi-driver *(f.)*
téct to flow
telefon telephone
telefonní budka telephone box/booth
telefonní seznam telephone directory
telegram telegram
tělo body
tenký thin
teplota temperature
teplý warm
terasa terrace
těsto dough
těstoviny pasta *(pl.)*
teta aunt
tchán father-in-law
tchýně mother-in-law
tiskárna printer
tlak pressure
tlouct/zatlouct to beat
tlumočnice interpreter *(f.)*
tlumočník interpreter *(m.)*
tlustý fat *(adj.)*
tma darkness
tmavý dark
toaleta toilet
továrna factory
tramvajenka tram/street-line pass
trápení trouble
trapný embarrassing
trh market
tričko T-shirt
triko T-shirt
trouba oven
trvat to last, to take time
tuna ton
tunel tunnel
Turecko Turkey
turecký Turkish *(adj.)*
turečtina Turkish *(lang.)*
Turek Turk *(m.)*
Turkyně Turk *(f.)*
tužka pencil
tvář cheek; face
tvrdohlavý obstinate, stubborn
tvrdý hard
tygr tiger
typický typical

U
ubytování accommodation
učebnice textbook
učení (se) teaching/learning
účes hairdo, hairstyle
účetní accountant *(adj.)*
učitel teacher *(m.)*
učitelka teacher *(f.)*
údolí valley
ucho ear
ukládat/uložit to deposit

uklízeč cleaner, cleaningman
uklízečka cleaner, cleaningwoman
uklízet/uklidit to tidy
ulice street
umělec artist *(m.)*
umělkyně artist *(f.)*
umírat/umřít, zemřít to die
umyvadlo washbasin
unavený tired
upozornění indication, notice
upřímný sincere
úraz injury
úřad office/bureau
úřednice clerk *(f.)*
úředník clerk *(m.)*
ústa mouth *(pl. only)*
utěrka dish-towel
utírat/utřít to wipe
úzký narrow

V

váha weight
vajíčko egg
vana bathtub
varování warning
vaření cooking
vařený cooked; boiled
vařící boiling
vařit/uvařit to boil; to cook
vázat/zavázat to tie
vážit/zvážit to weight
vdávat se/vdát se to marry
večeře dinner
vědec scientist *(m.)*
vedení leading, leadership
vědkyně scientist *(f.)*
vejce egg
Velká Británie Great Britain
velký big
velryba whale
velvyslanec ambassador *(m.)*
velvyslanectví embassy
velvyslankyně ambassador *(f.)*
venčit/vyvenčit psa to take the dog out
vepřové pork *(adj.)*
věrný faithful
veselý joyful, merry, happy
vesmír cosmos, universe
vesnice village
vést*, vodit to lead
vesta vest, waistcoat
věšet/pověsit to hang (up)
vězení prison, jail
vchod entrance
vidlička fork
Vietnam Vietnam
Vietnamec Vietnamese *(m.)*
Vietnamka Vietnamese *(f.)*
vietnamský Vietnam *(adj.)*
vietnamština Vietnam *(lang.)*
vichřice windstorm
vila villa
víno wine
vítr wind
vízum visa
vlak train
vlastní own
vlasy hair *(pl.)*
vlhký wet
vlněný woolen
vlnitý wavy
vločka flake
vnučka granddaughter
vnuk grandson
vodovky water colors *(pl.)*
vojačka soldier *(f.)*
voják soldier *(m.)*
vojenská služba military service
vojna military service *coll.*
vousy beard *(pl.)*
vracet se/vrátit se to return
vráska wrinkle
vstávat/vstát* to get up
vstupovat/vstoupit to enter;
vulgární vulgar
vulkán volcano
vybavení equipment
vybírat/vybrat to take out
výdaj expenditure, debit
vyhazovat/vyhodit to throw out
vycházet/vyjít **to go out;** to rise
východ exit
vynášet/vynést odpadky to take out garbage
vypínač control, switch
vypínat/vypnout to switch off
vyplňovat/vyplnit to fill in
vyrábět/vyrobit to produce
výrobek product
vyřizovat/vyřídit to give, pass
vysavač vacuum cleaner
vysočina highlands
vysoká škola university
vysoký tall; high
vystěhovalec emigrant
vystupovat/vystoupit to get off
vyšetření examination, overhaul
vyšívat/vyšít to embroider
výška height
vzdělání education
vzduch air
vzhled appearance
vzkaz message

Z

záclona curtain
zácpa constipation
záhon flowerbed
zahrada garden
zahraniční foreign
záchod toilette
zajímavý interesting
zákaz ban, prohibition
zákaz parkování No parking!
zákaz vjezdu No entry!
zakládat/založit to found
základní elementary
zalévat/zalít květiny to water
záloha advancement, paid-on
zámek chateau; lock
zaměstnanec employee *(he)*
zaměstnání profession, job
zaměstnankyně employee *(she)*
zaměstnavatel employer *(he)*
zaměstnavatelka employer *(she)*
zametat/zamést to sweep
zamilovávat se/zamilovat se to fall in love
zamykat/zamknout to lock
zánět inflammation
zánět průdušek bronchitis
zánět slepého střeva appendicitis
zapadat/zapadnout to set *(about sun)*
zápal plic pneumonia
zapínat/zapnout to switch on
záplava flood
zařízení facility, device
zastávka stop
zavazadlo luggage
závistivý envious
záznamník answering machine
zboží goods
zbytečný useless
zdravotní sestra nurse *(f.)*
zdvořilý polite
zelenina vegetables
zelený green
zelí cabbage
země the Earth; country; ground
zemětřesení earthquake
zeť son-in-law
zima winter; cold
zip zipper, zip
zisk profit
zklamání disappointment
Zlaté stránky Yellow Pages
zlatý golden
zlobivý naughty
zlomený broken
zlý evil
zmrzlina ice cream
značka trademark, brand
známka stamp
známý well-known
zodpovědný responsible
zpěvačka singer *(f.)*
zpěvák singer *(m.)*
zpoždění delay
zranění injury
zrzavý red *(about hair)*
zub tooth
zubař dentist *(m,)*
zubařka dentist *(f.)*
zvíře animal
zvonit/zazvonit to ring
zvracet/zvrátit to vomit, throw up

Ž

žába frog
žádat/požádat to apply for st.
žádost application
žaludek stomach
žárlivý envious
žehlit/vyžehlit to iron
železný iron *(adj.)*
želva turtle, tortoise
žena woman
ženich bridegroom
ženit se/oženit se to marry (a man)
Žid Jew *(m.)*
židle chair
Židovka Jew *(f.)*
židovský Jew *(adj.)*
žirafa giraffe
žlutý yellow

grammar index – gramatický rejstřík

lexical index – lexikální rejstřík